Donna Leon

Schöner Schein

Commissario Brunettis
achtzehnter Fall

Roman
Aus dem Amerikanischen von
Werner Schmitz

Diogenes

Titel des Originals:
›About Face‹
Das Motto aus: Mozart, *Così fan tutte,*
Akt 1, Szene 11
Umschlagfoto:
Copyright © David Angel/Alamy

Für Petra Reski-Lando
und Lino Lando

Che ti par di quell'aspetto?

Wie gefällt dir dies Gesicht?

Così FAN TUTTE

Die Frau fiel ihm auf, als sie beide sich zu ihrer Abendeinladung auf den Weg gemacht hatten. Er und Paola waren vor einer Buchhandlung stehen geblieben, und während er sich vor der spiegelnden Scheibe die Krawatte richtete, sah Brunetti in seinem Rücken die Frau, die sich, Arm in Arm mit einem älteren Mann, Richtung Campo San Barnaba entfernte. Er sah sie von hinten, der Mann zu ihrer Linken. Als Erstes bemerkte Brunetti ihr Haar, hellblond wie Paolas, zu einem sanften Knoten tief in ihrem Nacken geschlungen. Als er sich umwandte, um sie genauer zu sehen, war das Paar schon an ihnen vorbei und näherte sich der Brücke, die Richtung San Barnaba führte.

Ihr Mantel – vielleicht Hermelin, vielleicht Zobel: auf jeden Fall etwas Teureres als Nerz, dachte Brunetti – reichte bis knapp über sehr zierliche Fesseln und Schuhe mit Absätzen, die eigentlich zu hoch waren für die noch von Schnee- und Eisresten bedeckten Calli.

Brunetti kannte den Mann, kam aber nicht auf seinen Namen: Nur eine vage Erinnerung an Reichtum und Einfluss stieg in ihm auf. Kleiner und breiter als die Frau, bemühte sich der Mann mehr als sie, den vereisten Flächen auszuweichen. Am Fuß der Brücke machte er plötzlich einen Schritt zur Seite und suchte mit einer Hand am Geländer Halt. Die Frau an seinem Arm wurde mitgezogen und drehte sich auf einem Fuß, den anderen noch in der Schwebe, so dass der immer noch neugierige Brunetti sie nun nicht mehr richtig sehen konnte.

»Wenn du Lust hast, Guido«, sagte Paola neben ihm, »kannst du mir zum Geburtstag die neue William-James-Biographie schenken.«

Brunetti riss sich von dem Pärchen los und folgte dem Zeigefinger seiner Frau, der auf ein dickes Buch im hinteren Teil des Schaufensters wies.

»Ich dachte, der heißt Henry«, sagte er, ohne eine Miene zu verziehen.

Sie zog ihn mit einem Ruck enger an sich. »Stell dich nicht dumm, Guido Brunetti. Du weißt, wer William James ist.«

Er nickte. »Aber warum interessiert dich die Biographie des Bruders?«

»Mich interessiert die ganze Familie und überhaupt so ziemlich alles, was ihn zu dem gemacht haben könnte, der er war.«

Brunetti dachte an die Zeit vor über zwanzig Jahren, als er Paola kennengelernt und den brennenden Wunsch verspürt hatte, alles über sie in Erfahrung zu bringen: über ihre Familie, ihre Vorlieben, ihre Freunde, alles, was ihm mehr über diese wunderbare junge Frau sagen konnte, die ein gütiges Schicksal ihm zwischen den Regalen der Universitätsbibliothek über den Weg geschickt hatte. Brunetti fand eine solche Wissbegier durchaus normal, wenn es um einen lebenden Menschen ging. Aber bei einem Schriftsteller, der seit fast hundert Jahren tot war?

»Was fasziniert dich nur so an ihm?«, bohrte er nicht zum ersten Mal. Brunetti merkte selbst, dass er sich wieder einmal wie der reizbare, eifersüchtige Ehemann aufführte, den ihre Schwärmerei für Henry James schon oft aus ihm gemacht hatte.

Sie ließ seinen Arm los und trat zurück, als wollte sie sich den Mann, mit dem sie aus irgendeinem Grund verheiratet war, einmal genauer ansehen. »Weil er viele Dinge versteht«, sagte sie endlich.

»Aha«, meinte Brunetti nur wortkarg. »Sonst nichts?« Ihm schien, das sei das mindeste, was man von einem Schriftsteller erwarten konnte.

»Und weil er auch uns dazu bringt, diese Dinge zu verstehen«, fügte sie hinzu.

Und damit war das Thema erledigt.

Paola schien der Ansicht, sie hätten jetzt mehr als genug Zeit damit verbracht. »Komm. Du weißt, wie mein Vater es hasst, wenn man zu spät kommt.«

Sie ließen die Buchhandlung hinter sich. Am Fuß der Brücke blieb Paola stehen und sah ihm ins Gesicht. »Du weißt, ich habe dir das schon oft gesagt«, fing sie an. Er wusste, was jetzt kam, und es stimmte, sie hatte ihm das schon oft gesagt. »Du bist Henry James wirklich sehr ähnlich.«

Wie jedes Mal, wenn sie ihm das sagte, wusste Brunetti nicht, ob er sich durch diesen Vergleich geschmeichelt oder gekränkt fühlen sollte. Zum Glück hatte er im Lauf der Jahre gelernt, nicht jedes Mal die Grundlagen ihrer Ehe in Frage zu stellen.

»Und du willst die Dinge verstehen, Guido. Sonst wärst du wohl nicht Polizist geworden.« Sie überlegte einen Moment. »Aber du willst auch, dass andere Leute diese Dinge verstehen.« Sie wandte sich ab, ging die Brücke hinauf und rief noch über die Schulter: »Genau wie er.«

Brunetti ließ ihr bis zur Mitte der Brücke einen Vorsprung, ehe er ihr nachrief: »Heißt das, dass ich das Zeug zum Schriftsteller habe?« Wie schön, wenn sie mit Ja antworten würde.

Sie tat die Frage mit einer Handbewegung ab und drehte sich nach ihm um: »Das macht es so interessant, mit dir zusammenzuleben.« Damit ging sie die Brücke auf der anderen Seite hinunter.

Noch besser als Schriftsteller sein, dachte Brunetti und folgte ihr.

Brunetti sah auf seine Uhr, während Paola am *portone* ihres Elternhauses klingelte. »So viele Jahre, und du hast immer noch keinen Schlüssel?«, fragte er.

»Stell dich doch nicht so an«, sagte sie. »Natürlich habe ich einen Schlüssel. Aber wir sind eingeladen, und da ist es besser, wenn wir uns wie Gäste anmelden.«

»Heißt das, wir müssen uns auch wie Gäste benehmen?«, fragte Brunetti.

Was auch immer Paola darauf hätte antworten können, blieb ungesagt, da ihnen in diesem Moment ein Mann, den sie beide nicht kannten, das Hoftor öffnete. Er lächelte, deutete etwas zwischen einem Nicken und einer Verbeugung an und zog das Tor vollständig auf.

Paola dankte ihm, und sie gingen über den Hof auf die Treppe zu, die zum Palazzo hinaufführte. »Keine Livree«, flüsterte Brunetti entrüstet. »Keine Perücke? Mein Gott, wie tief ist die Welt gesunken? Demnächst essen die Dienstboten noch bei den Herrschaften mit an der Tafel, und dann verschwindet nach und nach das Silberbesteck. Wo soll das nur enden? Dass Luciana deinem Vater mit einem Fleischerbeil nachrennt?«

Paola blieb abrupt stehen und drehte sich schweigend zu ihm um. Sie strafte ihn mit jenem Blick, den sie immer zur Schau trug, wenn er zu weit gegangen war.

»*Si, tesoro?*«, fragte er honigsüß.

»Ich schlage vor, Guido, wir warten hier ein Weilchen, bis du deine komischen Bemerkungen über die gesellschaftliche Stellung meiner Eltern losgeworden bist, und wenn du dich beruhigt hast, gehen wir nach oben zu den anderen Gästen, und du benimmst dich beim Essen wie ein halbwegs zivilisierter Zeitgenosse. Was sagst du dazu?«

Brunetti nickte. »Gefällt mir, besonders der ›halbwegs zivilisierte Zeitgenosse‹.«

Sie strahlte ihn an: »Das dachte ich mir, mein Lieber.« Dann wandte sie sich um, und als sie die Treppe hochstieg, folgte Brunetti ihr auf dem Fuß.

Paola hatte die Einladung ihres Vaters bereits vor einiger Zeit angenommen und Brunetti erklärt, Conte Falier wolle seinen Schwiegersohn mit einer guten Freundin der Contessa bekannt machen.

Die Liebe seiner Schwiegermutter hatte Brunetti im Lauf der Jahre anzunehmen gelernt, ohne sie zu hinterfragen, aber was den Conte betraf, war er sich nie sicher, ob jener eigentlich in ihm einen Emporkömmling sah, der sich die Zuneigung seines einzigen Kindes erschlichen hatte, oder einen Mann von Talent und Verdiensten. Nach kurzem Nachdenken akzeptierte Brunetti, dass dem Conte ohne weiteres zuzutrauen war, beides zugleich in ihm zu sehen.

Ein zweiter Unbekannter erwartete sie oben an der Trep-

pe, und als er mit einer leichten Verbeugung die Eingangstür aufschwingen ließ, strömte ihnen die Wärme aus dem
Inneren des Palazzo entgegen. Paola dankte mit einem Nicken; Brunetti folgte ihr hinein.

Schon im Vestibül vernahmen sie die Stimmen aus dem
großen Salon, der auf den Canal Grande hinaussah. Der
Mann nahm ihnen schweigend die Mäntel ab und zog die
Tür einer beleuchteten Garderobe auf. Brunetti riskierte einen Blick hinein; im hintersten Winkel hing, abgesondert
von den anderen, ein besonders kostbarer Pelzmantel.

Die Stimmen lockten sie in den Salon. Als Brunetti und
Paola eintraten, standen ihre Gastgeber vor dem mittleren
Fenster. Sie wandten Brunetti und Paola das Gesicht zu,
während die sie umringenden Gäste die Aussicht auf die
Palazzi am anderen Ufer des Canal Grande genossen, und
Brunetti, der die Gäste nur von hinten sah, erkannte unter
ihnen das Paar, dem sie vorhin auf der Straße begegnet waren; oder aber es gab noch einen zweiten untersetzten, weißhaarigen Mann mit einer großen blonden Gefährtin, die
schwarze Stöckelschuhe trug und ihr Haar zu einem kunst-
vollen Knoten geschlungen hatte. Sie hielt sich ein wenig ab-
seits, schaute aus dem Fenster und schien sich wenig für die
Gäste zu interessieren.

Zwei weitere Paare standen links und rechts von seinen
Schwiegereltern. Er erkannte den Anwalt des Conte und
seine Frau; die anderen beiden waren eine alte Freundin der
Contessa, die sich ebenso wie die Contessa für wohltätige
Zwecke engagierte, und ihr Mann, der Rüstungsgüter und
Bergbautechnik an Länder der Dritten Welt verkaufte.

Der Conte unterbrach seine angeregte Unterhaltung mit

dem Weißhaarigen, als er Paola bemerkte. Er stellte sein Glas ab, sagte noch etwas zu dem Mann, trat um ihn herum und ging auf seine Tochter und Brunetti zu. Als sein Gastgeber sich entfernte, wandte der Mann sich neugierig um. Und jetzt fiel Brunetti auch der Name ein: Maurizio Cataldo, ein Mann, von dem es hieß, er habe Beziehungen zur Stadtverwaltung. Die Frau sah weiter aus dem Fenster, als sei sie bezaubert von der Aussicht und habe das Verschwinden des Conte gar nicht bemerkt.

Brunetti und Cataldo kannten sich, wie so oft in dieser Stadt, nur vom Sehen; dennoch wusste Brunetti in groben Umrissen über Cataldo Bescheid. Die Familie war, soweit Brunetti wusste, irgendwann zu Beginn des letzten Jahrhunderts aus dem Friaul nach Venedig gekommen, hatte es in der Zeit des Faschismus zu Wohlstand gebracht und war im großen Boom der sechziger Jahre sogar noch reicher geworden. Bauwesen? Transportwesen? Er wusste es nicht genau.

Der Conte begrüßte Brunetti und Paola beide mit zwei Wangenküssen und drehte sich wieder zu dem Paar um, mit dem er zuvor gesprochen hatte. »Paola, du kennst die beiden«, und zu Brunetti: »Aber du vermutlich nicht, Guido. Sie möchten dich unbedingt kennenlernen.«

Das mochte für Cataldo gelten, der ihnen mit hochgezogenen Augenbrauen und zur Seite geneigtem Kinn entgegensah und seinen Blick mit unverhohlener Neugier zwischen Paola und Brunetti hin- und hergehen ließ. Die Miene der Frau hingegen war unmöglich zu deuten. Oder genauer gesagt, ihr Gesicht drückte eine andauernde Erwartung aus, hineingepflanzt von einem hilfsbereiten Chirurgen. Ihr Mund war bis ans Ende seines irdischen Daseins zu jenem kleinen Lächeln geöffnet, das man zeigt, wenn die Hausangestellte einem ihr Enkelkind vorstellt. Als Ausdruck von Freude mochte das Lächeln etwas dünn sein, aber die Lippen, die lächelten, waren voll und von einem dunklen Rot, wie man es von Kirschen kennt. Ihre Augen wurden von den hochstehenden Wangen zusammengedrückt, die zu beiden Seiten ihrer Nase als pralle rosa Polster von der Größe einer längshalbierten Kiwi prangten. Die Nase selbst begann höher an der Stirn, als Nasen es gewöhnlich tun, und war seltsam flach, als habe sie jemand nach dem Einsetzen mit einem Spachtel geglättet.

Von Falten und Flecken keine Spur. Ihre Haut war perfekt, die Haut eines Kindes. Das blonde Haar gab durch nichts zu erkennen, dass es etwas anderes sein könnte als gesponnenes Gold, und Brunetti wusste genug über Mode, um zu erkennen, dass ihr Kleid kostspieliger war als jeder Anzug, den er je besessen hatte.

Das also musste Cataldos zweite Frau sein, »*la Superliftata*«, eine entfernte Verwandte der Contessa, von der Brunetti zwar gelegentlich gehört, die er aber nie persönlich kennengelernt hatte. Kurzes Stöbern in seinem Gedächtnisspeicher für Gesellschaftsklatsch ergab, dass sie irgendwoher aus dem Norden kam, angeblich die Öffentlichkeit scheute und irgendwie seltsam war.

»Ah«, unterbrach der Conte Brunettis Grübeleien. Paola küsste die Frau auf die Wange, dann gab sie dem Mann die Hand. Zu der Frau gewandt sagte der Conte: »Franca, ich möchte dir meinen Schwiegersohn vorstellen, Guido Brunetti, Paolas Mann.« Und dann zu Brunetti: »Guido, darf ich vorstellen: Franca Marinello und ihr Mann Maurizio

Cataldo.« Er trat zur Seite und winkte Brunetti nach vorn, als überreichte er Brunetti und Paola dem anderen Paar auf dem Präsentierteller.

Brunetti gab erst der Frau die Hand, die überraschend fest zupackte, dann dem Mann, dessen Hand sich so trocken anfühlte, als müsste sie mal abgestaubt werden. »*Piacere*«, sagte er und sah erst ihr und dann dem Mann mit einem Lächeln in die Augen.

Der Mann nickte, aber es war die Frau, die etwas sagte. »Ihre Schwiegermutter hat in all den Jahren so gut von Ihnen gesprochen; ich bin sehr erfreut, Sie endlich kennenzulernen.«

Bevor Brunetti eine Antwort einfiel, schwang die Doppeltür zum Speisesaal von innen auf, und der Mann, der die Mäntel entgegengenommen hatte, verkündete, das Essen sei serviert. Während man hinüberging, kramte Brunetti in seinem Gedächtnis nach irgendetwas, was die Contessa ihm über ihre Freundin Franca erzählt haben mochte, erinnerte sich aber nur daran, dass die Contessa sich vor Jahren, als Franca zum Studieren nach Venedig gekommen war, ihrer angenommen hatte.

Beim Anblick des Tischs – schwer beladen mit Porzellan und Silberbesteck und einem wahren Blütenmeer – musste er an die letzte Mahlzeit denken, die er nur zwei Wochen zuvor in diesem Haus eingenommen hatte. Er war vorbeigekommen, um der Contessa, mit der er seit Jahren Lektüre austauschte, zwei Bücher zu bringen, und hatte seinen Sohn bei ihr angetroffen. Raffi hatte erklärt, er wolle seinen Italienischaufsatz abholen, den seine Großmutter sich angesehen habe.

Die beiden hatten im Arbeitszimmer gesessen, nebeneinander am Schreibtisch der Contessa. Vor ihnen lag Raffis Aufsatz, die acht Seiten über und über bedeckt mit Kommentaren in drei verschiedenen Farben. Links davon stand ein Teller mit Sandwiches, oder eher das, was einmal ein Teller mit Sandwiches gewesen war. Während Brunetti die Reste aß, erklärte die Contessa ihr System: Rot für Grammatikfehler, Gelb für alle Formen des Verbs *essere* und Blau für sachliche Fehler und Fehlinterpretationen.

Raffi, der eher ungehalten reagierte, wenn Brunetti seinen historischen Ansichten widersprach oder Paola seine Grammatik korrigierte, schien vollständig davon überzeugt zu sein, dass seine Großmutter wusste, was sie tat, und tippte ihre Vorschläge eifrig in seinen Laptop, während Brunetti die Erläuterungen aufmerksam mitverfolgte.

Paola riss ihn aus diesen Erinnerungen: »Such nach deinem Namen«, flüsterte sie. Tatsächlich, vor jedem Gedeck war eine kleine, handbeschriftete Karte aufgestellt. Rasch fand er die seine und stellte beruhigt fest, dass Paola links von ihm sitzen sollte, zwischen ihm und ihrem Vater. Er sah sich am Tisch um, inzwischen hatten alle ihren Platz gefunden. Jemand, der mit der Etikette der Tischordnung vertrauter wäre, hätte mit Entsetzen registriert, wie nah die Ehefrauen bei ihren Männern platziert waren. Nur die Tatsache, dass Conte und Contessa einander an den Enden des rechteckigen Tischs gegenübersaßen, hätte das Schicklichkeitsgefühl eines solchen Beobachters ein wenig besänftigen können. Der Anwalt des Conte, Renato Rocchetto, rückte der Contessa den Stuhl zurecht. Als sie saß, nahmen zunächst die anderen Frauen Platz, dann die Männer.

Brunetti unmittelbar gegenüber saß Cataldos Frau. Ihr Mann sagte etwas, und sie neigte sich zu ihm hinüber, den Kopf fast an seinen gelehnt, aber Brunetti wusste, damit war das Unvermeidliche nur ein wenig hinausgeschoben. Paola widmete sich kurz Brunetti, murmelte »*Coraggio*« und tätschelte sein Knie.

Als Paola ihre Hand wegnahm, lächelte Cataldo seiner Frau zu und wandte sich an Paola und ihren Vater; Franca Marinello sah Brunetti an. »Es ist schrecklich kalt, finden Sie nicht?«, begann sie, und Brunetti machte sich auf eine dieser typischen Essensunterhaltungen gefasst.

Bevor ihm eine hinreichend nichtssagende Erwiderung einfiel, ergriff die Contessa das Wort: »Ich hoffe, es stört niemanden, wenn es zu dieser Mahlzeit kein Fleisch gibt.« Sie blickte lächelnd in die Runde und fügte in einem halb belustigten, halb verlegenen Ton hinzu: »Aufgrund der Essgewohnheiten meiner Familie und weil ich es versäumt habe, jeden Einzelnen von Ihnen anzurufen und nach den seinen zu fragen, hielt ich es für das Einfachste, auf Fleisch und Fisch ganz zu verzichten.«

»›Essgewohnheiten‹?«, flüsterte Claudia Umberti, die Frau des Anwalts. Sie schien aufrichtig verwirrt, und Brunetti, der neben ihr saß und sie und ihren Mann oft genug bei Familienessen erlebt hatte, wusste, dass für sie die einzige Essgewohnheit der ausgedehnten Falier-Familie – von Chiaras wenig konsequentem Vegetariertum einmal abgesehen – von jeher in reichlichen Portionen und mächtigen Nachspeisen bestand.

Zweifellos, um ihre Mutter davor zu bewahren, bei einer so krassen Lüge ertappt zu werden, erklärte Paola in das all-

17

gemeine Schweigen hinein: »Ich ziehe es vor, kein Rind zu essen; meine Tochter Chiara isst weder Fleisch noch Fisch – jedenfalls diese Woche; Raffi isst nichts Grünes und mag keinen Käse; und Guido«, sagte sie und legte ihm eine Hand auf den Arm, »isst überhaupt nichts, es sei denn, er bekommt eine große Portion.«

Alle am Tisch lachten beifällig, und Brunetti gab Paola zum Beweis seiner Gutmütigkeit und Fairness einen Kuss auf die Wange, nahm sich aber vor, eisern abzulehnen, falls man ihm einen Nachschlag anbieten sollte. Lächelnd sah er sie an und flüsterte: »Was soll das Ganze eigentlich?«

»Sag ich dir später«, antwortete sie und wandte sich mit einer höflichen Frage an ihren Vater.

Franca Marinello schenkte den Bemerkungen der Contessa weiter keine Aufmerksamkeit; als Brunetti sich ihr wieder zuwandte, sagte sie vielmehr: »Der Schnee auf den Straßen ist ein schreckliches Problem.« Brunetti lächelte, als seien ihm ihre Schuhe noch gar nicht aufgefallen und als habe er sich diese Bemerkung nicht seit zwei Tagen ständig anhören müssen.

Nach den Regeln höflicher Konversation war jetzt er mit irgendeiner sinnlosen Bemerkung an der Reihe; er fügte sich in die Rolle und sagte: »Aber für Skiläufer ist es gut.«

»Und für die Bauern«, ergänzte sie.

»Verzeihung?«

»Wo ich herkomme«, sagte sie in einem Italienisch, das keinerlei dialektalen Einschlag erkennen ließ, »haben wir ein Sprichwort: ›Unter dem Schnee ist Brot. Unter dem Regen ist Hunger.‹« Ihre Stimme war angenehm tief; als Sängerin wäre sie ein Alt gewesen.

Brunetti, ein ausgemachter Stadtmensch, lächelte klein-
laut. »Ich glaube, davon verstehe ich nichts.«

Ihre Lippen hoben sich – offenbar ihre Art zu lächeln –,
und der Ausdruck in ihren Augen wurde milder. »Das soll
heißen, dass der Regen einfach wegläuft und nur vorübergehend Gutes bewirkt, während der Schnee auf den Bergen
liegt und das Schmelzwasser den ganzen Sommer hindurch
langsam abfließt.«

»Und daher das Brot?«, fragte Brunetti.

»Ja. So die Überlieferung.« Bevor Brunetti etwas dazu
sagen konnte, fuhr sie fort: »Der Schnee hier in der Stadt
ist nur eine Ausnahmeerscheinung und so wenig, dass der
Flughafen gerade mal für ein paar Stunden geschlossen werden musste; höchstens ein paar Zentimeter. In Südtirol,
wo ich herkomme, hat es in diesem Jahr noch gar nicht geschneit.«

»Also Pech für die Skiläufer?«, fragte Brunetti lächelnd,
indem er sich vorstellte, wie sie in einem langen Kaschmirpullover und Skihosen vorm Kamin eines Fünf-Sterne-Ski-
hotels posierte.

»Die interessieren mich nicht. Nur die Landbewohner«,
sagte sie mit einer Heftigkeit, die ihn überraschte. Sie sah
ihm forschend ins Gesicht. »›Überglücklich wäre der Bauer,
würde er die Vorzüge des Landlebens erkennen.‹«

Brunetti blieb fast die Spucke weg. »Das ist Vergil, oder?«

»Aus den *Georgica*«, antwortete sie, indem sie höflich
über seine Verblüffung und alles, was sie verriet, hinwegging. »Sie haben das Gedicht gelesen?«

»In der Schule«, sagte Brunetti. »Und dann noch einmal
vor einigen Jahren.«

»Warum?«, erkundigte sie sich höflich und drehte sich von ihm weg, um dem Diener zu danken, der einen Teller *risotto ai funghi* vor sie hinstellte.

»Warum was?«

»Warum haben Sie es noch einmal gelesen?«

»Weil mein Sohn es in der Schule gelesen hat, und als er erzählte, es habe ihm gefallen, wollte ich es mir auch noch einmal ansehen.« Lächelnd fügte er hinzu: »Meine Schulzeit ist schon so lange her, dass ich mich an nichts mehr erinnern konnte.«

»Und?«

Brunetti musste erst nachdenken, bevor er antwortete, so selten bekam er Gelegenheit, über Bücher zu reden. »Ich muss gestehen«, sagte er, während der Diener ihm seinen Risotto servierte, »das ganze Gerede über die Pflichten eines guten Landbesitzers hat mich nicht besonders interessiert.«

»Welche Themen interessieren Sie denn?«

»Was die Klassiker zum Thema Politik zu sagen haben«, antwortete Brunetti und bereitete sich darauf vor, dass das Interesse seiner Gesprächspartnerin jetzt unweigerlich nachlassen würde.

Sie nahm einen kleinen Schluck Wein, neigte ihr Glas in Brunettis Richtung, ließ den Inhalt sachte kreisen und sagte: »Ohne den guten Landbesitzer hätten wir das hier nicht.« Sie nahm noch einen Schluck und stellte das Glas wieder hin.

Brunetti beschloss es zu riskieren. Er hob die rechte Hand und umschrieb mit ihr einen kleinen Kreis, der den Tisch, die Leute daran und darüber hinaus auch den Palazzo und die ganze Stadt umfassen mochte. »Ohne Politik«, sagte er, »hätten wir das hier nicht.«

Da sie keine große Augen machen konnte, bekundete sie ihre Überraschung mit einem glucksenden Lachen, das sich zu einem mädchenhaften Kichern steigerte; es half nichts, dass sie eine Hand vor den Mund nahm, nur dass aus dem Kichern zuletzt ein Hustenfall wurde.

Köpfe drehten sich zu ihnen herum, ihr Mann entzog dem Conte seine Aufmerksamkeit und legte ihr fürsorglich eine Hand auf die Schulter. Die Unterhaltung verstummte.

Sie nickte, machte eine abwiegelnde Handbewegung, nahm ihre Serviette und tupfte sich, immer noch hustend, die Augen ab. Schließlich hörte der Husten auf, und nachdem sie ein paarmal tief Luft geholt hatte, sagte sie in die Runde: »Entschuldigung. Mir ist was in den falschen Hals geraten.« Sie legte beschwichtigend ihre Hand auf die ihres Mannes und sagte etwas zu ihm, worauf er sich lächelnd wieder seinem Gespräch mit dem Conte zuwandte.

Sie nahm ein paar kleine Schlucke aus ihrem Wasserglas, probierte den Risotto und legte die Gabel hin. Als habe es keine Unterbrechung gegeben, sah sie Brunetti an und sagte: »Zum Thema Politik lese ich am liebsten Cicero.«

»Warum?«

»Weil er so gut hassen kann.«

Brunetti zwang sich, auf das zu achten, was sie sagte, und nicht auf den schauerlichen Mund, aus dem die Worte kamen; und sie diskutierten immer noch über Cicero, als die Diener ihre kaum angerührten Teller mit Risotto wieder abräumten.

Sie sprach von der Verachtung des römischen Schriftstellers für Catilina und alles, was dieser Mann verkörperte; sie sprach von dem erbitterten Hass, den Cicero für Marc Anton empfand; sie unternahm keinen Versuch, ihre Freude darüber zu verhehlen, dass Cicero am Ende zum Konsul gewählt worden war; und Brunetti konnte nur staunen, wie vertraut sie mit den Schriften des Römers war.

Die Diener räumten gerade den nächsten Gang ab, eine Gemüsetorte, als Signora Marinellos Mann sich zu ihr umdrehte und etwas sagte, das Brunetti nicht mitbekam. Lächelnd widmete sie sich wieder ihrem Mann und sprach auf ihn ein, bis das Dessert – eine mächtige Sahnetorte und ein vollgültiger Ersatz für das bei dieser Mahlzeit fehlende Fleisch – beendet und der Tisch abgeräumt war. Brunetti, der Konventionen des gesellschaftlichen Umgangs eingedenk, widmete seine Aufmerksamkeit der Frau von Avvocato Rocchetto, die ihn über die jüngsten Skandale innerhalb der Verwaltung des Teatro La Fenice informierte.

»…letztlich entschieden, unser *abbonamento* nicht zu verlängern. Das ist alles so schrecklich mittelmäßig, und sie wollen auch weiterhin diesen erbärmlichen Mist aus Frankreich und Deutschland bringen«, sagte sie, geradezu bebend vor Missbilligung. »Man kommt sich vor wie in einem kleinen Theater in einem winzigen französischen Provinznest«, fügte sie noch hinzu und fegte Theater und französisches Provinzleben mit einer Handbewegung in den Orkus. Brunetti dachte an Jane Austens Empfehlung: »Spar dir den Atem zum Suppeblasen«, und verkniff sich die Bemerkung, das Teatro La Fenice sei auch nichts anderes als ein kleines Theater in einer winzigen italienischen Provinzstadt, weshalb man auch nichts Großartiges erwarten könne.

Der Kaffee wurde serviert, und dann rollte ein Diener einen Wagen mit Grappa und diversen *digestivi* herein. Brunetti bat um einen Domenis, der nicht enttäuschte. Er drehte sich zu Paola um und wollte sie den Grappa kosten lassen, aber sie lauschte gerade Cataldo, der etwas zu ihrem Vater sagte. Sie hatte das Kinn in die Hand gestützt, so dass ihre Armbanduhr in Brunettis Richtung zeigte. Es war bereits weit nach Mitternacht. Behutsam schob er einen Fuß über den Boden, bis er an etwas stieß, das fest, aber nicht so hart wie ein Stuhlbein war, und tippte sachte zweimal dagegen.

Keine Minute später sah Paola auf ihre Uhr. »*Oddio*, morgen um neun kommt ein Student zu mir ins Büro, und ich habe noch nicht mal seinen Aufsatz gelesen.« Sie beugte sich vor und sagte über den Tisch hinweg zu ihrer Mutter: »Wenn ich nicht selber schreibe, muss ich lesen, was andere geschrieben haben; ich komme kaum noch zu etwas anderem.«

»Und nie wirst du rechtzeitig fertig«, ergänzte der Conte, aber in einem liebevollen, schicksalsergebenen Ton, der klarmachte, dass er das nicht als Vorwurf meinte.

»Wir sollten dann vielleicht ebenfalls aufbrechen, *caro*?«, sagte Cataldos Frau lächelnd.

Cataldo nickte. Er erhob sich, trat hinter seine Frau und zog ihren Stuhl zurück, als sie aufstand. Er wandte sich an den Conte. »Ich danke Ihnen, Signor Conte«, sagte er mit einer leichten Verbeugung. »Es war sehr freundlich von Ihnen und Ihrer Frau, uns einzuladen. Zumal uns das die Gelegenheit gab, Ihre Familie kennenzulernen.« Er sah lächelnd zu Paola hinüber.

23

Servietten wurden auf den Tisch gelegt, und Avvocato Rocchetto bemerkte, er müsse sich unbedingt die Beine vertreten. Als der Conte Franca Marinello fragte, ob er sie mit seinem Boot nach Hause bringen solle, erklärte Cataldo, an der *porta d'acqua* warte sein eigenes. »Es macht mir nichts aus, eine Strecke zu Fuß zu gehen, aber bei dieser Kälte und so spät nachts ziehe ich es vor, mit der Barkasse nach Hause zu fahren«, sagte er.

Paarweise schritten sie durch den *salone*, in dem keine Spur geblieben war von den Drinks, die man ihnen dort serviert hatte; in der Eingangshalle halfen ihnen zwei Diener in die Mäntel. Brunetti sagte leise zu Paola: »Und da jammern die Leute immer, wie schwer es heutzutage sei, gute Hausangestellte zu finden.« Sie grinste, aber neben ihm prustete jemand. Als er sich umdrehte, sah er nur Franca Marinellos unbewegtes Gesicht.

Auf dem Hof tauschte man höfliche Abschiedsworte aus. Cataldo und seine Frau wurden zur *porta d'acqua* und ihrem Boot gebracht; Rocchetto und seine Frau wohnten nur drei Häuser weiter; und das andere Paar wandte sich in Richtung Accademia, nachdem sie Paolas Vorschlag, sie und Brunetti könnten sie noch nach Hause begleiten, mit einem Scherz abgetan hatten.

Arm in Arm traten Brunetti und Paola den Heimweg an. Als sie an der Universität vorbeikamen, fragte Brunetti: »Hast du dich gut unterhalten?«

Paola blieb stehen, sah ihm in die Augen und fragte kühl zurück: »Und was, mit Verlaub, sollte das Ganze?«

Brunetti stutzte. »Ich bitte um Verzeihung?«

»Bittest du um Verzeihung, weil du meine Frage nicht

verstehst oder weil du den ganzen Abend mit Franca Marinello geredet und alle anderen ignoriert hast?«

Verblüfft von ihrer Heftigkeit beteuerte er: »Aber sie liest Cicero.«

»Cicero?«, fragte Paola nicht weniger verblüfft.

»*Über den Staat,* die Briefe und seine Anklage gegen Verres. Sogar die Gedichte«, sagte er. Plötzlich fror ihn, und er nahm ihren Arm und ging die Brücke hoch; sie ließ sich ziehen, aber oben angekommen, blieb sie stehen.

Paola trat einen Schritt zurück, ließ aber seine Hand nicht los. »Dir ist hoffentlich klar, dass du mit der einzigen Frau in dieser Stadt verheiratet bist, die sich mit einer derartigen Erklärung zufriedengibt?«

Ihre Frage brachte ihn zum Lachen. Sie fuhr fort: »Übrigens war es interessant, so vielen Leuten bei der Arbeit zuzusehen.«

»Arbeit?«

»Arbeit«, wiederholte sie und schritt die Brücke auf der anderen Seite hinunter.

Als Brunetti sie eingeholt hatte, erklärte sie: »Franca Marinello hat sich angestrengt, dich mit ihrer Klugheit zu beeindrucken. Du hast dich angestrengt, herauszufinden, wie es möglich ist, dass eine Frau, die aussieht wie sie, Cicero liest. Cataldo hat sich angestrengt, meinen Vater zu überreden, bei ihm zu investieren, und mein Vater hat angestrengt versucht herauszufinden, ob er das tun soll oder nicht.«

»Investieren? In was?«, fragte Brunetti. Cicero war vergessen.

»In China«, sagte sie.

»*Oddio*«, war das Einzige, was Brunetti dazu einfiel.

2

Warum um Himmels willen sollte er in China investieren?«, wollte Brunetti wissen.

Sie machte abrupt halt. Sie standen vor der Kantine der Feuerwehr; die Fenster waren zu dieser Stunde dunkel, keine Essensgerüche strömten auf die *calle* hinaus. Ihm war das wirklich ein Rätsel. »Warum China?«, wiederholte er.

Sie schüttelte betont fassungslos den Kopf und sah sich um, als suche sie verständnisvolle Ohren. »Bitte, kann mir jemand sagen, wer dieser Mann da ist? Ich glaube, morgens sehe ich ihn manchmal neben mir im Bett, aber mein Mann kann das nicht sein.«

»Ach, hör auf, Paola. Erklär es mir einfach«, sagte er plötzlich müde und nicht in der Stimmung für Scherze.

»Wie kannst du täglich zwei Zeitungen lesen und keine Ahnung haben, warum jemand daran interessiert sein könnte, in China zu investieren?«

Er nahm ihren Arm und ging los. Es hatte keinen Sinn, das auf offener Straße zu besprechen; das konnten sie auch auf dem Heimweg tun oder zu Hause im Bett. »Natürlich weiß ich das alles«, sagte er. »Die boomende Wirtschaft, glänzende Gewinnaussichten, rasant steigende Aktienkurse, kein Ende in Sicht. Aber warum sollte dein Vater sich daran beteiligen?«

Wieder wurden Paolas Schritte langsamer; da er weitere Sticheleien fürchtete, behielt er sein Tempo bei und zog sie mit. »Weil mein Vater den Kapitalismus im Blut hat, Guido.

Weil die Faliers seit Jahrhunderten Kaufleute sind und weil Kaufleute von Natur aus auf Geldvermehrung aus sind.«

»Und das«, bemerkte Brunetti, »aus dem Mund einer Literaturprofessorin, der Geld angeblich wenig bedeutet.«

»Weil ich der letzte Spross der Familie bin, Guido. Ich werde die Letzte sein, die unseren Namen trägt. Unsere Kinder tragen deinen.« Ihre Schritte verlangsamten sich, ebenso ihre Stimme, aber sie hörte nicht auf zu reden. »Mein Vater hat sein Leben lang Geld gemacht und ermöglicht damit mir und unseren Kindern den Luxus, kein Interesse am Geldmachen zu haben.«

Brunetti, der mit seinen Kindern schon Tausende Partien Monopoly gespielt hatte, war allerdings davon überzeugt, dass sie das kapitalistische Gen geerbt hatten und an Geld mehr als interessiert waren.

»Und er meint, er kann dort Geld machen?«, fragte Brunetti und fügte, um weiteren Erkundigungen nach seinem Geisteszustand vorzubeugen, rasch hinzu: »Sicheres Geld?«

Sie sah ihn an. »Sicheres?«

»Na ja«, sagte er und merkte selbst, wie dumm sich das anhörte. »Sauberes Geld?«

»Immerhin akzeptierst du, dass es da einen Unterschied gibt«, sagte sie mit dem Sarkasmus einer Frau, die jahrelang die Kommunisten gewählt hatte.

Er schwieg eine Weile. Plötzlich blieb er stehen und fragte: »Was sollte eigentlich die Bemerkung deiner Mutter von wegen ›Essgewohnheiten‹? Und der ganze Unsinn, was die Kinder angeblich alles nicht essen?«

»Cataldos Frau ist Vegetarierin«, sagte Paola. »Und weil meine Mutter sie nicht in Verlegenheit bringen wollte, habe ich – wie ihr Polizisten sagt – mich schuldig bekannt.« Sie drückte seinen Arm.

»Und daher auch das Märchen von meinem Appetit?«, rutschte ihm unwillkürlich heraus.

Zögerte sie kurz? Wie auch immer, sie zog an seinem Arm und bestätigte lächelnd: »Ja. Daher das Märchen von deinem Appetit.«

Wäre ihm Franca Marinello nicht durch ihre Unterhaltung sympathisch geworden, hätte er sich die Bemerkung wohl kaum verkniffen, dass sie keine besonderen Essgewohnheiten brauchte, um aufzufallen. Doch dank Cicero hatte er seine Voreingenommenheit gegen sie abgelegt und fühlte sich sogar berufen, diese Frau in Schutz zu nehmen.

Sie kamen an Goldonis Haus vorbei, dann ging es scharf links und wieder rechts und geradeaus bis San Polo. Als sie auf den Campo gelangten, blieb Paola stehen und schaute über den weiten Platz. »Seltsam, wenn es hier so menschenleer ist.«

Brunetti liebte den Campo, hatte ihn schon als kleiner Junge geliebt, wegen der Bäume, die es dort gab, und weil der Platz so groß und offen war. ss Giovanni e Paolo war zu klein, außerdem stand das Reiterstandbild im Weg, und die Fußbälle landeten ständig im Kanal; Santa Margherita hatte eine seltsame Form, außerdem war es ihm da immer zu laut gewesen, und jetzt erst recht, seit der Platz in Mode gekommen war. Vielleicht liebte er den Campo San Polo deshalb so sehr, weil dort nicht so viel Kommerz getrieben wurde; nur an zwei Seiten lagen Geschäfte, die anderen hatten den Lockungen des Mammons widerstanden. Die Kirche natürlich nicht, dort nahm man jetzt Eintrittsgeld, nachdem man entdeckt hatte, dass Schönheit einträglicher war als Tugend. Nicht dass es dort sonderlich viel zu sehen gab: ein paar Tintorettos, den Kreuzweg von Tiepolo und sonst noch allerlei.

Paola zog ihn am Arm. »Komm, Guido, es ist schon fast eins.«

Er akzeptierte den Waffenstillstand, den sie ihm damit anbot, und sie gingen einträchtig nach Hause.

Am nächsten Tag bekam Brunetti in der Questura einen Anruf von seinem Schwiegervater. Das war ungewöhnlich. Brunetti dankte ihm noch einmal für den Abend und wartete dann ab, was der Conte ihm zu sagen hatte.

»Nun, was meinst du?«, fragte der Conte.

»Wie bitte?«, fragte Brunetti zurück.

»Was hältst du von ihr?«

»Von Franca Marinello?«, fragte Brunetti und suchte seine Überraschung zu verbergen.

»Ja, natürlich. Du hast doch den ganzen Abend mit ihr gesprochen.«

»Ich habe nicht gewusst, dass ich sie verhören sollte«, beteuerte Brunetti.

»Aber du hast es getan«, erwiderte der Conte spitz.

»Leider nur über Cicero«, sagte Brunetti.

»Ja, ich weiß«, sagte der Conte, und Brunetti fragte sich, ob es tatsächlich Neid war, was er heraushörte.

»Worüber hast du denn mit ihrem Mann gesprochen?«, erkundigte sich Brunetti.

»Über Erdbaumaschinen«, sagte der Conte mit einem bemerkenswerten Mangel an Enthusiasmus, »und derlei mehr.« Nach einer winzigen Pause fuhr er fort: »Cicero ist unendlich viel interessanter.«

Brunetti erinnerte sich, dass seine Ausgabe von Ciceros Reden ein Weihnachtsgeschenk des Conte gewesen war und dass dieser in seiner Widmung auf der Titelseite erklärt hatte, es handele sich um eins seiner Lieblingsbücher. »Aber?«, hakte er nach.

»Aber Cicero«, antwortete der Conte, »ist unter chinesischen Geschäftsleuten nicht besonders gefragt.« Er überdachte seine Bemerkung und fügte mit einem theatralischen Seufzer hinzu: »Vielleicht, weil er so wenig über Erdbaumaschinen zu sagen hatte.«

»Haben chinesische Geschäftsleute mehr zu sagen?«

Der Conte lachte. »Du kannst das Verhören wirklich nicht lassen, stimmt's, Guido?« Bevor Brunetti protestieren konnte, sprach der Conte weiter: »Ja, die wenigen, die ich kenne, sind sehr daran interessiert, vor allem an Bulldozern. Genau wie Cataldo und genau wie sein Sohn – der Sohn aus seiner ersten Ehe –, der ihre Baumaschinenfirma leitet. Die Bauwirtschaft in China boomt wie verrückt, und die Firma bekommt mehr Aufträge, als sie abwickeln kann; und deshalb hat er mich gefragt, ob ich als Teilhaber mit beschränkter Haftung bei ihm einsteigen möchte.«

Brunetti hatte im Lauf der Jahre gelernt, auf alles, was sein Schwiegervater über seine Geschäfte verlauten ließ, mit Vorsicht zu reagieren, und so ließ er auch jetzt nur ein aufmerksames »Aha« vernehmen.

»Aber das kann dich unmöglich interessieren«, sagte der Conte, und damit hatte er ziemlich recht. »Also, was hältst du von ihr?«

»Darf ich fragen, warum du das wissen willst?«

»Weil ich vor einigen Monaten einmal beim Essen neben ihr gesessen habe und es mir wie dir gegangen ist, nachdem ich sie hier schon seit Jahren gesehen, aber nie wirklich mit ihr gesprochen hatte. Wir unterhielten uns zunächst über einen aktuellen Zeitungsartikel, und plötzlich erörterten wir die *Metamorphosen*. Wie wir darauf gekommen sind, weiß ich nicht mehr, aber es war wunderbar. Und in all den Jahren hatten wir kein Wort gewechselt, jedenfalls nichts von Belang. Deshalb schlug ich Donatella vor, dich und sie einander gegenüberzusetzen, damit ich mit ihrem Mann reden konnte.« Mit erstaunlicher Selbsterkenntnis fügte der Conte hinzu: »Du warst so viele Jahre gezwungen, mit unseren langweiligen Freunden zusammenzusitzen, und ich dachte mir, du hast mal eine Abwechslung verdient.«

»Vielen Dank«, sagte Brunetti und unterließ es, auf die Bemerkung des Conte über seine Freunde näher einzugehen. »Es war tatsächlich sehr interessant. Sie hat sogar die Anklage gegen Verres gelesen.«

»Oh, das freut mich für sie«, flötete der Conte.

»Kanntest du sie schon vorher?«, fragte Brunetti.

»Vor der Ehe oder vor dem Lifting?«, fragte der Conte sachlich.

»Vor der Ehe.«

»Ja und nein. Sie war mehr Donatellas Freundin als meine. Ein Verwandter hatte Donatella gebeten, ein Auge auf Franca zu haben, als sie zum Studium hierherkam. Byzantinische Geschichte, du liebe Zeit. Aber nach zwei Jahren musste sie fort. Schwierigkeiten in der Familie. Ihr Vater starb, und sie musste nach Hause zurück und sich einen Job suchen, weil ihre Mutter keinen Beruf erlernt hatte.« Und dann fügte er noch unverbindlich hinzu: »Ich erinnere mich nicht an alle Einzelheiten. Donatella wahrscheinlich schon.«

Der Conte räusperte sich und sagte selbstkritisch: »Klingt wie der Plot einer schlechten Fernsehserie. Willst du das wirklich hören?«

»Da ich niemals fernsehe«, heuchelte Brunetti, »bin ich neugierig.«

»Also schön«, fuhr der Conte fort. »Was ich gehört habe – ich weiß nicht mehr, ob von Donatella oder von irgendwelchen anderen Leuten –, ist Folgendes: Sie hat Cataldo bei einer Modenschau kennengelernt – sie hat Pelze vorgeführt, glaube ich –, und wie meine Enkelin zu sagen pflegt: Immer die gleiche Geschichte.«

»War Scheidung auch ein Teil der Geschichte?«, fragte Brunetti.

»Ja, allerdings«, antwortete der Conte bekümmert. »Ich kenne Maurizio seit langem, und er ist kein geduldiger Mensch. Er hat seiner Frau ein Arrangement vorgeschlagen, und sie hat akzeptiert.«

Brunetti hatte jahrzehntelange Erfahrung im Umgang mit zurückhaltenden Zeugen, und sein Instinkt sagte ihm, dass hier etwas verschwiegen wurde. Also fragte er: »Was noch?«

Der Conte zögerte lange, bevor er antwortete: »Er war Gast an meinem Tisch, deshalb sage ich das nur ungern, aber Maurizio soll ein rachsüchtiger Mensch sein, und das könnte seine Frau veranlasst haben, die von ihm angebotenen Bedingungen anzunehmen.«

»Die Geschichte kommt mir bekannt vor.«

»Welche?«, fragte der Conte scharf.

»Die Geschichte, die du gehört hast, Orazio: Ein alter Mann lernt ein hübsches junges Ding kennen, verlässt seine Frau, heiratet die Neue *in fretta e furia,* und dann leben die beiden vielleicht nicht glücklich bis ans Ende ihrer Tage.« Sein Tonfall gefiel Brunetti selber nicht.

»Aber so ist es nicht, Guido. Überhaupt nicht.«

»Warum?«

»Weil die beiden tatsächlich glücklich miteinander sind.« In der Stimme des Conte schwang die gleiche Sehnsucht mit wie vorhin, als er von der Möglichkeit gesprochen hatte, einen Abend lang über Cicero zu diskutieren. »Jedenfalls sagt das Donatella.«

Nach einer Pause fragte der Conte: »Beunruhigt dich ihr Aussehen?«

»Das ist noch sehr gelinde ausgedrückt.«

»Ich habe das nie verstanden«, sagte der Conte. »Sie war ein reizendes Ding. Sie hatte gar keinen Grund, das zu tun, aber die Frauen heutzutage haben andere Vorstellungen von...«, sagte er, ohne den Satz zu beenden.

»Es war vor einigen Jahren. Die beiden gingen auf Reisen, angeblich in Urlaub, aber sie waren ziemlich lange fort, mehrere Monate. Ich weiß nicht mehr, wer mir das erzählt hat.« Der Conte hielt inne, dann sagte er: »Donatella nicht.« Brunetti war froh, das zu hören. »Auf jeden Fall, als sie zurückkamen, sah sie aus, wie sie jetzt aussieht. Australien – dort sind sie angeblich gewesen. Aber für eine Schönheitsoperation geht man doch nicht nach Australien, Herrgott noch mal.«

Brunetti fragte, ohne nachzudenken: »Was könnte das für einen Grund haben?«

»Guido«, sagte der Conte nach einer Weile, »ich habe es aufgegeben.«

»Was aufgegeben?«

»Mir den Kopf darüber zu zerbrechen, warum die Leute gewisse Dinge tun. Wir können es noch so sehr versuchen, aber wir kommen nie dahinter. Der Fahrer meines Vaters pflegte zu sagen: ›Wir haben nur einen Kopf, also können wir alles auch nur auf eine Weise sehen.‹« Der Conte lachte und fuhr dann plötzlich lebhaft fort: »Genug geklatscht. Eigentlich wollte ich nur wissen, ob sie dir gefällt oder nicht.«

»Sonst nichts?«

»Komm nicht auf die Idee, ich fürchte, dass du mit ihr durchbrennen könntest«, lachte er.

»Keine Sorge, Orazio: *Eine* Frau, die Bücher liest, ist mehr als genug für mich.«

»Ich weiß, wovon du redest, ich weiß, wovon du redest.« Dann etwas ernster: »Aber du hast meine Frage immer noch nicht beantwortet.«

»Sie hat mir gefallen. Sehr.«

»Hattest du den Eindruck, sie ist eine ehrliche Frau?«

»Absolut«, antwortete Brunetti spontan, ohne darüber nachzudenken. Aber dann dachte er doch nach und sagte: »Ist das nicht seltsam? Ich weiß so gut wie nichts über sie, aber ich vertraue ihr, weil sie gern Cicero liest.«

Wieder lachte der Conte, diesmal aber leiser. »Für mich klingt das vernünftig.«

Da der Conte selten so großes Interesse an anderen Menschen bekundete, fragte Brunetti: »Warum bist du so neugierig zu erfahren, ob sie ehrlich ist oder nicht?«

»Ganz einfach: Wenn sie ihrem Mann vertraut, ist er vielleicht wirklich vertrauenswürdig.«

»Und du meinst, sie vertraut ihm?«

»Ich habe die beiden gestern Abend beobachtet und nichts Unaufrichtiges an ihnen bemerkt. Sie liebt ihn, und er liebt sie.«

»Aber Liebe und Vertrauen sind nicht dasselbe, stimmt's?«, sagte Brunetti.

»Ach, wie gut es tut, die kühle Stimme deiner Skepsis zu vernehmen, Guido. Wir leben in so sentimentalen Zeiten, dass mir mein guter Instinkt manchmal abhandenkommt.«

»Und was sagt dein Instinkt?«

»Dass einer lächeln kann und immer lächeln und doch ein Schurke sein.«

»Steht das in der Bibel?«

»Bei Shakespeare, glaube ich.«

Brunetti nahm an, damit sei das Gespräch beendet, aber dann sagte der Conte: »Ich überlege, ob du mir einen Gefallen tun könntest, Guido. Aber diskret.«

»Ja?«

»Ihr seid doch gut informiert, manchmal weit besser als ich selbst, und da wäre es mir lieb, wenn du mal jemand nachprüfen lassen könntest, ob Cataldo ein Mann ist, dem ich…«

»Vertrauen kann?«, fragte Brunetti herausfordernd.

»Nein, Guido, das niemals«, sagte Conte Falier mit felsenfester Überzeugung. »Vielleicht sollte ich besser sagen: ob er jemand ist, bei dem ich investieren kann. Er setzt mir ziemlich zu, ich soll mich entscheiden, und ich weiß nicht, ob meine Leute in der Lage sind, etwas…« Der Conte verstummte, als finde er nicht die richtigen Worte für das, was ihm auf dem Herzen lag.

»Ich werde sehen, was ich tun kann«, sagte Brunetti; mittlerweile wollte auch er mehr über Cataldo wissen, auch wenn er lieber nicht wissen wollte, warum.

Er und der Conte tauschten noch ein paar Höflichkeiten aus, dann war die Unterhaltung beendet.

Er sah auf seine Uhr und stellte fest, dass ihm vor dem Mittagessen noch Zeit genug für einen Plausch mit Signorina Elettra blieb, der Sekretärin seines Vorgesetzten. Falls überhaupt jemand in der Lage war, einen diskreten Blick auf Cataldos Geschäfte zu werfen, dann sie. Kurz spielte er mit dem Gedanken, sie zu bitten, wenn sie schon mal dabei war, auch über Cataldos Frau so viel wie möglich herauszufinden. Zu seiner Beschämung verspürte er den Wunsch, ein Foto von ihr aus der Zeit zu sehen, bevor sie... bevor sie geheiratet hatte.

Als er Signorina Elettras Büro betrat, wurde ihm bewusst, dass es Dienstag war. Auf dem Tisch vor ihrem Fenster prangte eine riesige Vase mit rosa französischen Tulpen. Der Computer, den eine großzügige und dankbare Questura ihr vor einigen Monaten hatte installieren dürfen – zu sehen war davon lediglich ein magersüchtiger Monitor und eine schwarze Tastatur –, ließ hinreichend Platz auf ihrem Schreibtisch für einen ebenso großen Strauß frischer weißer Rosen. Das bunte Einwickelpapier lag ordentlich gefaltet in dem ausschließlich Papier vorbehaltenen Behälter, und wehe dem Mitarbeiter, der das vergaß und irgendwelches Papier unbedacht in den Restmülleimer stopfte. Papier; Pappe; Metall; Plastik. Brunetti hatte sie einmal am Telefon mit dem Chef von Vesta erlebt, der Privatfirma, die von der Stadt – er wollte lieber nicht darüber nachdenken, was zu dieser Entscheidung geführt haben mochte – den Zuschlag für die Müllentsorgung erhalten hatte, und erinnerte sich noch gut an die ausgesuchte Höflichkeit, mit der sie ihn darauf aufmerksam gemacht hatte, welch vielfältige Möglichkeiten der Polizei oder gar der Guardia di Finanza zur Verfügung stünden, durch gewisse Ermittlungen den reibungslosen Betrieb seines Unternehmens zu behindern, und wie kostspielig und unangenehm die unerwarteten Entdeckungen werden könnten, die bei einer amtlichen Durchleuchtung der Finanzen nicht selten ans Licht kämen.

Nach diesem Telefonat – freilich nicht als Folge davon – erfolgte die Müllabfuhr nach einem neuen Terminplan; immer dienstag- und freitagvormittags, nachdem sie Papier und Pappe bei den Einwohnern des Viertels um ss Giovanni e Paolo eingesammelt hatte, legte die *barca ecologica* vor der Questura an. Am zweiten dieser Dienstage hatte Vice-Questore Giuseppe Patta, als er das Boot dort liegen sah, ihnen befohlen, zu verschwinden, und sich über die *brutta figura* aufgeregt, die seine Polizisten in der Öffentlichkeit machten, wenn sie Säcke mit Abfallpapier aus der Questura zu einer Müllschute trugen.

Signorina Elettra gelang es im Handumdrehen, den Vice-Questore von der außerordentlich positiven Öffentlichkeitswirkung einer *eco-iniziativa* zu überzeugen, die selbstverständlich nur Dottor Pattas rückhaltlosem Engagement für die ökologische Gesundheit seiner Wahlheimatstadt zu verdanken sei. In der folgenden Woche schickte *La Nuova* nicht nur einen Reporter, sondern auch einen Fotografen, und die Titelseite am nächsten Tag zierte ein ausführliches Interview mit Patta und darüber ein großes Foto. Es zeigte ihn zwar nicht direkt dabei, wie er einen Abfallsack hinaustrug, sondern am Schreibtisch, doch ruhte seine Hand nachdrücklich auf einem Stapel Akten, was vielleicht andeuten sollte, er könne die Fälle, die darin dokumentiert waren, durch reine Willenskraft lösen und werde anschließend gewissenhaft dafür sorgen, dass die Akten ordnungsgemäß im Behälter für Papierabfälle entsorgt würden.

Als Brunetti eintrat, kam Signorina Elettra gerade aus dem Büro ihres Vorgesetzten. »Trifft sich gut«, sagte sie, als sie Brunetti in der Tür stehen sah. »Der Vice-Questore möchte Sie sehen.«

»In welcher Sache?«, fragte er und schlug sich jeden Gedanken an Cataldo und seine Frau fürs Erste aus dem Kopf.

»Es ist jemand bei ihm. Ein Carabiniere. Aus der Lombardei.« Die Erlauchteste Republik hatte zwar schon vor über zweihundert Jahren aufgehört zu existieren, doch ihre Einwohner konnten ihr Misstrauen gegenüber den geschäftigen Emporkömmlingen aus der Lombardei noch heute in dieses Wort legen.

»Gehen Sie nur rein«, sagte sie und zog sich hinter ihren Schreibtisch zurück, um ihm den Weg zu Pattas Tür frei zu machen.

Er dankte ihr, klopfte an, hörte Patta »Herein!« rufen und trat ein.

Patta saß an seinem Schreibtisch, auf einer Seite derselbe Aktenstapel, der als Requisit für das Zeitungsfoto hatte herhalten müssen. Für Patta konnte jeglicher Stoß Papier nur dekorativen Zwecken dienen. Brunetti sah einen Mann vor Pattas Schreibtisch sitzen; als dieser ihn eintreten hörte, erhob er sich langsam.

»Ah, Brunetti«, begrüßte Patta ihn überschwenglich, »das ist Maggior Guarino. Er kommt von den Carabinieri in Marghera.« Der Mann war groß, etwa zehn Jahre jünger als Brunetti und sehr dünn. Sein ungezwungenes Lächeln wirkte abgetragen, das dichte Haar an seinen Schläfen war schon grau. Er hatte dunkle, tiefliegende Augen, wie jemand, der seine Umgebung gern aus sicherer Entfernung beobachtet.

Sie gaben sich die Hand und tauschten Höflichkeiten aus, dann machte Guarino Brunetti Platz, der sich auf dem zweiten Stuhl vor Pattas Schreibtisch niederließ.

»Ich wollte, dass Sie den Maggiore kennenlernen, Brunetti«, fing Patta an. »Er ist hier, um zu sehen, ob wir ihm behilflich sein können.« Bevor Brunetti etwas fragen konnte, sprach Patta weiter: »Seit einiger Zeit mehren sich die Hinweise auf die Existenz gewisser illegaler Organisationen, insbesondere im Nordosten.« Er sah Brunetti an, der es nicht nötig fand, um Erläuterung zu bitten. Jeder Zeitungsleser – jeder, der sich in irgendeiner Bar mit den Leuten unterhielt – wusste Bescheid. Patta zuliebe zog Brunetti in der Hoffnung, einen interessierten Eindruck zu machen, die Augenbrauen hoch, worauf Patta erklärte: »Schlimmer noch – und das ist der Grund für den Besuch des Maggiore –, es mehren sich die Hinweise, dass nun auch seriöse Unternehmen, insbesondere im Transportwesen, von Kriminellen übernommen werden.« Wie ging noch mal die Geschichte dieses amerikanischen Schriftstellers von dem Mann, der einschlief und erst nach Jahrzehnten wieder aufwachte? Ob Patta, während die Camorra in den Norden vorrückte, in einer Höhle im Tiefschlaf lag und erst heute früh beim Aufwachen davon erfahren hatte?

Brunetti ließ Patta nicht aus den Augen und überhörte geflissentlich das Räuspern des Mannes neben sich.

»Maggior Guarino ist seit geraumer Zeit mit diesem Problem befasst, und seine Ermittlungen haben ihn nun ins Veneto geführt. Wie Ihnen klar sein dürfte, Brunetti, betrifft uns das jetzt alle«, erklärte Patta, und dem Beben seiner Stimme war zu entnehmen, wie sehr ihn die Neuigkeit schockierte. Während Patta weitersprach, versuchte Brunetti zu ergründen, warum man ihn zu diesem Gespräch hinzugebeten hatte. Mit dem Transportwesen, soweit es sich auf Straßen oder Schienen abspielte, hatte die Polizei in Venedig wenig zu schaffen. Er selbst hatte keine Erfahrung mit dem Güterverkehr zu Lande, ob kriminell oder nicht, und glaubte kaum, dass es sich mit seinen Leuten anders verhielt.

»…und daher wollte ich Sie beide miteinander bekannt machen, in der Hoffnung, daraus entstehe ein gewisser Synergieeffekt«, schloss Patta mit einem Fremdwort und erwies sich damit einmal mehr als selbstgefälliger Simpel.

Guarino setzte zu einer Antwort an, doch als er Patta nicht sehr unauffällig auf seine Uhr blicken sah, ließ er es sein und sagte lediglich: »Sie waren bereits allzu großzügig mit Ihrer Zeit, Vice-Questore: Ich kann unmöglich von Ihnen verlangen, uns noch mehr davon zu gewähren.« Dies wurde von einem breiten Lächeln begleitet, das Patta leutselig erwiderte. »Vielleicht sollten der Commissario und ich«, sagte Guarino mit einem Nicken in Brunettis Richtung, »die Angelegenheit besprechen und anschließend Sie um weiteren Input bitten.« Als Guarino das englische Wort verwendete, hörte es sich an, als wüsste er, was es bedeutete.

Brunetti staunte über die Gewandtheit, mit der Guarino exakt den richtigen Ton getroffen hatte, in dem man mit Patta reden musste, und über die Raffinesse seines Vorschlags. Patta sollte nach seiner Meinung gefragt werden, aber erst, wenn andere die Arbeit getan hatten. Auf die Weise blieb er außen vor, was Mühe und Verantwortung betraf, und konnte dennoch die Lorbeeren ernten, falls irgendwelche Fortschritte erzielt wurden. Und genau das war für Patta die beste aller möglichen Welten.

»Ja, in der Tat«, sagte Patta, als hätten die Worte des Maggiore ihm plötzlich die Last seines Amtes bewusst gemacht. Guarino stand auf, Brunetti ebenfalls. Während der Maggiore noch ein paar höfliche Bemerkungen machte, ging Brunetti schon einmal voraus, dann verließen sie gemeinsam das Büro.

Signorina Elettra sah ihnen entgegen. »Ich hoffe, Ihre Besprechung war ein Erfolg, Signori«, sagte sie freundlich.

»In so anregender Gesellschaft, wie sie der Vice-Questore zu bieten hat, konnte das gar nicht anders sein, Signora«, sagte Guarino mit todernster Stimme.

Brunetti beobachtete, wie sie dem, der das gesagt hatte, ihre Aufmerksamkeit zuwandte. »In der Tat«, antwortete sie und strahlte Guarino an. »Es freut mich sehr, endlich einmal jemanden zu hören, der ihn auch so anregend findet.«

»Wie könnte man nicht, Signora? Oder muss ich Signorina sagen?«, fragte Guarino mit einem Schuss Neugier in der Stimme – oder war es Verblüffung ob der Möglichkeit, dass eine Frau wie sie noch nicht verheiratet sein könnte?

»Nach unserem gegenwärtigen Regierungschef ist Vice-Questore Patta der anregendste Mensch, der mir je begegnet ist«, antwortete sie lächelnd, freilich nur auf die erste seiner Fragen.

»Das glaube ich gern«, stimmte Guarino zu. »Beide haben auf ihre Weise etwas Charismatisches.« Er wandte sich an Brunetti. »Gibt es einen Ort, wo wir reden können?«

Brunetti verkniff sich eine Bemerkung und nickte nur, und die beiden verließen das Büro. Während sie die Treppe hinaufgingen, fragte Guarino: »Wie lange arbeitet sie schon für den Vice-Questore?«

»Lange genug, um vollständig in seinen Bann zu geraten«, antwortete Brunetti. Und als Guarino ihn ansah: »Ich bin mir nicht sicher. Jahre. Es kommt mir vor, als sei sie schon immer hier, aber das stimmt nicht.«

»Würde hier alles drunter und drüber gehen, wenn sie nicht da wäre?«, fragte Guarino.

»Ja, das ist zu befürchten.«

»Bei uns haben wir auch so eine«, sagte der Maggiore. »Signora Landi: die außerordentliche Gilda. Ist Ihre Signora Landi Zivilistin?«

»Ja, das ist sie«, antwortete Brunetti und wunderte sich, dass Guarino die so betont salopp über ihre Stuhllehne drapierte Kostümjacke übersehen hatte. Brunetti kannte sich in Modedingen wenig aus, aber ein Etro-Futter erkannte auch er aus zwanzig Schritt Entfernung, und er wusste, dass das Innenministerium dergleichen nicht für seine Uniform-jacken zu verwenden pflegte. Guarino war der Hinweis offenbar entgangen.

»Verheiratet?«

»Nein«, antwortete Brunetti und überraschte sich selbst mit der Frage: »Und Sie?«

Brunetti war dem Kollegen vorausgegangen und bekam Guarinos Antwort daher nicht mit. Er drehte sich um und sagte: »Verzeihung?«

»Nicht direkt«, sagte Guarino.

Was zum Teufel soll das denn heißen?, fragte sich Brunetti. »Bedaure, aber das verstehe ich nicht«, sagte er höflich.

»Wir leben getrennt.«

»Oh.«

In seinem Büro führte Brunetti den Gast ans Fenster und zeigte ihm die Aussicht: die Kirche, die seit Ewigkeiten restauriert werden sollte, und das komplett renovierte Altersheim.

»Wo führt der Kanal hin?«, fragte Guarino, indem er sich vorbeugte und nach rechts schaute.

»Zur Riva degli Schiavoni und dem *bacino*.«

»Sie meinen die *laguna*?«

»Na ja, das Gewässer, das in die *laguna* hinausführt.«

»Entschuldigen Sie, wenn ich wie ein Landei daherrede«, sagte Guarino, »ich weiß, das ist eine Großstadt, aber irgendwie kommt es mir nicht so vor.«

»Keine Autos?«

Guarino lächelte und wurde jünger. »Daran liegt es wohl auch. Aber das Seltsamste ist die Stille.« Als Brunetti nach längerer Pause gerade etwas sagen wollte, fügte er hinzu:

»Ich weiß, ich weiß, die meisten Leute in den großen Städten hassen den Verkehr und den Smog, aber das Schlimmste ist der Lärm, glauben Sie mir. Der hört nie auf, nicht einmal spätabends oder frühmorgens, immer lärmt irgendwo etwas: ein Bus, ein Auto, ein landendes Flugzeug, eine Alarmanlage.«

»Bei uns kann es schlimmstenfalls mal passieren«, sagte Brunetti lachend, »dass Leute spätabends unter unserem Fenster stehen bleiben und sich unterhalten.«

»Da müssten sie aber schon sehr laut reden, wenn sie mich stören wollten«, erwiderte Guarino ebenfalls lachend.

»Warum?«

»Ich wohne im sechsten Stock.«

»Aha«, war das Einzige, was Brunetti dazu einfiel, so ungewöhnlich war das für ihn. Theoretisch wusste er natürlich, dass Stadtbewohner in hohen Gebäuden lebten, doch welche Geräusche man im sechsten Stock hören mochte, konnte er sich nicht recht vorstellen.

Er winkte Guarino auf einen Stuhl und setzte sich. »Was versprechen Sie sich vom Vice-Questore?«, fragte er, denn er meinte, sie hätten nun genug Zeit mit Vorgeplänkel verbracht. Er zog mit einem Fuß die zweite Schublade von oben auf und legte beide Füße darauf ab.

Die lässige Geste schien Guarino noch mehr aufzulockern. »Vor knapp einem Jahr«, sagte er, »wurden wir auf ein Speditionsunternehmen in Tessera aufmerksam, nicht weit vom Flughafen.«

Brunetti war sofort hellwach: Vor einem Monat war die gesamte Region auf ein Speditionsunternehmen aus Tessera aufmerksam geworden.

»Unser Interesse wurde geweckt, als der Name der Firma in Zusammenhang mit einer anderen Ermittlung auftauchte«, fuhr Guarino fort. Das war eine Routinelüge, wie Brunetti sie selbst schon tausendmal benutzt hatte, aber er ließ sie unkommentiert durchgehen.

Guarino streckte die Beine aus und sah nach dem Fenster, als könne der Anblick der Kirchenfassade ihm helfen, seinen Bericht so klar wie möglich zu formulieren. »Nachdem wir auf diese Firma aufmerksam geworden waren, haben wir uns den Inhaber vorgenommen. Er hatte den Betrieb, seit fünfzig Jahren in Familienbesitz, von seinem Vater geerbt. Wie sich herausstellte, war er in Schwierigkeiten geraten: steigende Treibstoffkosten, Konkurrenz durch ausländische Spediteure, Arbeiter, die jedes Mal streikten, wenn sie nicht bekamen, was sie verlangten, nötige Neuanschaffungen von Lastwagen und Maschinen.«

Brunetti nickte. Wenn das dieselbe Spedition in Tessera war, dann zählte ihr Ende jedenfalls nicht zu den üblichen Ereignissen. Mit einer Offenheit und Resignation, die Brunetti überraschte, sagte Guarino: »Also tat er, was jeder tun würde. Er fing an, die Bilanzen zu frisieren.« Und fast mit Bedauern fügte er hinzu: »Aber er war nicht sehr geschickt. Er konnte Lastwagen fahren und reparieren und Abholung und Anlieferung organisieren, aber ein Buchhalter war er nicht, und so hat die Guardia di Finanza gleich beim ersten Blick in seine Unterlagen den Braten gerochen.«

»Warum wurden seine Unterlagen geprüft?«, fragte Brunetti.

Guarino machte eine vielsagende Geste.

»Hat man ihn verhaftet?«

Der Maggiore betrachtete seine Schuhe, dann fuhr er sich übers Knie, als wische er einen unsichtbaren Fleck weg. »Ich fürchte, die Sache ist komplizierter.« Brunetti hatte nichts anderes erwartet: Warum sonst hätte Guarino ihn aufsuchen sollen?

Bedächtig und nach einigem Zögern erklärte Guarino: »Die Person, die uns auf ihn aufmerksam machte, hat behauptet, was er transportiere, könnte uns interessieren.«

Brunetti unterbrach ihn: »Es wird viel transportiert, für das wir uns interessieren. Vielleicht könnten Sie etwas deutlicher werden.«

Ohne auf die Unterbrechung einzugehen, fuhr Guarino fort: »Ein Freund von mir bei der Finanza hat mir berichtet, was sie gefunden haben, worauf ich mit dem Spediteur gesprochen habe.« Er warf Brunetti einen Blick zu und sah dann weg. »Ich habe ihm einen Handel vorgeschlagen.«

»Als Gegenleistung dafür, dass Sie ihn nicht festnehmen?«, fragte Brunetti unnötigerweise.

Plötzlich verlor Guarino die Fassung. »Das wird doch ständig gemacht. Das wissen Sie ganz genau.« Brunetti sah ihm an, dass er sich zu einer unbedachten Bemerkung hinreißen lassen würde. »Ich bin mir sicher, Sie machen so etwas auch.« Und schon war Guarinos Miene wieder entspannt.

»Ja, wir machen das auch«, sagte Brunetti ruhig, und um Guarino zu einer Reaktion zu veranlassen, fügte er hinzu: »Und es funktioniert nicht immer so, wie man es sich gedacht hat.«

»Was wissen Sie von der Sache?«, wollte der Maggiore wissen.

»Nicht mehr als das, was Sie mir jetzt erzählt haben, Maggiore.« Als Guarino schwieg, fragte Brunetti: »Und was ist dann passiert?«

Guarino wischte noch einmal über sein Knie, dann ließ er die Hand ruhig dort liegen. »Er wurde bei einem Raubüberfall getötet«, sagte er schließlich.

Allmählich sickerten die Einzelheiten in Brunettis Gedächtnis. Da Tessera näher an Mestre als an Venedig lag, hatte Mestre den Fall übernommen. Patta hatte sich schwer ins Zeug gelegt, hatte personelle Unterbesetzung und ungeklärte Zuständigkeiten ins Feld geführt, um zu verhindern, dass die Polizei von Venedig in die Ermittlungen hineingezogen wurde. Brunetti hatte damals mit Kollegen in Mestre darüber gesprochen, aber die meinten, es sehe ganz nach einem stümperhaften Raubüberfall aus und Spuren gebe es keine.

»Er kam immer als Erster«, fuhr Guarino fort. Brunetti registrierte verärgert, dass Guarino es nicht für nötig hielt, den Namen des Mannes zu nennen. »Mindestens eine Stunde vor den Fahrern und den anderen Beschäftigten. Man hat ihn erschossen. Mit drei Kugeln.« Guarino sah Brunetti an. »Das wissen Sie natürlich. Das hat alles in den Zeitungen gestanden.«

»Ja«, sagte Brunetti, immer noch nicht besänftigt. Guarino ließ sich sehr viel Zeit. »Aber etwas anderes als die Zeitungen habe ich zu dem Fall nicht gelesen.«

»Wer auch immer die Täter waren«, sagte Guarino, »sie haben sein Büro durchsucht, entweder bevor oder nachdem sie ihn getötet hatten. Sie haben versucht, einen Wandsafe zu öffnen – ohne Erfolg. Sie haben seine Taschen durchwühlt und ihm sein Geld abgenommen. Und seine Armbanduhr.«

»Also hat es wie ein Raubüberfall ausgesehen?«, fragte Brunetti.

»Ja.«

»Verdächtige?«

»Nein.«

»Familie?«

»Frau, zwei erwachsene Kinder.«

»Hatten die mit der Firma zu tun?«

Guarino schüttelte den Kopf. »Der Sohn ist Arzt in Vicenza. Die Tochter arbeitet als Buchhalterin in Rom. Die Frau ist Lehrerin und geht in zwei Jahren in den Ruhestand. Als er ausfiel, ist alles zusammengebrochen. Das Unternehmen hat ihn keine Woche überlebt.« Er bemerkte Brunettis skeptische Miene. »Ich weiß, im Computerzeitalter klingt das unglaublich, aber unsere Ermittler haben nichts gefunden: keine Auftragslisten, keine Routenpläne, keine Abholungs- oder Liefertermine, nicht einmal eine Liste der Fahrer. Er muss das alles im Kopf gehabt haben. Die Bücher waren in einem katastrophalen Zustand.«

»Und was hat die Witwe getan?«, fragte Brunetti höflich.

»Ihr blieb keine Wahl: Sie hat den Laden dichtgemacht.«

»Einfach so?«

»Was blieb ihr übrig?«, antwortete Guarino, fast als bitte er Brunetti um Nachsicht mit der Unerfahrenheit der Frau. »Wie gesagt, sie ist Lehrerin. Grundschule. Sie hatte keine Ahnung. Es war eins dieser Ein-Mann-Unternehmen, in denen wir so gut sind.«

»Bis dieser eine Mann stirbt«, sagte Brunetti wehmütig.

»Richtig«, seufzte Guarino. »Sie will es verkaufen, aber niemand will es haben. Die Fahrzeuge sind alt, und die Kundschaft ist nicht zu ermitteln. Im besten Fall kann sie hoffen, dass eine andere Spedition den Fuhrpark aufkauft und sie irgendwen findet, der den Mietvertrag für die Werkstatt übernimmt, aber am Ende muss sie das alles praktisch verschenken.« Guarino brach ab, ganz als hätte er damit alles an Information weitergegeben, was er sich vorgenommen hatte. Brunetti fiel auf, dass Guarino kein Wort darüber verloren hatte, was während der Zeit, als sie in Kontakt gestanden und in gewissem Sinne miteinander gearbeitet hatten, zwischen den beiden gelaufen war.

»Gehe ich recht in der Annahme«, fragte Brunetti, »dass Sie auch über was anderes als seine Steuerhinterziehung gesprochen haben?« Wenn nicht, hatte der Mann keinen Grund für seinen Besuch bei ihm, aber das würde er Guarino wohl kaum erklären müssen.

»Ja«, war Guarinos einziger Kommentar.

»Und dass er Ihnen Informationen über etwas anderes als seine Steuermisere gegeben hat?« Brunetti spürte, wie sein Tonfall heftiger wurde. Herrgott, warum konnte der Mann ihm nicht einfach erzählen, was los war, und ihn fragen, was auch immer er wissen wollte? Denn er war garantiert nicht hier, um über die herrliche Stille der Stadt oder die Reize seiner Signora Landi zu plaudern.

Guarino schien entschlossen, nichts weiter zu sagen. Brunetti gab es auf, seine Verärgerung zu verbergen, und fragte rundheraus: »Könnten Sie diese Spielchen vielleicht lassen und mir endlich erklären, weshalb Sie gekommen sind?«

3

Guarino hatte offensichtlich nur darauf gewartet, dass Brunetti die Geduld verlor, denn seine Antwort kam ohne Zögern und ganz ruhig. »Die Polizei hat seinen Tod als Raubüberfall behandelt, der aus dem Ruder lief und zu einem Mordfall wurde.« Bevor Brunetti fragen konnte, wie die Polizei sich die drei Schüsse erklärte, sagte Guarino von sich aus: »Wir haben ihnen nahegelegt, davon auszugehen. Ich nehme an, es war ihnen einerlei. Hat ihnen die Arbeit erleichtert.«

Und dafür gesorgt, dachte Brunetti, dass der Mörder rasch aus den Schlagzeilen geriet, aber statt sich darüber auszulassen, fragte er: »Was glauben Sie, wie es wirklich war?«

Wieder sah Guarino kurz nach der Kirche und wischte sich übers Knie, bevor er sagte: »Ich nehme an, der oder die Täter haben ihn abgepasst, als er hineinging. An seiner Leiche wurden keine weiteren Spuren von Gewalt festgestellt.«

Brunetti stellte sich die wartenden Männer vor, ihr ahnungsloses Opfer, ihr Vorsatz, aus ihm herauszuholen, was er wusste. »Meinen Sie, er hat ihnen was erzählt?«

Guarino sah ihn scharf an und antwortete: »Die hätten alles aus ihm herausbekommen, auch ohne ihm weh zu tun.« Er verstummte, als rufe er sich den Toten ins Gedächtnis zurück, und fügte mit deutlichem Widerstreben hinzu: »Ich war sein Kontaktmann, der, dem er Auskunft gegeben hatte.« Das erklärte seine Nervosität. Der Carabiniere wandte den Blick ab, als sei ihm unbehaglich bei der

Erinnerung daran, wie leicht er den Ermordeten zum Reden hatte bringen können. »Es war nicht schwer, ihm Angst zu machen. Wenn sie seine Familie bedroht hätten, hätte er ihnen alles erzählt, was sie wissen wollten.«

»Und was könnte das gewesen sein?«

»Dass er uns Auskunft gegeben hatte«, sagte Guarino nach kaum merklichem Zögern.

»Wie ist er da hineingeraten?«, fragte Brunetti im klaren Bewusstsein, dass Guarino immer noch nicht gesagt hatte, in was für Machenschaften der Tote verwickelt gewesen war.

Guarino zog eine kleine Grimasse. »Das habe ich ihn gleich bei unserem ersten Gespräch gefragt. Er sagte, als es mit der Firma bergab ging, habe er ihre Ersparnisse aufgebraucht, die seinen und die seiner Frau, und dann sei er zur Bank gegangen, um einen Kredit aufzunehmen. Das heißt, noch einen Kredit: Er hatte bereits einen ziemlich großen. Die Bank hat natürlich abgelehnt«, fuhr er fort. »Darauf fing er an, Aufträge und Zahlungseingänge nicht mehr zu verbuchen, selbst wenn die Zahlungen per Scheck oder Überweisung geleistet wurden.« Er schüttelte den Kopf über so viel Dummheit. »Wie gesagt, er war Amateur. Als er einmal damit angefangen hatte, war es nur eine Frage der Zeit, bis er erwischt wurde.« Mit deutlichem Bedauern, als halte er dem Toten irgendeine kleine Ordnungswidrigkeit vor, sagte er: »Er hätte es wissen müssen.«

Guarino rieb sich geistesabwesend die Stirn. »Er sagte, zu Beginn habe er Angst gehabt. Weil er wusste, dass er kein guter Buchhalter sei. Aber er war verzweifelt, und er...« Guarino ließ den Satz unbeendet. »Ein paar Wochen später – so hat er es mir erzählt – erschien ein Mann bei ihm im Büro. Man habe gehört, er sei vielleicht daran interessiert, auf privater Basis zu arbeiten, ohne lästige Quittungen, und wenn das zutreffe, habe er ihm etwas anzubieten.« Da Brunetti schwieg, fuhr Guarino fort: »Der Mann, der mit ihm gesprochen hat, lebt hier.« Er wartete auf Brunettis Reaktion und sagte dann: »Deswegen bin ich hier.«

»Wie heißt er?«

Guarino hob eine Hand, als wolle er die Frage wegschieben. »Das wissen wir nicht. Er sagte, der Mann habe nie einen Namen genannt, und er habe nie danach gefragt. Es gab Frachtbriefe für den Fall, dass die Fahrzeuge angehalten wurden, aber die waren offenbar gefälscht, der Bestimmungsort, die Ladung.«

»Und was *war* in den Fahrzeugen?«

»Das spielt keine Rolle. Ich bin hier, weil er ermordet wurde.«

»Und ich soll glauben, die beiden Dinge hätten nichts miteinander zu tun?«, fragte Brunetti.

»Nein. Aber ich bitte Sie, mir zu helfen, seinen Mörder zu finden. Der andere Fall geht Sie nichts an.«

»Der Mord geht mich auch nichts an«, sagte Brunetti ruhig. »Dafür hat mein Vorgesetzter gleich nach Bekanntwerden der Tat gesorgt. Nach seiner Entscheidung ist Mestre, in dessen Verwaltungsbezirk Tessera liegt, für den Fall zuständig«, wandte er bewusst förmlich ein.

Guarino erhob sich, trat dann aber nur ans Fenster, wie Brunetti es in schwierigen Situationen auch zu tun pflegte. Der Carabiniere starrte die Kirche an, und Brunetti starrte die Wand an.

Guarino ging zu seinem Stuhl zurück und nahm wieder Platz. »Er hat nur ein einziges Mal etwas über diesen Mann gesagt: dass er jung – um die dreißig –, gutaussehend und gekleidet gewesen sei wie jemand, der Geld habe. Ich glaube, er hat das Wort ›protzig‹ verwendet.«

Brunetti verkniff sich die Bemerkung, dass die meisten Italiener um die dreißig gutaussehend seien und sich kleideten, als ob sie Geld hätten. Stattdessen fragte er: »Woher wusste er, dass derjenige hier in der Stadt lebt?« Er konnte sein Missfallen über Guarinos mangelnde Bereitschaft, ihm genauere Informationen zu geben, kaum noch verbergen.

»Vertrauen Sie mir. Er lebt hier.«

»Ich weiß nicht, ob das ein und dasselbe ist«, sagte Brunetti.

»Wie meinen Sie das?«

»Ihnen vertrauen und den Informationen vertrauen, die Sie bekommen haben.«

Der Maggiore dachte darüber nach. »Dieser Mann bekam einmal, als er zu Besuch in Tessera war und sie gerade das Büro betraten, einen Anruf auf seinem *telefonino*. Er ging auf den Flur zurück, um das Gespräch zu führen, machte aber nicht die Tür zu. Er gab irgendwem Anweisungen, sagte, der andere solle die Nummer eins nach San Marcuola nehmen und anrufen, wenn er ausgestiegen sei, er werde sich dort mit ihm treffen.«

»Es war eindeutig von San Marcuola die Rede?«, fragte Brunetti.

»Ja.«

Guarino sah Brunetti an und lächelte wieder. »Ich denke,

jetzt muss Schluss sein mit dem Geplänkel«, sagte er. Er richtete sich auf und fragte: »Sollen wir noch mal von vorne anfangen, Guido?« Brunetti nickte. »Ich heiße Filippo.« Er nannte ihm seinen Namen wie ein Friedensangebot; Brunetti beschloss es anzunehmen.

»Und der Name des Toten?«, beharrte Brunetti.

Diesmal zögerte Guarino nicht. »Ranzato. Stefano Ranzato.«

Nun schilderte Guarino ihm ausführlich und langwierig Ranzatos Abstieg vom Unternehmer zum Steuerhinterzieher und schließlich zum Polizeispitzel. Und ganz zuletzt zu einer Leiche. Als er fertig war, fragte Brunetti, als habe der Maggiore sich nicht bereits geweigert, die Frage zu beantworten: »Und was war in den Fahrzeugen?«

Jetzt, wusste Brunetti, ging es um alles oder nichts. Fragte sich nur, ob Guarino sich für die Wahrheit entscheiden würde oder nicht.

»Das hat er nie erfahren«, sagte Guarino, und als er Brunettis Miene sah, fügte er hinzu: »Jedenfalls hat er es mir so dargestellt. Es wurde ihm nie gesagt, und die Fahrer haben alle geschwiegen. Der Ablauf war immer der gleiche: Ranzato bekam einen Anruf, dann schickte er seine Wagen an den bewussten Ort. Es gab Frachtbriefe, wie es sich gehört. Er sagte, die meiste Zeit schien ihm alles mit rechten Dingen zuzugehen, Transporte von einer Fabrik zu einem Bahnhof oder von einem Lagerhaus nach Triest oder Genua. Zu Beginn habe er gedacht, das Ganze garantiere sein Überleben« – Brunetti hörte, dass ihm das Wort nur schwer über die Lippen kam –, »weil alles an den Büchern vorbeilief.« Brunetti hatte den Eindruck, Guarino hätte nichts dagegen, ewig so dazusitzen und sich über die Geschäfte des Toten auszulassen.

»Nichts davon erklärt, warum Sie hier sind. Sehe ich das richtig?«, unterbrach ihn Brunetti.

Statt darauf einzugehen, sagte Guarino: »Ich fürchte, wir tappen völlig im Dunkeln.«

»Versuchen Sie noch mehr ins Detail zu gehen, dann gibt sich das vielleicht«, schlug Brunetti vor.

Plötzlich sah Guarino müde aus. »Ich arbeite für Patta«, sagte er und fügte erklärend hinzu: »Manchmal denke ich, alle haben ihren Patta. Bis ich ihn heute kennenlernte, hatte ich seinen Namen noch nie gehört, aber ich habe ihn auf der Stelle erkannt. Er ist mein Boss, und er ist wie die meisten Bosse, die ich in meinem Leben hatte. Ihrer heißt zufällig Patta.«

»Ich hatte schon einige, die anders hießen«, sagte Brunetti, fügte aber hinzu: »Aber sie waren alle gleich.« Guarinos Lächeln half ihnen beiden, sich wieder zu entspannen.

Erleichtert, dass Brunetti ihn verstand, fuhr Guarino fort: »Meiner – mein Patta – hat mich mit dem Auftrag hierhergeschickt, den Mann zu suchen, der in Ranzatos Büro den Anruf bekommen hat.«

»Das heißt, er erwartet von Ihnen, dass Sie nach San Marcuola gehen, Ranzatos Namen rufen und dann beobachten, wer ein schuldiges Gesicht macht?«

»Nein«, antwortete Guarino, ohne zu lächeln. Er kratzte sich hinterm Ohr. »Keiner in meinem Dezernat ist Venezianer.« Als Brunetti ihn fragend ansah, sagte er: »Einige von uns haben jahrelang hier gearbeitet, aber das ist nicht dasselbe, wie hier geboren zu sein. Das wissen Sie. Wir haben die Verhaftungsprotokolle nach allen durchforstet, die in der Nähe von San Marcuola wohnen und wegen Gewaltverbrechen vorbestraft sind, aber die einzigen zwei Männer, die wir gefunden haben, sitzen beide im Gefängnis. Wir brauchen also Hilfe vor Ort, wir brauchen Informationen, wie Sie sie haben oder beschaffen können und wir nicht.«

»Sie brauchen Informationen und wissen nicht, wo Sie danach suchen sollen«, sagte Brunetti und streckte eine offene Handfläche aus. »Und ich weiß nicht, was in diesen Lastwagen war«, fuhr er fort, streckte auch die andere Hand aus und bewegte die Hände wie eine Waage auf und ab.

Guarino bedachte ihn mit einem kühlen Blick: »Ich bin nicht befugt, darüber zu reden.«

Von dieser Offenheit ermutigt, schlug Brunetti einen anderen Weg ein. »Haben Sie mit seiner Familie gesprochen?«

»Nein. Seine Frau war völlig fassungslos. Der Kollege, der mit ihr gesprochen hat, war sicher, dass sie ihm nichts vorgespielt hat. Sie hatte keine Ahnung, was er getan hatte, sein Sohn ebenso wenig, und die Tochter kommt nur zwei- oder dreimal im Jahr nach Hause.« Er ließ Brunetti Zeit, das zu verarbeiten, und fügte dann hinzu: »Ranzato hat mir gesagt, sie wüssten nichts, und ich habe ihm geglaubt. Ich glaube ihm immer noch.«

»Wann haben Sie mit ihm gesprochen?«, fragte Brunetti. »Das letzte Mal, meine ich.«

Guarino sah ihm direkt ins Gesicht. »Einen Tag bevor er starb. Bevor er ermordet wurde.«

»Und?«

»Und da sagte er, er wolle aussteigen, er habe uns bereits

genug Informationen gegeben und wolle das nicht weiter machen.«

Brunetti bemerkte leidenschaftslos: »Nach dem, was Sie mir erzählt haben, scheint es nicht so, als habe er Ihnen sonderlich viel Informationen zukommen lassen.« Da Guarino so tat, als habe er das nicht gehört, beschloss Brunetti ihm einen Schubs zu geben. »So wie auch Sie mir nicht viel zukommen lassen.«

Wieder prallten seine Worte an Guarino ab. Brunetti fragte: »Wirkte er nervös?«

»Nicht mehr als sonst«, antwortete Guarino ruhig und fügte zögernd hinzu: »Er war kein mutiger Mensch.«

»Das sind nur wenige von uns.«

Guarino sah ihn scharf an und verwarf den Gedanken dann wieder. »Das kann ich nicht beurteilen, aber Ranzato war es jedenfalls nicht.«

»Er hatte auch keinen Anlass, oder?« Brunetti lag daran, nicht nur den Mann, sondern auch seine eigene Feststellung zu verteidigen. »Er steckt bis zum Hals in Schulden. Also mogelt er bei der Steuer, was ihn zwingt, etwas Gesetzwidriges zu tun; dann erwischt ihn die Finanza, die ihn den Carabinieri übergibt, und die zwingen ihn, etwas Gefährliches zu tun. Mut war das Letzte, was er brauchte.«

»Sie haben viel Verständnis für ihn«, sagte Guarino, und es klang wie ein Vorwurf.

Diesmal war es Brunetti, der nur schweigend mit den Achseln zuckte.

4

Konfrontiert mit Brunettis Schweigen, wechselte Guarino das Thema. »Wie gesagt. Ich bin nicht befugt, Ihnen Näheres über die Art der Fracht zu sagen«, erklärte er ziemlich schroff.

Brunetti verkniff sich die Bemerkung, dass Guarino dies seit Beginn ihres Gesprächs mit jedem Wort klargemacht habe. Er wandte sich von ihm ab und starrte aus dem Fenster. Guarino unternahm vorerst nichts, um das gemeinsame Schweigen zu brechen. Brunetti ließ die ganze Unterhaltung noch einmal an sich vorbeiziehen und fand sie insgesamt sehr unerfreulich.

Das Schweigen zog sich hin, aber das schien Guarino nichts auszumachen. Als es sich für Brunetti zu lange ausdehnte, nahm er die Füße von der Schublade und stellte sie auf den Boden. Er beugte sich zu seinem Gegenüber auf der anderen Seite seines Schreibtischs vor. »Haben Sie oft mit Dummköpfen zu tun, Filippo?«

»Mit Dummköpfen?«

»Dummköpfen. Begriffsstutzigen.«

Guarino starrte Brunetti irritiert an, aber der lächelte nur höflich und wandte seine Aufmerksamkeit dann wieder der Aussicht hinter dem Fenster zu.

Schließlich sagte Guarino: »Ich glaube schon.«

Darauf Brunetti in liebenswürdigem Ton, aber ohne zu lächeln: »Nach einer Weile muss das zur Gewohnheit werden.«

»Zu glauben, dass man nur von Dummköpfen umgeben ist?«

»So etwas in der Richtung, ja, oder zumindest sich so zu verhalten, als ob dem so wäre.«

Guarino dachte nach. »Ja, verstehe. Und ich habe Sie beleidigt?«

Brunettis Augenbrauen hoben und senkten sich wie von alleine; seine rechte Hand beschrieb einen kleinen Bogen.

»Aha«, sagte Guarino und verstummte.

Die beiden Männer verbrachten etliche Minuten in geselligem Schweigen, bis Guarino endlich sagte: »Ich arbeite *wirklich* für Patta.« Da Brunetti nicht reagierte, fügte er hinzu: »Also, für meinen Patta. Und der hat mich nicht autorisiert, irgendjemandem zu erzählen, was wir machen.«

Von mangelnder Befugnis hatte Brunetti sich noch nie behindern lassen, daher meinte er nur ausgesucht höflich: »Dann können Sie jetzt gehen.«

»Was?«

»Sie können gehen«, wiederholte Brunetti und zeigte freundlich Richtung Tür. »Und ich mache mich wieder an die Arbeit. Die sich aus den von mir bereits erwähnten verwaltungstechnischen Gründen nicht auf Ermittlungen in der Mordsache Ranzato erstreckt.« Als Guarino sitzen blieb, sagte Brunetti: »Es war sehr interessant, Ihnen zuzuhören, aber ich habe keinerlei Informationen für Sie, und ich wüsste auch nicht, warum ich Ihnen helfen sollte, das herauszufinden, was Sie vielleicht in Wahrheit wissen wollen.«

Hätte Brunetti ihm eine Ohrfeige gegeben, Guarino hätte nicht verblüffter reagieren können. Und gekränkter.

Er erhob sich halb, sank dann wieder auf den Stuhl und starrte Brunetti an. Plötzlich lief sein Gesicht rot an, ob vor Verlegenheit oder Wut war Brunetti egal. Schließlich sagte Guarino: »Es gibt doch bestimmt jemanden, den wir beide kennen. Wie wär's: Sie rufen ihn an, und ich rede mit ihm?«

»Tiere, Pflanzen oder Mineralien?«, fragte Brunetti.

»Wie bitte?«

»Das ist ein Spiel, das meine Kinder früher gespielt haben. An was hatten Sie gedacht, wen wir anrufen sollen: einen Priester, einen Arzt, einen Sozialarbeiter?«

»Einen Anwalt?«

»Dem ich vertraue?«, fragte Brunetti ungläubig.

»Einen Journalisten?«

Nach längerem Nachdenken meinte Brunetti: »Da gibt es ein paar.«

»Gut, dann wollen wir sehen, ob wir einen finden, den wir beide kennen.«

»Der uns beiden vertraut?«

»Ja.«

»Und Sie glauben, das würde mir reichen?«, fragte Brunetti skeptisch.

»Das käme wohl auf den Journalisten an«, sagte Guarino ruhig.

Nachdem sie ein paar Namen durchgegangen waren, stellten sie fest, dass sie beide Beppe Avisani kannten und trauten, einen Enthüllungsjournalisten in Rom.

»Gestatten Sie, dass ich mit ihm spreche«, sagte Guarino, kam um den Schreibtisch herum und stellte sich neben Brunetti.

Brunetti nahm sein Bürotelefon und wählte Avisanis Nummer. Dann drückte er den Knopf der Freisprecheinrichtung.

Es läutete viermal, dann meldete sich der Journalist mit seinem Namen.

»Beppe, *ciao,* ich bin's, Filippo«, sagte Guarino.

»Großer Gott. Ist die Republik in Gefahr, und es ist an mir, sie zu retten, indem ich deine Fragen beantworte?«, fragte der Journalist betont ernst. Dann sehr herzlich: »Wie geht's dir, Filippo? Ich frage nicht, was du machst, sondern nur, wie es dir geht?«

»Gut. Und dir?«

»Den Umständen entsprechend«, sagte Avisani; seine Stimme hatte etwas Verzweifeltes, wie Brunetti es bei ihm schon öfter gehört hatte. Dann fuhr er munterer fort: »Du rufst nie an, ohne etwas zu wollen, also verschwende nicht unsere Zeit und sag mir, worum es geht.« Die Worte waren grob, der Tonfall nicht.

»Ich bin hier bei jemandem, der dich kennt«, sagte Guarino, »und ich bitte dich, ihm zu sagen, dass ich vertrauenswürdig bin.«

»Das ist zu viel der Ehre«, sagte Avisani mit neckischer Bescheidenheit. Sie hörten Papier rascheln, dann kam wieder seine Stimme aus dem Lautsprecher: »*Ciao,* Guido. Mein Telefon hat mir verraten, dass der Anruf aus Venedig kommt, und mein Notizbuch sagt mir, dass dies die Nummer der Questura ist, und du bist weiß Gott der Einzige dort, der mir vertrauen würde.«

Brunetti sagte: »Darf ich zu hoffen wagen, dass ich auch der Einzige bin, dem du hier vertraust?«

Avisani lachte. »Ihr beide glaubt das vielleicht nicht, aber ich hatte schon seltsamere Anrufe.«

»Also?«, fragte Brunetti, um Zeit zu sparen.

»Vertrau ihm«, antwortete der Journalist, ohne zu zögern und ohne ein Wort der Erklärung. »Ich kenne Filippo seit langer Zeit, und man kann ihm vertrauen.«

»Das ist alles?«, fragte Brunetti.

»Das ist genug«, meinte Avisani und legte auf. Guarino ging zu seinem Stuhl zurück.

»Ist Ihnen klar, was mit diesem Anruf auch noch bewiesen wurde?«, fragte Brunetti.

»Ja, ich weiß«, sagte Guarino, »dass ich Ihnen trauen kann.« Er nickte, schien diese neue Information zu verdauen und fuhr dann sachlicher fort: »Meine Einheit befasst sich mit organisierter Kriminalität, insbesondere mit ihrer Ausbreitung nach Norden.« Auch wenn Guarino jetzt ernsthaft sprach und vielleicht endlich die Wahrheit sagte, blieb Brunetti auf der Hut. Guarino nahm beide Hände vors Gesicht, wie um sich reinzuwaschen. Brunetti dachte an Waschbären, die ständig etwas wegzuwischen versuchen. Schwer zu durchschauende Viecher, diese Waschbären.

»Weil das Problem so facettenreich ist, hat man entschieden, sich seiner Lösung durch Anwendung neuer Technologien zu nähern.«

Brunetti hob mahnend eine Hand. »Wir sind hier nicht auf einer Konferenz, Filippo, Sie können sich ganz normal ausdrücken.«

Guarino lachte kurz auf, es klang nicht besonders angenehm. »Nachdem ich sieben Jahre an meinem jetzigen Arbeitsplatz bin, weiß ich nicht, ob ich das noch kann.«

»Versuchen Sie es, Filippo, versuchen Sie es. Könnte Ihnen gut bekommen.«

Als wolle er die Erinnerung an alles bisher Gesagte beiseiteschieben, richtete Guarino sich auf und begann zum dritten Mal. »Manche von uns versuchen den Vormarsch nach Norden aufzuhalten. Aber das ist wohl aussichtslos, denke ich.« Er zuckte mit den Schultern. »Meine Einheit versucht nur, sie von gewissen Dingen abzuhalten, wenn sie einmal hier sind.«

Der Knackpunkt dieses Besuchs, erkannte Brunetti, waren eben diese »gewissen Dinge«, über die er immer noch nichts Näheres wusste. »Dass sie zum Beispiel irgendwelche verbotenen Dinge transportieren?«, fragte er.

Brunetti beobachtete, wie der andere mit seiner Zurückhaltung kämpfte, dachte aber nicht daran, ihn zu ermuntern. Plötzlich, als sei er es leid, mit Brunetti Katz und Maus zu spielen, sagte Guarino: »Transporte, ja, aber keine Schmuggelware. Sondern Müll.«

Brunetti legte seine Füße auf die Schublade und lehnte sich entspannt in seinem Stuhl zurück. Er betrachtete eine Zeitlang die Türen seines *armadio* und fragte schließlich: »Dahinter steckt die Camorra, richtig?«

»Im Süden auf jeden Fall.«

»Und hier?«

»Noch nicht durchgehend, aber zusehends. So schlimm wie in Neapel ist es noch nicht.«

Brunetti dachte an die Geschichten aus dieser geplagten Stadt, die um die Weihnachtszeit in der Presse aufgetaucht waren und dann nicht mehr hatten weichen wollen: Berge von Müll, der nicht abgeholt wurde, in manchen Straßen einige Meter hoch. Wer hatte nicht verfolgt, wie verzweifelte Bürger nicht nur die stinkenden Müllhaufen, sondern symbolisch auch ihren Bürgermeister verbrannt hatten? Und wer war nicht entsetzt gewesen, als mitten in Friedenszeiten Soldaten hingeschickt wurden, um die Ordnung wiederherzustellen?

»Was kommt als Nächstes?«, fragte Brunetti. »UN-Friedenstruppen?«

»Es hätte schlimmer kommen können«, sagte Guarino. Und dann wütend: »Es *ist* schlimmer gekommen.«

Da die Ermittlungen gegen die Ökomafia in die Zuständigkeit der Carabinieri fielen, hatte Brunetti immer nur als Bürger auf den Skandal reagiert, als einer der hilflosen Millionen, die in den Nachrichten mit ansehen mussten, wie auf den Straßen der Müll vor sich hin brannte und der Umweltminister die Bewohner von Neapel tadelte, weil sie keine Mülltrennung betrieben, während der Bürgermeister die Umweltsituation dadurch verbesserte, dass er das Rauchen in öffentlichen Parks verbot.

»Und damit hatte Ranzato zu tun?«, fragte Brunetti.

»Ja«, antwortete Guarino. »Aber nicht mit den Müllsäcken auf den Straßen von Neapel.«

»Womit dann?«

Guarino war still geworden, als sei sein nervöses Gebaren nur ein Symptom seiner Zurückhaltung gegenüber Brunetti gewesen. »Einige von Ranzatos Wagen fuhren nach Deutschland und Frankreich, holten dort Fracht ab, brachten sie in den Süden und kamen mit Obst und Gemüse zurück.« Sofort kam wieder der alte Guarino zum Vorschein: »Das hätte ich Ihnen nicht sagen dürfen.«

Brunetti bemerkte ungerührt: »Vermutlich waren sie nicht in Paris oder Berlin, um dort Müllsäcke von den Straßen aufzusammeln.«

Guarino schüttelte den Kopf.

»Sondern Industrieabfälle, Chemie oder ...«, fing Brunetti an.

»... oder medizinische, oft radioaktive Abfälle«, ergänzte Guarino.

»Und wo wurden die hingebracht?«

»Einiges davon zu verschiedenen Häfen und von dort in jedes Dritte-Welt-Land, das sie nehmen wollte.«

»Und der Rest?«

Guarino setzte sich kerzengerade auf, bevor er antwortete: »Türmt sich auf den Straßen von Neapel. Die Deponien und Verbrennungsanlagen da unten sind voll ausgelastet, weil man nur noch das entsorgt, was aus dem Norden angeliefert wird. Nicht nur aus der Lombardei und dem Veneto, sondern von sämtlichen Fabriken, die dafür bezahlen, dass man ihnen ihr Zeug abnimmt, ohne Fragen zu stellen.«

»Wie viele Transporte dieser Art hat Ranzato gemacht?«

»Wie gesagt, er hat es mit der Buchhaltung nicht sehr genau genommen.«

»Und Sie konnten ihn nicht zu einer Antwort ...«, fing Brunetti an, scheute aber vor dem Wort »zwingen« zurück und entschied sich für: »... ermutigen?«

»Nein.«

Brunetti blieb still. Dafür sagte Guarino: »Bei einem unserer letzten Gespräche wünschte er sich geradezu, ich würde ihn festnehmen, damit er endlich aus der Sache herauskäme.«

»Als die Zeitungen voll davon waren?«

»Ja.«

»Verstehe.«

Guarinos Stimme wurde milder. »Inzwischen waren wir, nun ja, nicht direkt Freunde, aber doch so etwas Ähnliches wie Freunde, und er war mir gegenüber ganz offen. Anfangs hatte er Angst vor mir, aber am Ende hatte er Angst vor ihnen, Angst vor dem, was sie mit ihm machen würden, wenn sie erführen, dass er mit uns redete.«

»Offenbar haben sie es ja erfahren.«

War es der Inhalt oder der Tonfall seiner Bemerkung? Guarino sah Brunetti scharf an. »Es sei denn, es war ein Raubüberfall«, sagte er trocken und gab damit zu verstehen, dass nur ein Anschein von Vertrauen zwischen ihnen bestand.

»Selbstverständlich.«

Brunetti, von Natur aus eher ein einfühlsamer Mensch, hatte wenig Erbarmen bei später Reue. Die meisten – so sehr sie das abstreiten mögen – ahnten schließlich von vorneherein, worauf sie sich einließen. »Er muss von Anfang an gewusst haben, was das für Leute waren«, sagte Brunetti. »Oder zumindest, worum es ging.« Ungeachtet aller Beteuerungen Guarinos musste Ranzato gedämmert haben, was mit seinen Fahrzeugen transportiert wurde. Bei seinem schlechten Gewissen handelte es sich nur um Lippenbekenntnisse. Brunetti staunte immer wieder über die Bereitschaft der Leute, sich von einem reuigen Sünder einwickeln zu lassen.

»Das mag sein, aber davon hat er mir nichts gesagt«, antwortete der Maggiore; Brunetti musste daran denken, wie sehr er selbst die Leute schützte, die er zwang, als Informanten für ihn zu fungieren.

Guarino fuhr fort: »Er sagte, er wolle nicht mehr für sie arbeiten. Was ihn zu diesem Entschluss gebracht hatte, wollte er mir nicht verraten, aber ich spürte deutlich, wie beunruhigt er war. In diesem Zusammenhang bat er mich auch, ihn zu verhaften. Damit die Sache endlich ein Ende hatte.«

Brunetti verzichtete auf die Bemerkung, dass es dann ja auch wirklich ein Ende gehabt hatte. Und er wies auch nicht darauf hin, dass Gefahr für Leib und Leben schon so manchen auf den Pfad der Tugend zurückgeführt hat. Nur ein Einsiedler konnte nichts von der *emergenza spazzatura* mitbekommen haben, die in den letzten Wochen von Ranzatos Leben das Gesprächsthema der ganzen Nation gewesen war.

Wirkte Guarino verlegen? Oder irritierte ihn Brunettis Hartherzigkeit? Um die Unterhaltung in Gang zu halten, fragte Brunetti: »An welchem Tag genau haben Sie das letzte Mal mit ihm gesprochen?«

Der Maggiore rutschte zur Seite und zog ein kleines schwarzes Notizbuch hervor. Er schlug es auf, leckte an seinem rechten Zeigefinger und begann rasch zu blättern. »Am siebten Dezember. Ich erinnere mich daran, weil er sagte, seine Frau wolle, dass er am nächsten Tag mit ihr zur Messe gehe.« Plötzlich ließ er die Hand sinken und schlug sich mit dem Notizbuch auf den Oberschenkel. »*Oddio*«, flüsterte er.

Und dann wurde er blass. Er schloss die Augen und presste die Lippen zusammen. Brunetti dachte schon, er werde ohnmächtig. Oder würde in Tränen ausbrechen. »Was haben Sie, Filippo?«, fragte er zu ihm hinübergelehnt und kurz davor aufzuspringen.

Guarino klappte das Notizbuch zu. Er legte es auf sein Knie und starrte es an. »Jetzt erinnere ich mich. Er sagte, seine Frau heiße Immacolata und sie gehe immer am Achten zur Kirche, das sei ihr Namenstag.«

Brunetti hatte keine Ahnung, was daran so beunruhigend sein sollte; aber dann erklärte Guarino: »Er hat mir erzählt, das sei der einzige Tag im Jahr, an dem sie ihn bitte, sie zur Messe zu begleiten und die heilige Kommunion zu empfangen. Deshalb wolle er am nächsten Morgen vor der Messe zur Beichte gehen.« Guarino nahm das Notizbuch und schob es wieder in seine Tasche zurück.

»Hoffentlich hat er es getan«, entfuhr es Brunetti.

5

Beiden fehlten die Worte. Brunetti stand auf und trat ans Fenster; er wollte sich und auch Guarino eine Pause gönnen. Er würde Paola erzählen müssen, was er da eben gesagt hatte, wie ihm das, ohne nachzudenken, einfach so herausgerutscht war.

Guarino räusperte sich. Es herrschte eine stillschweigende Übereinkunft zwischen ihnen, über Ranzato und das, was er gewusst haben mochte, kein Wort mehr zu verlieren: »Wie gesagt: Weil er getötet wurde und weil der einzige Hinweis auf den Mann, für den er gearbeitet hat, nach San Marcuola führt, brauchen wir Ihre Hilfe. Ihr hier in Venedig seid die Einzigen, die uns sagen können, ob dort jemand lebt, der in … nun ja, in eine solche Sache verwickelt sein könnte.« Offenbar war er noch nicht fertig, also schwieg Brunetti weiter. Nach kurzer Pause fuhr Guarino fort: »Wir wissen nicht, nach wem wir suchen.«

»War es nur dieser eine Mann, für den Signor Ranzato gearbeitet hat?«, fragte Brunetti und drehte sich wieder zu Guarino um.

»Er war der Einzige, von dem er mir erzählt hat.«

»Und das ist nicht dasselbe?«

»Doch, ich denke schon. Ich sagte ja, wir sind zwar nicht direkt Freunde geworden, uns aber doch ziemlich nahegekommen. Wir haben über alles Mögliche gesprochen.«

»Zum Beispiel?«

»Ich habe ihm gesagt, was für ein Glückspilz er sei, mit

einer Frau verheiratet zu sein, die er so sehr liebe«, sagte Guarino mit fester Stimme, die nur bei dem Wort »liebe« ins Schwanken geriet.

»Aha.«

»Und ich habe das wirklich so gemeint«, sagte Guarino; für Brunetti hörte sich dieses Bekenntnis wie eine Verteidigungsrede an. »Das war keiner dieser Sprüche, mit denen man sich ins Vertrauen eines anderen einzuschleichen versucht.« Er wartete, bis Brunetti den Unterschied begriffen hatte, und fuhr dann fort: »Anfangs mag es noch so gewesen sein, aber mit der Zeit, nun ja, hat sich das geändert.«

»Haben Sie seine Frau kennengelernt? Oder mal gesehen?«

»Nein. Aber er hatte ein Foto von ihr auf seinem Schreibtisch«, sagte Guarino. »Ich würde gern mit ihr reden, aber wir dürfen auf keinen Fall Kontakt mit ihr aufnehmen oder uns sonst irgendwie anmerken lassen, dass wir jemals mit ihm in Verbindung gestanden haben.«

»Wenn sie ihn getötet haben, wissen sie das aber doch schon, meinen Sie nicht?« Brunetti war nicht bereit, Gnade walten zu lassen.

»Kann sein«, stimmte Guarino widerstrebend zu, korrigierte sich dann aber: »Wahrscheinlich.« Seine Stimme wurde etwas kräftiger: »Aber so sind die Regeln. Wir dürfen nichts tun, was sie in Gefahr bringen könnte.«

»Selbstverständlich«, sagte Brunetti und verkniff sich die Bemerkung, dass dafür schon hinreichend gesorgt worden sei. Er ging an seinen Schreibtisch zurück. »Ich weiß nicht, ob wir viel für Sie tun können, aber ich werde mich umhören und mir die Akten ansehen. Im Augenblick kann ich nur sagen, dass mir niemand einfällt.« Seine Wortwahl – »ich werde mich umhören« – wies bereits darauf hin, dass alles, was außerhalb der üblichen Aktenarbeit getan werden konnte, auf inoffizieller, privater Ebene ablaufen würde. Man konnte mit Informanten sprechen, in Bars den einen oder anderen Tipp aufschnappen. »Allerdings«, fügte Brunetti hinzu, »ist Venedig nicht gerade der ideale Ort, um Informationen über Lkw-Transporte zu sammeln.«

Guarino forschte in seinem Gesicht nach einem sarkastischen Zug, wurde aber nicht fündig. »Ich bin Ihnen dankbar für jede noch so winzige Information, die Sie mir verschaffen können«, sagte er. »Wir kommen nicht mehr weiter. So ist es immer, wenn wir irgendwo arbeiten müssen, wo wir nicht wissen...« Seine Stimme verlor sich in einem Gemurmel.

Brunetti nahm an, der andere habe sich gerade noch zurückgehalten, »wem wir vertrauen können« zu sagen; es konnte aber auch irgendetwas anderes gewesen sein. »Schon seltsam, wieso er nie dafür gesorgt hat, dass Sie sich diesen Mann mal ansehen konnten«, sagte er. »Schließlich kannten Sie ihn doch ziemlich lange.«

Guarino sagte nichts.

Brunetti stellten sich unzählige Fragen. War vielleicht mal ein Wagen der Spedition angehalten und der Fahrer nach den Frachtpapieren gefragt worden? Was, wenn es einen Unfall gegeben hätte?

»Haben Sie mit den Fahrern gesprochen?«

»Ja.«

»Und?«

»Das war nicht sehr ergiebig.«

»Was soll das heißen?«

»Es könnte zum Beispiel heißen, dass sie einfach hingefahren sind, wo sie hinfahren sollten, und nicht darüber nachgedacht haben.« Brunetti war anzusehen, wie glaubhaft er das fand, also fügte Guarino hinzu: »Oder dass der Mord an Ranzato bei ihnen zu Erinnerungslücken geführt hat.«

»Meinen Sie, es lohnt sich, dem nachzugehen?«

»Wohl kaum. Die Leute hier oben haben zwar noch nicht näher Bekanntschaft mit der Camorra gemacht, aber sie haben bereits gelernt, sich nicht mit ihr anzulegen.«

»Wenn es schon so weit ist, dann ist es aussichtslos, sie noch aufzuhalten, oder?«, fragte Brunetti.

Guarino erhob sich, beugte sich über den Schreibtisch und reichte dem Commissario die Hand: »Sie erreichen mich auf der Wache in Marghera.«

Brunetti schüttelte ihm die Hand. »Ich werde mich umhören.«

»Vielen Dank.« Guarino sah ihn prüfend an, nickte, als glaube er ihm, und ging rasch zur Tür. Leise verließ er den Raum.

»Auch das noch, auch das noch«, murmelte Brunetti vor sich hin. Er blieb an seinem Schreibtisch sitzen, dachte über das Gehörte nach, dann stand er auf und ging in Signorina Elettras Büro. Bei seinem Eintreten blickte sie von ihrem Computerbildschirm auf. Die Wintersonne schien durchs Fenster und ließ nicht nur die Rosen aufleuchten, die er vorhin bemerkt hatte, sondern auch ihre Bluse: Die Rosen wirkten daneben geradezu schäbig.

»Wenn Sie Zeit haben, möchte ich Sie bitten, etwas für mich nachzusehen«, sagte er.

»Für Sie oder für Maggior Guarino?«

»Für uns beide, denke ich«, antwortete er, nicht ohne die Wärme zu bemerken, mit der sie den Namen des anderen aussprach.

»Im Dezember wurde ein Mann namens Stefano Ranzato in seinem Büro in Tessera getötet«, sagte er. »Bei einem Raubüberfall.«

»Ja, ich erinnere mich«, sagte sie. »Und der Maggiore leitet die Ermittlungen?«

»Ja.«

»Wie kann ich Ihnen beiden helfen?«

»Er hat Grund zu der Annahme, dass der Mörder in der Gegend von San Marcuola leben könnte.« Das war nicht genau das, was Guarino ihm erzählt hatte, kam aber der Wahrheit nahe genug. »Der Maggiore ist, wie Sie sicher bemerkt haben, kein Venezianer, und auch sonst stammt keiner aus seinem Dezernat von hier.«

»Ah«, rief sie, »die unendliche Weisheit der Carabinieri.«

Als habe er das nicht gehört, fuhr Brunetti fort: »Die Verhaftungsprotokolle für den Bezirk um San Marcuola haben sie bereits überprüft.«

»Auf Gewaltverbrechen oder Raubüberfall?«

»Beides, vermute ich.«

»Hat der Maggiore sonst noch etwas über den Täter gesagt?«

»Dass er um die dreißig und gutaussehend sei und teure Kleidung trage.«

»Na, damit verringert sich die Zahl auf etwa eine Million.«

Brunetti machte sich nicht die Mühe, darauf zu antworten.

»Also San Marcuola?«, fragte sie. Sie verfiel in Schweigen, und er sah ihr zu, wie sie ihre Manschetten herunterschlug und zuknöpfte. Es war nach elf, und doch war an den steifen Manschetten ihrer Bluse nicht das kleinste Fältchen zu sehen. Sollte er sie ermahnen, vorsichtig zu sein, dass sie sich an den Kanten nicht die Pulsadern aufschnitt?

Sie hielt den Kopf schief, betrachtete die Wand über Pattas Tür und knöpfte eine ihrer Manschetten immer wieder auf und zu.

»Man könnte es mit den Ärzten versuchen«, sagte Brunetti nach einer Weile.

Sie schien verblüfft, dann lächelte sie. »Ja, natürlich«, sagte sie anerkennend. »Daran hatte ich nicht gedacht.«

»Ich weiß nicht, ob Barbara ...«, brachte Brunetti den Namen ihrer Schwester ins Spiel; sie war Ärztin und hatte ihm gelegentlich weitergeholfen, jedoch immer eine deutliche Grenze gezogen zwischen dem, was sie der Polizei verraten durfte, und dem, was nicht.

Signorina Elettras Antwort kam wie aus der Pistole geschossen. »Ich glaube nicht, dass wir sie fragen müssen. Ich kenne zwei Ärzte, die ihre Praxen in der Nähe haben. Die werde ich fragen. Die Leute reden mit ihnen, also haben sie vielleicht etwas gehört.« Als sie Brunettis Blick bemerkte, sagte sie: »Die würde Barbara auch als Erstes fragen.«

Er nickte. »Ich höre mich im Bereitschaftsraum um.« Die Männer wussten normalerweise ganz gut Bescheid über die Leute in den Vierteln, in denen sie Dienst taten.

Brunetti hatte sich zum Gehen gewandt, drehte sich aber

noch einmal um, als sei ihm plötzlich etwas eingefallen: »Da ist noch etwas, Signorina.«

»Ja, Commissario?«

»Teil einer anderen Ermittlung, na ja, eigentlich keine Ermittlung, aber man hat mich gebeten, etwas nachzuprüfen: Versuchen Sie, ob sich etwas über einen Geschäftsmann hier in der Stadt herausfinden lässt, Maurizio Cataldo.«

Ihr »Aha« konnte alles Mögliche bedeuten.

»Und über seine Frau auch, falls es da etwas gibt.«

»Franca Marinello?«, sagte sie, den Kopf über den Zettel gesenkt, auf den sie Cataldos Namen geschrieben hatte.

»Ja.«

»Irgendwas Spezielles?«

»Nein«, sagte Brunetti leichthin. »Das Übliche: Geschäfte, Finanzen.«

»Interessieren Sie sich für ihr Privatleben?«

»Nicht besonders, nein«, sagte Brunetti und fügte hastig hinzu: »Aber falls Sie auf etwas stoßen, das interessant sein könnte, halten Sie es bitte fest, ja?«

»In Ordnung.«

Er dankte ihr und ging.

6

Auf der Treppe zurück zu seinem Büro wanderten Brunettis Gedanken von dem unbekannten Toten zu den Gästen, die er gestern beim Abendessen kennengelernt hatte. Er dachte sich, nach dem Mittagessen wäre wohl der beste Zeitpunkt, Paola nach Klatschgeschichten – um ehrlich zu sein und es beim Namen zu nennen – über Cataldo und seine Frau auszufragen.

Der Januar zeigte sich in diesem Jahr von seiner unfreundlichen Seite und fiel mit Dunst und Kälte über die Stadt her. Über Norditalien hatte sich eine graue Wolkendecke niedergelassen, die den Bergen den Schnee missgönnte und zugleich die Wärme am Aufsteigen hinderte, so dass es nicht für Regen reichte, sondern neblig war.

Seit Wochen waren die Straßen nicht mehr saubergespült worden, nur schlieriges Kondenswasser überzog sie Nacht für Nacht. Das einzige *acqua alta* vor vier Tagen hatte den Schmutz nur hin und her geschwemmt, ohne die Straßen auch nur ein bisschen sauberer zu machen. Ungestört von *bora* oder *tramontana*, war die Luft vom Festland allmählich nach Osten gewandert und hing jetzt über der Stadt, mit der Folge, dass die Luftverschmutzung mit jedem Tag schlimmer wurde und Venedig in weiß Gott was für chemischen Ausdünstungen versank.

Paola hatte angesichts dieser Wetterlage alle gebeten, vorm Betreten der Wohnung die Schuhe auszuziehen; der Treppenabsatz vor der Tür wimmelte denn auch von Indizien, aus denen Brunetti schließen konnte, dass die anderen bereits alle vor ihm nach Hause gekommen waren. »So, so, der Superdetektiv«, sagte er vor sich hin, während er sich bückte, um seine Schnürsenkel zu lösen; er stellte die Schuhe ordentlich links neben die Tür und ging hinein.

Die Stimmen kamen aus der Küche, er schlich sich leise an. »Aber in der Zeitung steht«, erklärte Chiara gerade verwirrt und fast schon verzweifelt, »dass die zulässigen Grenzwerte überschritten sind. Das steht doch hier!« Er vernahm das klatschende Geräusch, wenn jemand mit einer Hand gegen eine Zeitung schlägt.

»Was heißt das denn, ›gesetzlich zulässig‹?«, rief sie. »Und wenn die Werte über dem zulässigen Grenzwert liegen, wer muss dann dagegen einschreiten?«

Brunetti wollte in Ruhe zu Mittag essen und danach mit seiner Frau plaudern. Er hatte wenig Verlangen danach, in eine Debatte hineingezogen zu werden, in deren Verlauf er, wie zu befürchten war, für die Gesetze und das, was sie gestatteten, verantwortlich gemacht würde.

»Und wenn man nichts dagegen unternehmen kann, was sollen wir dann machen? Nicht mehr atmen?«, fragte Chiara, und Brunettis Interesse erwachte, als er bei seiner Tochter genau denselben Tonfall wiedererkannte, den Paola anzuschlagen pflegte, wenn sie sich in ihre Empörung hineinsteigerte.

Neugierig, wie die anderen auf ihre Frage reagieren würden, schlich er näher an die Tür.

»Ich bin um halb drei mit Gerolamo verabredet«, unterbrach Raffi mit einer Stimme, die im Vergleich zu der seiner Schwester jede Betroffenheit vermissen ließ. »Also möchte ich jetzt wirklich bald essen, damit ich vorher noch meine Matheaufgaben machen kann.«

»Die ganze Welt bricht um uns zusammen, und dich kümmert nur dein eigener Magen«, deklamierte eine weibliche Stimme.

»Ach, hör doch auf, Chiara«, sagte Raffi. »Das ist doch alles derselbe Käse wie früher in der Grundschule, als wir unser Taschengeld rausrücken sollten, um irgendwelche Christenbabys zu retten.«

»In *diesem* Haushalt werden keine Christenbabys gerettet«, erklärte Paola resolut.

Zum Glück lachten beide Kinder darüber, und Brunetti nutzte die Gelegenheit, nun endlich hineinzugehen. »Ah, Frieden und Harmonie bei Tisch«, sagte er, nahm Platz und sah zu den Töpfen auf dem Herd hinüber. Er nahm einen Schluck Wein, sehr gut, noch einen Schluck, und stellte das Glas ab. »Trost und Freude ist es für einen Mann, nach einem harten Arbeitstag in den friedlichen Schoß seiner liebevollen Familie zurückzukehren.«

»Bis jetzt war es nur ein halber Tag, *papà*«, belehrte ihn Chiara mit Schiedsrichterstimme und klopfte auf das Glas ihrer Armbanduhr.

»Und zu wissen, dass ihm niemals widersprochen wird«, psalmodierte Brunetti weiter, »und dass ein jedes seiner Worte als Juwel der Erkenntnis und jede seiner Äußerungen ob ihrer Weisheit bewundert wird.«

Chiara schob ihren Teller beiseite, legte ihren Kopf auf den Tisch und bedeckte ihn mit beiden Händen. »Ich wurde als Baby entführt und muss seitdem bei Wahnsinnigen leben.«

»Nur bei einem«, sagte Paola und brachte eine Schüssel Pasta. Sie häufte große Portionen auf Raffis und Brunettis Teller, eine kleinere auf ihren eigenen. Inzwischen hatte Chiara sich wieder aufgerichtet und ihren Teller herangezogen, und Paola gab auch ihr eine große Portion.

Sie stellte die Schüssel auf den Tisch, ging zum Herd und holte den Deckel. Die anderen warteten. »*Mangia, mangia*«, sagte sie und brachte den Käse.

Alle warteten, bis sie saß, und keiner fing an zu essen, ehe der Letzte sich Käse genommen hatte.

Ruote. Brunetti liebte *ruote*. Mit den *melanzane*, dem Ricotta und den kleingeschnittenen Tomaten als Sauce waren sie für ihn die perfekte Pasta. »Warum *ruote*?«, fragte er.

Paola schien überrascht. »Wie bitte?«

»Warum nimmst du *ruote* zu dieser Sauce?«, sagte Brunetti; er spießte eine der radförmigen Nudeln auf und hielt sie hoch, um sie genauer zu untersuchen.

Sie sah auf ihren Teller, als staune sie selbst darüber, dort gerade diese Nudelform zu entdecken. »Weil…«, fing sie an und stocherte mit der Gabelspitze in den vielspeichigen Nudeln herum. »Weil…«

Sie legte die Gabel ab und nahm einen Schluck Wein. Dann sah sie Brunetti an und sagte: »Ich habe keine Ahnung, aber die nehme ich immer. *Ruote* passen gut zu dieser Art von Sauce.« Und aufrichtig besorgt: »Magst du die nicht?«

»Ganz im Gegenteil. Ich finde sie genau richtig, aber ich weiß nicht warum und dachte, vielleicht kannst du es mir sagen.«

»Vermutlich kommt es daher, dass Luciana zu *ruote* immer eine Sauce mit kleingeschnittenen Tomaten gemacht hat.« Sie spießte ein paar auf und hielt sie hoch. »Eine bessere Erklärung fällt mir auch nicht ein.«

»Bekomme ich einen Nachschlag?«, fragte Raffi. Die anderen am Tisch hatten noch nicht einmal die Hälfte ihrer Portionen gegessen; ihn interessierte nicht die Form der Nudeln, nur ihre Menge.

»Natürlich«, sagte Paola. »Es ist genug da.«

Während Raffi sich bediente, fragte Brunetti und wusste gleich, dass er das wahrscheinlich bereuen würde: »Wovon hast du gesprochen, als ich eben gekommen bin, Chiara? Irgendwas mit gesetzlichen Grenzwerten?«

»Die *micropolveri*«, sagte Chiara mit vollem Mund. »Die Professoressa hat uns das heute in der Schule erklärt. In der Luft schwebt jede Menge Feinstaub herum, Gummipartikel und Chemikalien und weiß der Himmel was noch alles, und wir atmen das ein.«

Brunetti nickte und nahm noch etwas Pasta.

»Und eben habe ich in der Zeitung gelesen…«, sie legte die Gabel ab und bückte sich, um die aufgeschlagene Zeitung vom Boden aufzuheben. Sie überflog den Artikel, bis sie die Stelle gefunden hatte. »Hier«, sagte sie und las vor: »… bla bla bla, ›die Belastung mit *micropolveri* hat die gesetzlich zulässigen Grenzwerte um das Fünfzigfache überschritten.‹«

Sie ließ die Zeitung wieder auf den Boden fallen und sah ihren Vater an. »Das verstehe ich nicht: Wenn die Grenze eine gesetzliche Grenze ist, was passiert dann, wenn sie um das Fünfzigfache überschritten wird?«

»Oder auch nur um das Zweifache«, ergänzte Paola.

Brunetti legte die Gabel hin und sagte: »Dafür ist die Protezione Civile zuständig, würde ich sagen.«

»Können die irgendwen verhaften?«, wollte Chiara wissen.

»Ich glaube nicht, nein.«

»Oder ein Bußgeld verhängen?«

»Auch das nicht, glaube ich.«

»Und wozu gibt es dann einen gesetzlichen Grenzwert, wenn man nichts gegen die Leute unternehmen kann, die gegen das Gesetz verstoßen?«, stieß Chiara wütend hervor.

Brunetti hatte seine Tochter von dem Moment an geliebt, als er von ihrem Dasein erfahren hatte, von dem Moment an, als Paola ihm erzählt hatte, dass sie ihr zweites Kind erwarteten. Und diese Liebe stand jetzt zwischen Brunetti und dem Eingeständnis, dass sie in einem Land lebten, wo Leute, die gegen das Gesetz verstießen, selten mit einer Strafe rechnen mussten.

Stattdessen sagte er: »Ich nehme an, die Protezione Civile wird offiziell Klage einreichen, und dann wird jemand mit der Untersuchung des Falles beauftragt.« Derselbe Impuls, der ihn von seinem spontanen Kommentar abgehalten hatte, ließ ihn nun von der Bemerkung Abstand nehmen, dass man unmöglich gegen einen bestimmten Schuldigen ermitteln konnte, solange die meisten Fabriken sich nicht um die Vorschriften scherten und die vor Anker liegenden Kreuzfahrtschiffe ihren ganzen Dreck ins Wasser leiteten.

»Aber man hat doch schon Untersuchungen angestellt, oder wie ist man sonst auf diese Zahlen gekommen?«, fragte Chiara, als machte sie ihn dafür verantwortlich, und wiederholte ihre Frage von vorhin: »Und was sollen wir machen, bis da wirklich mal was untersucht wird? Nicht mehr atmen?«

Brunetti fand es entzückend, wie seine Tochter die rhetorischen Kunstgriffe ihrer Mutter anwandte, sogar das alte Schlachtross der Logik, die rhetorische Frage. Ah, sie würde noch viel Ärger machen, die Kleine; wenn sie ihre Leidenschaft und ihre Empörung doch nur ein wenig in Zaum halten könnte.

Etwas später brachte Paola den Kaffee ins Wohnzimmer. Sie reichte ihm eine Tasse und sagte: »Zucker ist schon drin«, und setzte sich neben ihn. Der zweite Teil des *Gazzettino* lag aufgeschlagen auf dem Tisch, wo Brunetti ihn hingelegt hatte, und Paola erkundigte sich mit einer Kopfbewegung in seine Richtung: »Was hat die Zeitung uns heute zu offenbaren?«

»Gegen zwei Mitglieder der Stadtverwaltung wird wegen Korruption ermittelt«, sagte Brunetti und schlürfte seinen Kaffee.

»Das heißt, alle anderen lässt man laufen? Warum nur?«

»Die Gefängnisse sind überfüllt.«

»Aha.« Paola trank ihren Kaffee aus. Sie stellte die Tasse hin und sagte: »Ich bin froh, dass du nicht noch Öl in Chiaras Feuer gegossen hast.«

»Ich hatte nicht den Eindruck«, erwiderte Brunetti und stellte seine Tasse auf das Gesicht des Ministerpräsidenten, »dass man da noch nachhelfen musste.« Er lehnte sich zurück, dachte ein wenig über seine Tochter nach und sagte: »Ich bin froh, dass sie so wütend ist.«

»Ich auch«, bekräftigte Paola, »aber ich finde, wir sollten uns unsere eigene Empörung nicht so deutlich anmerken lassen.«

»Meinst du wirklich? Immerhin hat sie das doch wohl von uns.«

»Ich weiß«, räumte Paola ein, »aber es ist doch klüger, dass sie es nicht merkt.« Nach einem forschenden Blick in seine Miene fügte sie hinzu: »Ehrlich gesagt, ich bin überrascht, dass du ihrer Meinung bist; also, sie so ohne weiteres gewähren lässt.«

Sie tätschelte seinen Oberschenkel. »Du hast sie schwadronieren lassen, dabei konnte ich dir ansehen, wie du innerlich ihre logischen Fehler registriert hast.«

»Deine rhetorische Lieblingsfigur: *argumentum ad absurdum*«, sagte Brunetti mit unverhohlenem Stolz.

Paola bedachte ihn mit einem besonders einfältigen Grinsen. »Die sind mir eine Herzensangelegenheit, diese Argumente.«

»Meinst du, wir tun das Richtige?«, fragte Brunetti.

»Was tun wir denn?«

»Die Kinder dazu erziehen, dass sie so clever argumentieren können?«

Brunetti versuchte das so leichthin wie möglich zu sagen, konnte aber seine echte Besorgnis nicht ganz verbergen. »Für einen, der es nicht so mit Logik hat, hört sich das doch an, als meinten sie es sarkastisch, und so etwas mögen die Leute nicht.«

»Besonders wenn sie es aus dem Mund eines Teenagers hören«, ergänzte Paola. Und wie um seine Befürchtungen zu zerstreuen: »Nur sehr wenige Leute hören bei den Argumenten der anderen richtig zu. Also brauchen wir uns vielleicht keine großen Sorgen zu machen.«

Sie schwiegen eine Weile, dann sagte sie: »Ich habe heute mit meinem Vater gesprochen; er sagt, ihm bleiben noch drei Tage, sich in der Sache mit Cataldo zu entscheiden. Er wollte wissen, ob du inzwischen etwas über ihn herausgefunden hast.«

»Nein, nichts«, sagte Brunetti und verkniff sich die Bemerkung, es sei noch keinen Tag her, dass man ihn darum gebeten habe.

»Soll ich ihm das sagen?«

»Nein. Signorina Elettra weiß schon Bescheid und wird sich darum kümmern.« Obwohl er wusste, wie oft er diese Ausrede schon gebraucht hatte, bemerkte er vage: »Es ist noch etwas dazwischengekommen. Aber bis morgen hat sie vielleicht was.« Erst nach längerem Schweigen fragte er: »Spricht deine Mutter viel von ihnen?«

»Von den beiden?«

»Ja.«

»Ich weiß, dass er es kaum erwarten konnte, sich von seiner ersten Frau scheiden zu lassen.« Ihre Stimme war ein Vorbild an Neutralität.

»Wann war das?«

»Das ist mehr als zehn Jahre her. Er war über sechzig.« Brunetti dachte, Paola sei fertig, aber nach einer Pause, die durchaus beabsichtigt sein mochte, fuhr sie fort: »Und sie war noch keine dreißig.«

»Aha.« Mehr ließ er sich nicht entlocken.

Bevor ihm einfiel, wie er sie nach Franca Marinello ausfragen könnte, kam Paola auf das ursprüngliche Thema zurück: »Mein Vater erzählt mir nichts von seinen Geschäften, aber er interessiert sich für China, und ich denke, er sieht hier eine Möglichkeit, da einzusteigen.«

Brunetti lag nichts daran, die Debatte über die ethischen Aspekte einer Investition in China noch einmal aufzuwärmen. »Und Cataldo?«, fragte er. »Was sagt dein Vater über ihn?«

Sie tätschelte ihm freundlich den Schenkel, als sei Franca Marinello aus dem Zimmer verschwunden. »Nicht viel, jedenfalls nicht in meiner Gegenwart. Die beiden kennen sich seit langem, aber soweit ich weiß, haben sie nie zusammengearbeitet. Ich glaube nicht, dass sie viel füreinander übrighaben, aber hier geht es ums Geschäft.« Sie hörte sich fast zu sehr wie das Kind ihres Vaters an, als sie das sagte.

Brunetti bedankte sich für die Auskunft.

Paola nahm die Tassen und stand auf. »Zeit, dass du deinen Besen nimmst und in den Augiasstall zurückgehst.«

7

Im Stall war es halbwegs ruhig. Kurz nach vier kam eine Kommissarin und beschwerte sich über Tenente Scarpa, der sich weigerte, ihr irgendwelche Akten über einen zwei Jahre alten Mordfall in San Leonardo herauszugeben. »Ich verstehe einfach nicht, warum er das macht«, sagte Claudia Griffoni, die erst seit sechs Monaten in der Questura arbeitete und daher mit dem Tenente und seinen Gepflogenheiten noch nicht vertraut war.

Sie stammte aus Neapel, doch ihr Äußeres strafte alle Klischees Lügen: groß, gertenschlank und blond, blaue Augen und eine so helle Haut, dass sie sich vor der Sonne in Acht nehmen musste. Sie hätte auf einem Werbeplakat für Kreuzfahrten in Skandinavien posieren können; würde sie tatsächlich auf einem Schiff arbeiten, wäre sie allerdings dank ihres Doktortitels in Ozeanographie für eine anspruchsvollere Position als die einer Hostess qualifiziert gewesen. Dazu hätte auch die Uniform beigetragen, die sie jetzt trug, eine von dreien, die sie sich zur Feier ihrer Beförderung zur Kommissarin hatte schneidern lassen. Sie saß ihm gegenüber, Haltung sehr aufrecht, die langen Beine übereinandergeschlagen. Er begutachtete den Schnitt ihrer Jacke, kurz und eng anliegend, die Revers abgesteppt. Die Hosen liefen nach unten schmal zu.

»Macht er das, weil man ihm den Fall nicht gegeben hat und er uns alle ausbremsen will, womit es nur noch schwieriger wird, den Täter zu finden?«, fragte Griffoni. »Oder gibt es irgendetwas Persönliches zwischen ihm und mir, wovon ich nichts weiß? Oder hat er einfach was gegen Frauen? Oder gegen weibliche Polizisten?«

»Oder gegen weibliche Polizisten, die einen höheren Rang bekleiden als er?«, ergänzte Brunetti die Liste, neugierig auf ihre Reaktion, aber völlig überzeugt, dass genau dies der Grund für Scarpas ständige Versuche war, ihre Autorität zu untergraben.

»Ach du lieber Gott«, rief sie und warf den Kopf zurück, als wolle sie die Zimmerdecke ansprechen. »Es reicht nicht, dass ich mir so was von Mördern und Vergewaltigern anhören muss. Jetzt kommen mir auch noch die Leute so, mit denen ich arbeite.«

»Das geschieht Ihnen gewiss nicht zum ersten Mal«, sagte Brunetti. Er fragte sich, was Signorina Elettra zu der maßgeschneiderten Uniform sagen würde.

Sie wandte ihre Aufmerksamkeit wieder ihm zu: »Wir alle können ein Lied davon singen.«

»Und was tun Sie dann in so einem Fall?«, fragte Brunetti.

»Manche von uns versuchen sich mit Charme aus der Affäre zu ziehen. Das haben Sie bestimmt auch schon miterlebt. Man bittet seine Leute mitzukommen, um einen häuslichen Streit zu schlichten, und sie führen sich auf, als hätte man sie zu einem Rendezvous bestellt.«

Brunetti hatte so etwas tatsächlich schon erlebt.

»Oder aber wir werden noch härter als die Männer.«

Brunetti nickte anerkennend. Als ihr keine dritte Möglichkeit einzufallen schien, fragte er: »Oder?«

»Oder wir lassen uns davon nicht verrückt machen und tun einfach unsere Arbeit.«

»Und wenn das alles nicht funktioniert?«, fragte er.

»Dann kann man die Mistkerle nur noch erschießen.«

Brunetti lachte laut auf. Seit er sie kannte, hatte er noch nie versucht, ihr zu raten, wie sie mit Scarpa zurechtkommen könnte. Derartige Ratschläge würde er niemals geben. Im Lauf der Jahre hatte er gelernt, dass die meisten beruflichen oder gesellschaftlichen Situationen viel Ähnlichkeit mit Wasser auf unebenem Untergrund hatten: Früher oder später glättete sich alles. Im Allgemeinen akzeptierten die Leute mit der Zeit, wer Alpha und wer Beta war. Manchmal half ein höherer Rang dabei nach, aber nicht immer. Letztlich hatte er wenig Zweifel, dass die Kommissarin Tenente Scarpa irgendwann in den Griff bekommen würde, aber genauso sicher war er sich auch, dass der Tenente einen Weg finden würde, ihr das heimzuzahlen.

»Er ist schon so lange hier wie der Vice-Questore, richtig?«, fragte sie.

»Ja. Die beiden sind zusammen hergekommen.«

»Ich sollte das vielleicht nicht sagen, aber Sizilianern habe ich noch nie getraut«, sagte sie. Claudia Griffoni war wie viele Neapolitaner aus besseren Kreisen mit reinem Italienisch aufgewachsen, ohne Dialekt, hatte aber manches von Schulfreunden aufgeschnappt und streute gelegentlich neapolitanische Ausdrücke ein. Freilich stets mit ironischen Gänsefüßchen, von jener Hochsprache abgetrennt, die sie mit einer Eleganz zu sprechen wusste, wie es Brunetti selten vorkam. Jemand, der sie nicht kannte, würde daher aus ihrem Argwohn gegenüber den Bewohnern des Südens schließen, dass sie Norditalienerin war, eine Frau, die nur nördlich von Florenz zu Hause sein konnte.

Brunetti spürte, sie hatte diese Bemerkung hingeworfen, um ihn zu testen. Wenn er ihr zustimmte, konnte sie ihn in die eine Schublade stecken; stimmte er nicht zu, kam er in die andere. Da er in keine der beiden – oder in beide zugleich – gehörte, stellte Brunetti eine Gegenfrage: »Soll das heißen, Sie haben vor, der Lega beizutreten?«

Diesmal war sie es, die laut lachte. Als sie fertig war, fragte sie, als habe sie sein Ausweichmanöver nicht bemerkt: »Hat er Freunde hier?«

»Er hat eine Zeitlang mit Alvise an einem Spezialauftrag gearbeitet, europaweite Ermittlungen, aber bevor sie die ersten Ergebnisse hatten oder irgendwer überhaupt wusste, was sie da eigentlich taten, wurden ihnen die Mittel gestrichen.« Brunetti überlegte kurz. »Ob er Freunde hat – ich bin mir nicht sicher. Man weiß sowieso nicht viel von ihm. Immerhin weiß ich, dass er offensichtlich mit keinem hier näheren Umgang haben möchte.«

»Ihr Venezianer seid ohnehin nicht gerade die gastfreundlichsten Leute der Welt«, sagte sie und lächelte, um die Bemerkung zu entschärfen.

Verblüfft antwortete Brunetti viel defensiver, als er eigentlich wollte: »Nicht jeder hier ist Venezianer.«

»Ich weiß, ich weiß«, sagte sie und hob beschwichtigend eine Hand. »Alle hier sind sehr nett und sehr freundlich, aber das endet an der Tür, wenn wir abends nach Hause gehen.«

Wäre er nicht verheiratet gewesen, hätte Brunetti sie auf der Stelle zum Essen eingeladen, aber diese Zeiten waren vorbei, und Paolas Reaktion auf sein Verhalten gegenüber Franca Marinello war ihm noch so frisch im Gedächtnis, dass es für ihn gar nicht in Frage kam, diese höchst attraktive Frau irgendwohin einzuladen.

Vianello kam herein und erlöste ihn aus seiner Unsicherheit. »Ah, da bist du ja«, sagte er an Brunetti gewandt, nahm aber die Anwesenheit der Frau immerhin durch ein Nicken und eine Geste zur Kenntnis, die in einem anderen Leben vielleicht als Gruß durchgegangen wäre.

Er ging auf Brunettis Schreibtisch zu und blieb auf halbem Weg stehen. »Signorina Elettra hat mich eben gebeten«, sagte der Ispettore, »Ihnen auszurichten, dass sie mit den Ärzten in San Marcuola gesprochen hat und gleich berichten kommen wird.« Brunetti nickte dankend, und der Ispettore fügte hinzu: »Und die Männer unten haben mir erzählt, du hättest mit ihnen gesprochen.« Als er mit seiner Meldung fertig war, blieb Vianello mit verschränkten Armen stehen, offensichtlich nicht geneigt, das Büro seines Vorgesetzten zu verlassen, bevor er in die Geschehnisse eingeweiht worden war.

Auch Griffoni war die Neugier deutlich anzusehen, und Brunetti sah sich genötigt, Vianello einen Stuhl anzubieten. »Heute früh war ein Carabiniere bei mir«, fing er an und berichtete dann von Guarinos Besuch, von dem Mord an Ranzato und dem Mann, der in der Gegend von San Marcuola wohnen sollte.

Seine Zuhörer schwiegen eine Zeitlang, bis Griffoni schließlich aufgebracht herausplatzte: »Herrgott, haben wir nicht schon genug Probleme mit unserem eigenen Müll? Und jetzt bringen die auch noch welchen aus anderen Ländern hierher?«

Beide Männer waren verblüfft von diesem Ausbruch.

Normalerweise blieb Griffoni die Ruhe selbst, wenn von kriminellem Verhalten die Rede war. Das Schweigen dehnte sich, bis sie mit ganz anderer Stimme sagte: »Zwei Kusinen von mir sind voriges Jahr an Krebs gestorben. Die eine war drei Jahre jünger als ich. Grazia hat in der Nähe der Verbrennungsanlage in Tarent gelebt, keinen Kilometer davon entfernt.«

Brunetti sagte vorsichtig: »Das tut mir leid.«

Sie hob eine Hand. »Ich war mit dieser Sache befasst, bevor ich hierhergekommen bin. Man kann nicht in Neapel arbeiten und von dem Müllproblem nichts wissen. Der Müll türmt sich in den Straßen; es gibt illegale Deponien, gegen die wir ermitteln. Die ganze Landschaft um Neapel herum ist mit Müll übersät.«

Vianello sah sie an und sagte: »Über Tarent habe ich mal was gelesen. Ich habe Bilder von Schafen auf den Feldern gesehen.«

»Die sterben offenbar auch an Krebs«, erklärte Griffoni sachlich. Sie schüttelte den Kopf und fragte Brunetti: »Gehen wir der Sache nach, oder sind die Carabinieri zuständig?«

»Offiziell schon«, antwortete Brunetti. »Aber wenn wir diesen Mann suchen, sind wir zwangsläufig auch dabei.«

»Muss der Vice-Questore das genehmigen?«, fragte Griffoni wie nebenbei.

Bevor Brunetti antworten konnte, kam Signorina Elettra herein. Sie grüßte Brunetti, schenkte Vianello ein Lächeln und nickte Griffoni zu. Brunetti musste an eine Romangestalt bei Dickens denken, die Paola oft erwähnte und von der es hieß, sie pflege eine Situation danach zu beurteilen, »woher der Wind weht«. Aus Norden, vermutete Brunetti.

»Ich habe mit einem der dort ansässigen Ärzte gesprochen, Commissario«, sagte sie in distanziertem Ton. »Aber ihm fällt niemand ein. Er will seinen Kollegen fragen, wenn er ihn sieht.« Wie gut, dachte er, dass sie in all diesen Jahren immer bei dem förmlichen *Sie* geblieben waren: Für einen so kühlen Wortwechsel war es genau das Richtige.

»Danke, Signorina. Berichten Sie mir, wenn er was für Sie hat«, sagte Brunetti.

Sie schaute nachdenklich in die Runde und antwortete: »Selbstverständlich, Commissario. Hoffentlich habe ich nichts übersehen.« Sie warf Commissario Griffoni einen Blick zu, als solle die es nur wagen, ihr irgendein Versäumnis zu unterstellen.

»Danke, Signorina«, beschied Brunetti sie mit einem Lächeln. Dann wandte er sich dem neuen Kalender auf seinem Schreibtisch zu und wartete auf das Geräusch ihrer Schritte, während sie zur Tür ging, dann auf das Geräusch, mit dem die Tür ins Schloss fiel.

Als er den Kopf hob, sah er gerade noch den komplizenhaften Blick, den Griffoni und Vianello austauschten. Griffoni erhob sich. »Ich mache mich wieder an die Arbeit. Der Flughafen wartet.« Bevor einer der beiden etwas fragen konnte, sagte sie: »Der Fall, nicht der Flughafen selbst.«

»Die Kofferdiebe?«, fragte Brunetti, der früher damit betraut gewesen war, mit einem müden Seufzer.

»Was diese Leute einem erzählen, kommt einem vor wie Elvis' größte Hits. Man hat das alles schon tausendmal gehört, gesungen von ihm selbst und von anderen, und es hängt einem zum Hals heraus«, sagte sie erschöpft. An der Tür drehte sie sich noch einmal um und fügte hinzu: »Aber man weiß, man kommt nicht darum herum.«

Als sie gegangen war, spürte Brunetti erst, wie anstrengend der Tag gewesen war, obwohl er im Grunde nur anderen zugehört und selbst kaum etwas getan hatte. Er sagte zu Vianello, es sei eigentlich schon Zeit, Feierabend zu machen. Vianello fand den Vorschlag ausgezeichnet und erhob sich mit einem Blick auf seine Uhr. Als auch der Ispettore gegangen war, beschloss Brunetti, noch schnell am Computer im Bereitschaftsraum nachzusehen, wie viel er selbst über Cataldo herausfinden konnte. Die Beamten dort waren seine Besuche gewohnt und sorgten immer dafür, dass einer der Jüngeren im Raum blieb, solange der Commissario da war. Diesmal jedoch erwies sich die Suche als einfach, und bald hatte er eine Reihe von Links zu Zeitungs- und Zeitschriftenartikeln zusammen.

Nur aus wenigen erfuhr er mehr, als er bereits vom Conte erfahren hatte. In einer alten Ausgabe von *Chi* fand er ein Foto, das Cataldo Arm in Arm mit Franca Marinello zeigte, aufgenommen vor der Hochzeit. Die beiden standen auf einer Terrasse oder einem Balkon, mit dem Rücken zum Meer: Cataldo untersetzt und ernst in einem hellgrauen Leinenanzug. Sie strahlend glücklich in weißen Hosen und kurzärmeligem schwarzem T-Shirt. Selbst auf dem Bildschirm konnte Brunetti gut erkennen, wie reizend sie damals gewesen war: etwa Ende zwanzig, blond, größer als ihr künftiger Ehemann. Ihr Gesicht wirkte – Brunetti musste kurz nachdenken, bevor ihm das richtige Wort einfiel –, es wirkte unkompliziert. Ihr Lächeln war bescheiden, ihre

Züge regelmäßig, ihre Augen blau wie das Meer hinter ihnen. »Hübsches Ding«, murmelte er. Er tippte auf eine Taste, um den Artikel weiter nach unten zu bewegen, und der Bildschirm wurde leer.

Jetzt stand es für ihn fest: Er brauchte unbedingt einen eigenen Computer. Er erhob sich, erklärte dem Nächstbesten, mit der Maschine stimme etwas nicht, und ging nach Hause.

8

Am nächsten Morgen rief Brunetti vom Büro aus die Carabinieri in Marghera an und erfuhr, Maggior Guarino sei nicht da und werde erst Ende der Woche zurückerwartet. Also schlug er sich Guarino vorläufig aus dem Kopf und dachte noch einmal darüber nach, ob er wirklich einen eigenen Computer beantragen sollte. Falls er einen bekam, konnte er dann noch von Signorina Elettra verlangen, dass sie für ihn das Unfindbare fand? Oder würde sie dann davon ausgehen, dass er die elementaren Dinge selbst ermittelte, zum Beispiel... irgendwelche Telefonnummern oder die Fahrpläne der Vaporetti? Und wenn er das erst einmal beherrschte, nahm sie vermutlich an, er könne auch an die Krankenakten von Verdächtigen herankommen oder Banküberweisungen kreuz und quer durch ein Gewirr von Nummernkonten verfolgen. Trotzdem, ein eigener Computer würde ihm nicht nur bei Recherchen helfen; er könnte auch online Zeitung lesen: aktuelle Ausgaben, ältere Ausgaben, alles, was er wollte. Aber was würde dann aus dem *Gazzettino*, aus dem Gefühl des Papiers in seiner Hand, aus dem trockenen Geruch, aus den schwarzen Streifen, die die Zeitung an der rechten Tasche aller seiner Jacketts hinterließ?

Sein Gewissen drängte ihm die Frage auf: Was würde aus dem schönen Stolz, den er jedes Mal empfand, wenn er auf dem Vaporetto seine Zeitung aufschlug und sich damit als Bürger dieser stillen Stadt zu erkennen gab? Nur Venezianer lasen den *Gazzettino. Il Giornale delle Serve,* die Zeitung der Dienstmädchen. Na und? Die überregionalen Blätter waren auch nicht besser, voller Ungenauigkeiten und Satzfragmente und falsch beschrifteter Fotos.

Ausgerechnet in diesem Moment erschien Signorina Elettra in der Tür seines Büros. Er sah zu ihr hinüber und sagte: »Ich liebe den *Gazzettino.*«

»Versuchen Sie's mal mit dem Palazzo Boldú, Dottore«, empfahl sie ihm die psychiatrische Klinik der Stadt. »Etwas Ruhe könnte Ihnen guttun, aber Lesen auf keinen Fall.«

»Danke, Signorina«, sagte er höflich, um dann – nachdem er die ganze Nacht darüber nachgedacht hatte – gleich zur Sache zu kommen: »Ich hätte gern einen Computer hier in meinem Büro.«

Diesmal versuchte sie gar nicht erst, ihre Reaktion zu verbergen: »Sie?«, fragte sie. »Commissario«, schickte sie noch hinterher.

»Jawohl. So einen flachen, wie Sie einen haben.«

Diese Erklärung verschaffte ihr ein wenig Zeit, über sein Ansinnen nachzudenken. »Ich fürchte, die sind furchtbar teuer«, protestierte sie.

»Davon gehe ich aus«, antwortete er. »Aber es gibt bestimmt eine Möglichkeit, das aus dem Etat für Bürobedarf zu finanzieren.« Je länger er redete und darüber nachdachte, desto mehr wünschte er sich einen Computer, und zwar einen wie ihren, nicht so einen altersschwachen Kasten wie den, mit dem sich die Beamten unten begnügen mussten.

»Wenn es Ihnen nichts ausmacht, Commissario, hätte ich gern ein paar Tage Zeit, darüber nachzudenken. Vielleicht finde ich eine Möglichkeit, das zu arrangieren.«

Brunetti hörte so etwas wie ein Auftrumpfen aus ihrem entgegenkommenden Tonfall heraus.

»Selbstverständlich«, sagte er mit breitem Lächeln. »Und was führt Sie hierher?«

»Es geht um Signor Cataldo«, sagte sie und hielt einen blauen Ordner hoch.

»Ah ja.« Er erhob sich halb von seinem Stuhl und winkte sie heran. »Was haben Sie gefunden?« Von seinen eigenen Rechercheversuchen verriet er nichts.

»Nun.« Sie trat näher, zog rasch ihren Rock glatt, setzte sich und legte die Akte ungeöffnet auf den Schreibtisch. »Er ist sehr wohlhabend, aber das wissen Sie bestimmt schon.« Brunetti nahm an, dass jeder in der Stadt das wusste, nickte ihr aber aufmunternd zu. »Er hat von seinem Vater ein Vermögen geerbt; als er starb, war Cataldo noch nicht mal vierzig. Das war vor gut dreißig Jahren, mitten in der Hochkonjunktur. Er hat das Geld für Investitionen genutzt.«

»In was?«, fragte er.

Sie zog die Mappe zu sich heran und schlug sie auf. »Er besitzt oben im Norden in der Nähe von Longarone eine Fabrik, dort werden Holzpaneele hergestellt. Anscheinend gibt es in Europa nur zwei Fabriken, die so etwas machen. Und eine Zementfabrik in derselben Gegend. Dort wird nach und nach ein ganzer Berg abgetragen und zu Zement verarbeitet. In Triest hat er eine Frachtschiffflotte; außerdem eine Speditionsfirma für nationale und internationale Transporte auf der Straße. Und ein Unternehmen, das Bulldozer und anderes schweres Gerät verkauft. Bagger. Kräne.« Als Brunetti schwieg, fügte sie hinzu: »Eigentlich habe ich nur eine Liste der Unternehmen, die er besitzt.

Mit deren Finanzen habe ich mich noch nicht näher beschäftigt.«

Brunetti hob die rechte Hand. »Nur wenn das nicht zu schwierig für Sie ist, Signorina.« Als sie dies mit einem abfälligen Lächeln bedachte, fuhr er fort: »Und hier in der Stadt?«

Sie schlug eine Seite um. »Er besitzt vier Geschäfte in der Calle dei Fabbri und zwei Häuser an der Strada Nuova. Die sind an zwei Restaurants vermietet, darüber gibt es insgesamt vier Wohnungen.«

»Und alles ist vermietet?«

»Oh ja. Eins der Geschäfte hat vor einem Jahr den Inhaber gewechselt; angeblich musste der neue eine *buonuscita* von einer Viertelmillion Euro zahlen.«

»Nur um die Schlüssel zu bekommen?«

»Richtig. Und die Miete ist zehntausend.«

»Im *Monat*?«, fragte Brunetti.

»Es ist in der Calle dei Fabbri, Signore, und geht über zwei Etagen«, sagte sie, und in ihrer Stimme schwang Befremden darüber mit, dass er an dem Preis – oder ihrer Sorgfalt – zu zweifeln wagte. Sie klappte die Mappe zu und lehnte sich zurück.

Wenn er ihre Miene richtig deutete, hatte sie ihm noch etwas anderes mitzuteilen; also fragte er: »Und?«

»Es gibt Gerede, Signore.«

»Gerede?«

»Über sie.«

»Seine Frau?«

»Ja.«

»Was für Gerede?«

Sie schlug die Beine übereinander. »Vielleicht habe ich übertrieben, und es handelt sich eher um gewisse Andeutungen oder um das Verstummen, wenn ihr Name genannt wird.«

»Ich wage zu behaupten, das trifft auf viele Leute in dieser Stadt zu.« Brunetti bemühte sich, nicht herablassend zu klingen.

»Da haben Sie sicher recht«, sagte sie.

Er fand, er brauche mehr als bloße Gerüchte, also zog er die Akte zu sich heran, nahm sie in die Hand und fragte: »Hatten Sie hinreichend Zeit, sich ein ungefähres Bild von seinem Vermögen zu machen?«

Statt zu antworten, lehnte sie sich in ihrem Stuhl zurück und sah ihm prüfend ins Gesicht, als habe er ihr soeben ein interessantes Rätsel aufgegeben.

»Nun, Signorina?«, sagte Brunetti. Und als sie nicht antwortete: »Was ist denn?«

»Der Ausdruck, Signore.«

»Welcher Ausdruck?«

»›Vermögen‹.«

Konsterniert brachte Brunetti nur heraus: »Ich meine die Summe seiner verschiedenen Vermögenswerte.«

»Ja, auf die Finanzen bezogen, könnte man das so nennen.«

»Kann man es auch auf etwas anderes beziehen?«, fragte Brunetti aufrichtig verwirrt.

»Nun ja, ich denke an sein ›Vermögen‹ als Mann, als Ehemann, als Arbeitgeber, als Freund.« Brunetti zog ein Gesicht, und sie sagte: »Ja, ich weiß, das haben Sie nicht gemeint, aber es ist doch interessant, dass wir alle diesen

Ausdruck nur auf den finanziellen Reichtum eines Menschen beziehen.« Sie gab Brunetti die Chance, das zu kommentieren oder in Frage zu stellen, und als er dies nicht tat, fügte sie hinzu: »Damit reduzieren wir uns doch, als ob alles, was wir wert sind, sich in Geldbeträgen ausdrücken ließe.«

Bei einer nicht so phantasievollen Person wie Signorina Elettra hätte man diese philosophische Betrachtung als umständliches Eingeständnis deuten können, ihre Nachforschungen zu Cataldos Vermögen seien fehlgeschlagen. Brunetti jedoch, wohlvertraut mit ihren gedanklichen Höhenflügen, sagte nur: »Meine Frau hat von einem Mann gesprochen, der den Kapitalismus im Blut habe. Vielleicht haben wir das alle.« Er legte die Mappe hin und schob sie von sich weg.

»Ja«, stimmte sie ein wenig widerstrebend zu, »das haben wir alle.«

»Was haben Sie sonst noch erfahren?«, kam Brunetti wieder zur Sache.

»Dass er sich nach über dreißig Jahren Ehe von Giulia Vasari hat scheiden lassen.«

Brunetti wartete ab, was sie ihm sonst noch von Cataldos Privatleben zu berichten hatte; es schien ihm unangemessen, allzu großes Interesse an Franca Marinello zu bekunden oder sich anmerken zu lassen, dass er selbst schon einiges über sie in Erfahrung gebracht hatte.

»Sie ist viel jünger als er, aber das wissen Sie ja; über dreißig Jahre. Angeblich haben sie sich kennengelernt, als er mit seiner Frau eine Modenschau besuchte, wo Franca Marinello Pelze vorführte.« Sie sah ihn an, aber Brunetti schwieg weiter.

»Wie dem auch sei. Sie hat ihn um den Verstand gebracht«, fuhr sie fort. »Einen Monat später hat er seine Frau verlassen und eine eigene Wohnung bezogen.« Sie unterbrach sich und erklärte: »Mein Vater kannte ihn, und das hat er mir erzählt.«

»Kannte oder kennt?«, fragte Brunetti.

»Kennt ihn, glaube ich. Aber richtige Freunde sind sie nicht; man kennt sich halt.«

»Was hat Ihr Vater noch erzählt?«

»Dass die Scheidung nicht erfreulich war.«

»Das ist die Regel.«

Sie nickte zustimmend. »Er hat gehört, dass Cataldo seinen Anwalt gefeuert hat, weil er sich mit dem seiner Frau getroffen hatte.«

»Ist das nicht üblich?«, fragte Brunetti. »Dass die Anwälte miteinander sprechen?«

»Eigentlich schon. Er hat nur gesagt, Cataldo habe sich schlecht benommen, ohne ins Detail zu gehen.«

»Verstehe.«

Er bemerkte, dass sie aufstehen wollte, und fragte: »Haben Sie auch etwas über seine Frau erfahren?«

Sah sie ihn neugierig an, bevor sie antwortete? »Nicht viel mehr als das, was ich Ihnen erzählt habe, Signore. Sie spielt in der Gesellschaft keine große Rolle, auch wenn sie natürlich sehr bekannt ist.« Dann fiel ihr noch ein: »Früher hat man sie für sehr schüchtern gehalten.«

Brunetti stutzte bei dieser Formulierung, sagte aber nur: »Verstehe.« Er warf einen Blick auf die Akte, ließ sie aber zugeklappt. Als Signorina Elettra sich erhob, sah er auf und sagte lächelnd: »Ich danke Ihnen.«

»Viel Vergnügen bei der Lektüre, Signore«, sagte sie, »auch wenn es nicht an die intellektuelle Strenge des *Gazzettino* heranreicht.« Und damit verschwand sie.

9

Er zwang sich, die Informationen über Cataldos Finanzen durchzugehen: die Unternehmen, die er besaß und führte, die Vorstände, denen er angehörte, die Aktien und Wertpapiere in seinen diversen Portfolios. Unterdessen gestattete er seinen Gedanken, zu träumen, wovon sie wollten, und das waren ganz andere Dinge als dieses langweilige Aktenzeug. Adressen von gekauften und verkauften Immobilien, offizielle Verkaufspreise, aufgenommene und abgezahlte Hypotheken, Zinsen und Dividenden. Es gab Leute, wusste Brunetti, die fanden solche Einzelheiten spannend. Was für eine deprimierende Vorstellung.

Er erinnerte sich, wie er als kleiner Junge Fangen gespielt hatte, seinen Freunden nachjagte und sie im Auge behielt, wenn sie in vertrauten und unvertrauten *calli* verschwanden. Nein, es war eher so wie in der Frühzeit seiner Laufbahn, wenn er der Spur eines Verdächtigen gefolgt war: eine Person im Auge behalten, während man so tat, als interessierte man sich für alles mögliche andere. So ging es ihm jetzt, als er sich durch diese kompakten Informationen arbeitete. Sein Gedächtnis registrierte mechanisch die Summen, die am Ende Cataldos Vermögen ergaben, und manches davon würde er später auch noch wissen; aber sein Jagdinstinkt richtete sich immer wieder und gegen seinen Willen auf Guarino und die Geschichte, die er ihm erzählt hatte. Und auf jene Dinge, die er ihm nicht erzählt hatte.

Er legte die Mappe beiseite und rief Avisani in Rom an.

Diesmal beschränkte Brunetti den Austausch von Höflichkeiten auf ein Minimum, und als es genug war, sagte er betont leutselig: »Dieser Freund von dir, mit dem wir gestern gesprochen haben – könntest du Kontakt mit ihm aufnehmen und ihn bitten, mich anzurufen?«

»Ach, entdecke ich da die ersten feinen Risse in der Aufrichtigkeit eurer Liebe zueinander?«, fragte der Journalist.

»Nein«, antwortete Brunetti lachend, »aber er hat mich um einen Gefallen gebeten, und jetzt höre ich, dass er bis Ende der Woche nicht im Büro ist. Ich muss aber noch einmal mit ihm reden, bevor ich tun kann, worum er mich gebeten hat.«

»Darin ist er gut«, räumte Avisani ein.

»Worin?«

»Zu wenig Informationen rauszurücken.« Als Brunetti nicht darauf einging, sagte der Journalist: »Wahrscheinlich kann ich ihn erreichen. Ich werde ihn bitten, dich heute noch anzurufen.«

Brunetti sagte: »Ich warte darauf, dass du die Stimme senkst und geheimnisvoll flüsterst: ›Falls er kann.‹«

»Das versteht sich von selbst, oder?«, gab Avisani trocken zurück und legte auf.

Brunetti ging in die Bar am Ponte dei Greci und trank einen Kaffee, den er eigentlich nicht brauchte; damit er auch wirklich nichts davon hatte, tat er zu wenig Zucker hinein und kippte ihn runter. Dann bat er um ein Glas Mineralwasser, das er wegen des Wetters auch nicht brauchte, und ging verstimmt, weil er Guarino nicht erreichen konnte, ins Büro zurück.

Der Tote – Ranzato – musste diesen anderen Mann mehr

als einmal getroffen haben, und doch sollte Brunetti glauben, dass Guarino ihn nie aufgefordert hatte, sich deutlicher zu der Beschreibung »gut gekleidet« zu äußern, und auch sonst nicht mehr über ihn in Erfahrung gebracht hatte? Wie hatten Ranzato und der andere miteinander kommuniziert, wenn sie die Transporte organisierten? Telepathisch? Und wie war die Bezahlung abgelaufen?

Und schließlich – warum verdiente gerade dieses Verbrechen so große Aufmerksamkeit? »Eines jeden Menschen Tod«, so hieß es in den Gedichten, von denen Paola ständig sprach. Das war wohl wahr, zumindest im poetischen, abstrakten Sinn, und doch kümmerte der Tod eines Einzelnen, so sehr er uns allen etwas nehmen mochte, die Welt nicht weiter, und auch nicht die Behörden, es sei denn, er stand in Zusammenhang mit einer größeren Geschichte und die Presse fiel darüber her. Brunetti hatte die aktuelle Statistik nicht zur Hand – so etwas überließ er Patta –, aber er wusste, dass weniger als die Hälfte aller Morde jemals aufgeklärt wurden, und je länger ein Mord unaufgeklärt blieb, desto geringer war die Chance, dass sich daran etwas änderte.

Die Tat war vor einem Monat geschehen, und erst jetzt folgte Guarino dem Hinweis auf diesen Mann, der in der Nähe von San Marcuola wohnte. Brunetti legte den Kugelschreiber hin und dachte nach. Entweder war es ihnen gleichgültig, oder jemand hatte…

Das Telefon klingelte, er nahm ab und sagte »*Sì*«, statt wie sonst seinen Namen zu nennen.

»Guido«, sagte Guarino munter. »Freut mich, Sie noch zu erwischen. Man hat mir gesagt, Sie wollten mich sprechen.«

Guarino rechnete offenbar mit der Möglichkeit, dass ihr Gespräch von irgendwem abgehört wurde, aber sein aufge- kratzter Ton ließ Brunetti sorglos werden. »Wir müssen noch einmal über diese Sache reden«, sagte er. »Sie haben mir nicht erzählt, dass – «

»Hören Sie, Guido«, unterbrach Guarino ihn hastig, aber unvermindert munter, »ich habe gleich noch einen Termin, aber das dauert nur wenige Minuten. Wie wär's, wenn wir uns in Ihrer Stammbar treffen?«

»Meinen Sie die – «, fing Brunetti an, wurde aber von Guarino unterbrochen. »Ganz genau die. Wir treffen uns dort in ungefähr fünfzehn Minuten.« Dann legte er auf.

Was machte Guarino in Venedig, und woher wusste er von der Bar an der Brücke? Brunetti wollte nicht schon wie- der dorthin, er wollte nicht noch einen Kaffee, er wollte kein Sandwich oder noch ein Glas kaltes Wasser, nicht einmal ein Glas Wein. Aber dann fiel ihm ein, dass er einen heißen Punsch trinken könnte; er nahm seinen Mantel aus dem *armadio* und ging.

Sergio schob ihm gerade den heißen Punsch über den Tresen, als das Telefon im Hinterzimmer der Bar klingelte. Sergio entschuldigte sich, murmelte etwas von seiner Frau und glitt durch die Tür nach hinten. Unmittelbar darauf kam er, wie Brunetti fast schon erwartet hatte, wieder zu- rück und sagte: »Es ist für Sie, Commissario.«

Gewohnheitsmäßig setzte Brunetti sein freundlichstes Lächeln auf und sagte wie ein geborener Schauspieler: »Ich hoffe, das stört Sie nicht, Sergio. Ich habe einen Anruf er- wartet, aber ich brauchte etwas Warmes, und deshalb habe ich gebeten, mich hier anzurufen.«

»Kein Problem, Commissario. Jederzeit«, sagte der Barmann und zog sich weiter hinter den Tresen zurück, um Brunetti an sich vorbei in das kleine Hinterzimmer zu lassen.

Der Hörer lag neben dem klobigen alten Telefon, einem altmodischen grauen Ding mit runder Wählscheibe. Er nahm den Hörer auf und widerstand dem Drang, seinen Finger in das Loch zu stecken und die Scheibe zu drehen.

»Guido?«

»Ja.«

»Entschuldigen Sie das Theater. Was gibt's?«

»Ihr geheimnisvoller Mann, der Gutgekleidete, der Mann, der gesagt hat, er werde sich an dem von Ihnen erwähnten Ort mit jemandem treffen.«

»Ja?«

»Wie kommt es, dass Sie mir nichts anderes von ihm gesagt haben, als dass er gut gekleidet war?«

»Weil man mir das so gesagt hat.«

»Wie viele Monate lang haben Sie mit dem Ermordeten Kontakt gehabt?«

»... sehr lange.«

»Und er hatte Ihnen nichts anderes mitzuteilen, als dass der andere gut gekleidet war?«

»Ja.«

»Und Sie haben niemals um eine genauere Beschreibung gebeten?«

»Ich hielt das nicht für –«

»Wenn Sie diesen Satz beenden, lege ich auf.«

»Wie bitte?«

»Ich denke, ich sollte Sie warnen. Wenn Sie das sagen, lege ich auf.«

»Warum?«

»Weil ich mich nicht gern belügen lasse.«

»Ich –«

»Wenn Sie diesen Satz beenden, lege ich ebenfalls auf.«

»Im Ernst?«

»Noch mal von vorn. Was hat er Ihnen sonst noch von dem Mann erzählt, mit dem er gesprochen hat?«

»Hat jemand bei Ihnen zu Hause eine private E-Mail-Adresse?«

»Meine Kinder. Warum?«

»Ich möchte Ihnen ein Foto schicken.«

»Lassen Sie meine Kinder aus dem Spiel.«

»Vielleicht Ihre Frau?«

»Also gut. In der Uni.«

»Paola, Punkt, Falier, at Ca'Foscari in einem Wort, Punkt, it?«

»Richtig. Woher haben Sie die Adresse?«

»Ich schick's morgen früh.«

»Weiß sonst noch jemand von diesem Foto?«

»Nein.«

»Hat das alles einen bestimmten Grund?«

»Dazu möchte ich mich lieber nicht äußern.«

»Ist das Ihre einzige Spur?«

»Nein, nicht die einzige. Aber wir haben sie noch nicht überprüfen können.«

»Und die anderen?«

»Alles Fehlanzeige.«

»Wie kann ich Sie erreichen, falls ich etwas herausfinde?«

»Sie wollen das also machen?«

»Ja.«

»Ich habe Ihnen meine Nummer gegeben.«

»Da hat man mir gesagt, Sie seien nicht da.«

»Ich bin nicht leicht zu erreichen.«

»Über die Mail-Adresse, die Sie morgen benutzen?«

»Nein.«

»Wie denn?«

»Ich kann Sie immer dort anrufen.«

»Ja, das können Sie; aber ich kann mein Büro nicht hierher verlegen, nur um auf Ihren Anruf zu warten. Wie kann ich Sie erreichen?«

»Rufen Sie die besagte Nummer an und hinterlassen eine Nachricht. Sagen Sie, Sie heißen Pollini, und geben Sie eine Zeit an, wann Sie zurückrufen. Dann werde ich Sie unter dieser Nummer anrufen.«

»Pollini?«

»Ja. Aber benutzen Sie ein öffentliches Telefon.«

»Wenn wir das nächste Mal miteinander reden, müssen Sie mir erklären, was los ist. Was wirklich los ist.«

»Aber ich habe –«

»Filippo, muss ich Ihnen schon wieder drohen, dass ich gleich auflege?«

»Nein. Müssen Sie nicht. Ich werde darüber nachdenken.«

»Denken Sie jetzt darüber nach.«

»Gut, wenn ich kann, werde ich es Ihnen sagen.«

»Das kommt mir bekannt vor.«

»Mir gefällt das auch nicht, glauben Sie mir. Aber so ist es für alle Beteiligten besser.«

»Auch für mich?«

»Ja, auch für Sie. Ich muss gehen. Danke.«

10

Während er den Hörer auflegte, beobachtete Brunetti seine Hand, ob sie zitterte. Nein, fest wie ein Stein. Überhaupt machte Guarinos Geheimnistuerei ihm keine Angst, sie ärgerte ihn nur. Was käme als Nächstes? Würden sie Nachrichten auf Zettel schreiben und sich die als Flaschenpost auf dem Canal Grande zuschicken? Guarino hatte doch einen recht vernünftigen Eindruck gemacht und Brunettis skeptische Anmerkungen anstandslos hingenommen – warum also wollte er unbedingt James Bond spielen?

Er ging zur Tür und fragte Sergio: »Darf ich mal telefonieren?«

»Commissario«, sagte Sergio und breitete die Hände aus, »telefonieren Sie, so viel Sie wollen.« Mit seinem dunklen Teint und seinem gedrungenen Körperbau erinnerte er Brunetti immer an den Bären, der der Held eines der ersten Bücher gewesen war, die er jemals gelesen hatte. Der Bär hatte die Angewohnheit, sich mit Honig vollzustopfen. Sergios beträchtlicher Bauch trug ebenfalls zu der Ähnlichkeit bei. Wie dieser Bär war Sergio freundlich und großzügig und ließ nur selten einmal ein Brummen hören.

Brunetti wählte die ersten fünf Ziffern seiner Privatnummer, legte dann aber wieder auf. Er trat aus dem Hinterzimmer und ging zu seinem Platz am Tresen zurück. Sein Glas war weg. »Hat jemand meinen Punsch getrunken?«, fragte er.

»Nein, Commissario. Er war nur schon kalt geworden.«

»Machen Sie mir noch einen?«

»Mit Vergnügen«, sagte der Barmann und griff nach der Flasche.

Zehn Minuten später ging Brunetti gut durchwärmt in sein Büro zurück. Von dort rief er bei sich zu Hause an.

»*Si*«, sagte Paola. Seit wann meldet sie sich nicht mehr mit ihrem Namen, fragte er sich.

»Ich bin's. Gehst du morgen in dein Büro?«

»Ja.«

»Kannst du an deinem Computer dort ein Foto ausdrucken?«

»Ja, sicher.« Er vernahm ein kaum unterdrücktes Stöhnen.

»Gut. Du erhältst es per Mail. Könntest du mir einen Ausdruck machen? Eventuell eine Vergrößerung?«

»Guido, ich kann meine E-Mails auch von hier aus abrufen«, sagte sie betont geduldig, wie immer, wenn sie etwas Selbstverständliches wiederholte.

»Ich weiß«, sagte er, obwohl er gar nicht daran gedacht hatte. »Aber ich möchte das lieber nicht...«

»Im Haus haben?«, schlug sie vor.

»Ja.«

»Vielen Dank«, sagte sie lachend. »Ich will nicht näher auf deinen Kenntnisstand in Sachen Technik eingehen, Guido, aber danke, dass du wenigstens daran gedacht hast.«

»Ich will nicht, dass die Kinder –«, fing er an.

»Du brauchst das nicht zu erklären«, unterbrach sie ihn. Noch freundlicher fügte sie hinzu: »Bis nachher«, und legte auf.

Er hörte ein Geräusch an seiner Tür. Zu seiner Überraschung trat Sergente Alvise ein. »Haben Sie kurz Zeit, Commissario?«, fragte er lächelnd, wurde ernst und lächelte wieder. Klein und schmächtig, war Alvise die am wenigsten einnehmende Erscheinung im Kommissariat, und mit seinem Intellekt war es auch nicht besser bestellt. Freundlich und umgänglich, war Alvise fast immer zu einem netten Plausch aufgelegt. Paola hatte ihn nur ein einziges Mal gesehen und hinterher bemerkt, er erinnere sie an jemanden, von dem ein englischer Dichter einmal gesagt habe: »Ew'ges Lächeln verrät sein leeres Herz.«

»Selbstverständlich, Alvise. Treten Sie ein. Bitte.« Alvise war erst kürzlich wieder zur Mannschaft gestoßen, nachdem er ein halbes Jahr lang zusammen mit Tenente Scarpa in einer von der Europäischen Union gesponserten Ermittlergruppe mitgearbeitet hatte, über deren Auftrag nie etwas Genaues durchgesickert war.

»Ich bin wieder da, Signore«, sagte Alvise und setzte sich.

»Ja«, sagte Brunetti, »ich weiß.« Funkelnde Geistesblitze und präzise Ausführungen waren nicht das, was man mit dem Namen Alvise verband; ob seine Bemerkung sich auf seine Rückkehr von dem Spezialauftrag bezog oder darauf, dass er von der Bar an der Ecke zurückgekommen war, blieb offen.

Alvise blickte im Zimmer umher, als sehe er es zum ersten Mal. Brunetti fragte sich, ob Alvise es womöglich für nötig hielt, sich bei seinem Vorgesetzten in Erinnerung zu rufen. Das Schweigen zog sich hin, doch Brunetti beschloss, so lange zu warten, bis Alvise von selbst mit seinem Anliegen herausrückte. Der Sergente sah nach der offenen Tür, dann nach Brunetti, dann wieder nach der Tür. Schließlich beugte er sich vor und fragte: »Haben Sie etwas dagegen, wenn ich die Tür zumache, Commissario?«

»Tun Sie das nur, Alvise«, sagte Brunetti und fragte sich, ob Alvise, nachdem er ein halbes Jahr lang mit dem Tenente in einem winzigen Büro verbracht hatte, empfindlich gegen Durchzug geworden war.

Alvise ging zur Tür, steckte den Kopf hindurch und spähte nach links und rechts, machte die Tür lautlos zu und setzte sich wieder auf seinen Stuhl. Wieder herrschte Schweigen, und wieder blieb Brunetti stumm.

Schließlich sagte Alvise: »Wie gesagt, Signore, ich bin wieder da.«

»Und wie auch ich bereits sagte, Alvise, ich weiß.«

Alvise starrte ihn an, als werde ihm plötzlich bewusst, dass es an ihm sei, den Kreislauf des Schweigens zu durchbrechen. Er sah nach der Tür, drehte sich wieder zu Brunetti um und sagte: »Aber das scheint niemand zu merken.«

Da Brunetti nicht darauf reagierte, war der Sergente gezwungen, seine Rede fortzusetzen. »Die Kollegen, Signore, es kommt mir vor, als seien sie nicht froh, dass ich wieder da bin.« Sein faltenloses Gesicht drückte Ratlosigkeit aus.

»Warum sagen Sie das, Alvise?«

»Na ja, niemand hat was gesagt. Dazu, dass ich wieder da bin.« Es gelang ihm, Schmerz und Bestürzung zugleich auszudrücken.

»Was hätten sie denn sagen sollen, Alvise?«

Alvise versuchte zu lächeln, bekam es aber nicht hin. »Na ja, Signore, so etwas wie ›Willkommen zu Hause‹ oder ›Schön, dass du wieder da bist‹. Oder so.«

Was glaubte Alvise eigentlich, wo er gewesen war? In

Patagonien? »Es ist ja nicht so, als seien Sie weg gewesen, Alvise. Das sollten Sie bedenken.«

»Ich weiß, Commissario. Aber ich war nicht Teil des Teams. Ich war kein normaler Polizist.«

»Vorübergehend.«

»Ja, ich weiß, nur vorübergehend. Aber es war schon so eine Art Beförderung, oder?«

Brunetti faltete die Hände und presste die Zähne an die Fingerknöchel. Als er sich wieder gefangen hatte, legte er den Kopf zurück und sagte: »Ich nehme an, das könnte man so sehen, Alvise. Aber wie Sie selbst sagen, Sie sind jetzt wieder da.«

»Richtig. Aber es wäre gut, wenn die Leute mal hallo sagen oder sich freuen würden, dass ich wieder da bin.«

»Vielleicht warten sie erst einmal ab, wie leicht es Ihnen fällt, sich wieder auf den Arbeitsrhythmus des Teams einzustellen«, meinte Brunetti, hatte aber selbst keine Ahnung, was das heißen sollte.

»Das habe ich mir auch gedacht, Signore«, sagte Alvise und lächelte.

»Gut. Dann wäre das erledigt«, sagte Brunetti hastig und etwas zu schroff. »Lassen Sie ihnen ein wenig Zeit, sich wieder an Sie zu gewöhnen. Wahrscheinlich sind sie gespannt, ob Sie neue Ideen mitgebracht haben.« Ach, was ist dem Theater verlorengegangen, als ich mich für die Polizei entschieden habe, dachte Brunetti.

Alvises Lächeln wurde noch breiter, und zum ersten Mal seit seinem Eintreten wirkte es echt. »Oh, das würde ich den Leuten niemals antun, Commissario. Schließlich sind wir hier im verschlafenen alten Venedig, oder?«

Wieder nahmen Brunettis Lippen Kontakt mit seinen Knöcheln auf. »Sehr richtig. Das sollten Sie stets beherzigen, Alvise. Immer mit der Ruhe. Versuchen Sie erst einmal wieder ins alte Gleis zu kommen. Die anderen brauchen vielleicht eine Weile, um sich darauf einzustellen, aber das wird schon werden. Vielleicht könnten Sie Riverre heute Nachmittag auf einen Drink einladen und ihn fragen, was in der Zwischenzeit passiert ist, das wird Ihnen helfen, wieder den Anschluss zu finden. Sie waren doch immer gute Freunde, Sie beide?«

»Ja, Signore. Aber das war, bevor ich beför… bevor ich den Auftrag bekommen hatte.«

»Na, laden Sie ihn trotzdem ein. Gehen Sie mit ihm zu Sergio. Ein Gespräch unter Männern. Lassen Sie sich Zeit. Wenn Sie erst mal ein paar Tage zusammengearbeitet haben, wird ihm das die Sache sicher erleichtern«, sagte Brunetti und nahm sich vor, Vianello zu bitten, dafür zu sorgen, dass die beiden wieder zusammen auf Streife gingen. Zum Teufel mit der Vorstellung, man könnte die Polizeiarbeit in der Stadt effizienter machen.

Alvise baute sich zu seiner ganzen Größe auf, und Brunetti ließ sich aus Mitleid zu einem »Willkommen zu Hause, Alvise« hinreißen.

»Ich danke Ihnen, Signore«, sagte Alvise und erhob sich. »Ich gehe gleich runter und frage ihn.«

»Gut«, sagte Brunetti lächelnd und registrierte erleichtert, dass Alvise fast schon wieder ganz der Alte war.

Der Sergente nahm Haltung an und salutierte zackig. »Danke, Signore. Es ist schön, wieder hier zu sein.«

11

Die Questura und der Ermordete, den er nie gesehen
hatte, beschäftigten Brunetti noch beim Abendessen. Paola
bekam das zu spüren, denn er fand keine lobenden Worte
für ihre *coda di rospo* mit Scampi und Tomaten und aß auch
nicht viel davon, und eine dritte Flasche Graminé ließ er unberührt stehen, um sich zum Lesen ins Wohnzimmer zurückzuziehen.

Als Paola sich nach ausgiebigem Geschirrspülen zu ihm
gesellte, stand er am Fenster und schaute nach dem Engel
auf dem Campanile von San Marco im Südosten. Sie stellte
den Kaffee auf den Sofatisch. »Möchtest du dazu einen
Grappa, Guido?«, fragte sie.

Er schüttelte den Kopf, blieb aber stumm. Sie trat neben
ihn, und als er nicht daran dachte, seinen Arm um sie zu
legen, gab sie ihm einen freundlichen Schubs mit der Hüfte.
»Was ist los?«

»Es kommt mir nicht richtig vor, dich da reinzuziehen«,
sagte er schließlich.

Sie setzte sich aufs Sofa und nahm einen Schluck Kaffee.
»Ich hätte durchaus nein sagen können.«

»Hast du aber nicht«, sagte er, bevor er neben ihr Platz
nahm.

»Worum geht es denn überhaupt?«

»Um den Mann, der in Tessera ermordet wurde.«

»Das weiß ich auch aus der Zeitung, Guido.«

Brunetti griff nach seiner Kaffeetasse. »Weißt du was«,

sagte er nach dem ersten Schluck. »Ich könnte doch einen Grappa vertragen. Ist noch was von dem Gaja übrig? Dem Barolo?«

»Ja«, sagte sie und rückte sich auf dem Sofa zurecht. »Bring mir auch ein Glas, bitte.«

Gleich darauf kam er mit der Flasche und zwei Gläsern zurück, und während sie tranken, wiederholte Brunetti das meiste von dem, was Guarino ihm erzählt hatte, um mit dem Foto zu endigen, das sie am nächsten Tag per E-Mail erhalten würde. Er versuchte ihr auch seinen inneren Widerstreit begreiflich zu machen, weil Guarino ihn in diese Ermittlungen hineingezogen hatte. Die Sache gehe ihn gar nichts an, dafür seien die Carabinieri zuständig. Vielleicht habe es ihm geschmeichelt, dass man ihn um Hilfe gebeten habe, und seine Reaktion unterscheide sich in nichts von dem Dünkel, mit dem Patta sich für »den Verantwortlichen« halte. Oder vielleicht wolle er auch nur beweisen, dass er etwas zustande bringen konnte, wozu die Carabinieri nicht fähig waren.

»Nur ein Foto wird es Signorina Elettra nicht leichter machen, ihn zu finden«, räumte Brunetti ein. »Aber ich wollte Guarino dazu bringen, etwas zu tun, auch wenn es nur darauf hinauslief, dass er zugab, mich belogen zu haben.«

»Er hat Informationen zurückgehalten«, korrigierte ihn Paola.

»Na schön, wenn du darauf bestehst«, lenkte Brunetti lächelnd ein.

»Und er will, dass du ihm hilfst herauszufinden, ob jemand, der in der Nähe von San Marcuola lebt, was genau getan haben könnte?«

»Ich nehme an, es geht um Gewaltkriminalität. Jedenfalls gehe ich davon aus, dass Guarino den Mann auf dem Foto für den Mörder hält. Oder einen Mittäter.«

»Und was denkst du?«

»Ich weiß zu wenig, um überhaupt etwas zu denken. Ich weiß nur, dass dieser Unbekannte Ranzato mit illegalen Transporten beauftragt hat, dass er gut gekleidet ist und sich an der Haltestelle San Marcuola mit jemandem traf.«

»Hast du nicht gesagt, er lebt dort in der Gegend?«

»Na ja, nicht direkt.«

Es war großes Theater, wie Paola jetzt zum Zeichen, dass sie mit ihrer Geduld am Ende war, die Augen schloss und sagte: »Ich weiß nie, ob das ja oder nein heißen soll.«

Brunetti lächelte. »In diesem Fall heißt es: Das war meine Vermutung.«

»Warum?«

»Weil er gesagt hat, er wolle sich dort am Abend mit jemandem treffen, und genau das tun wir, wenn Leute von auswärts herkommen: Wir treffen uns mit ihnen am *imbarcadero* unseres Viertels.«

»Jawohl«, sagte Paola und fügte hinzu: »Professor.«

»Keine Albernheiten, Paola. Das ist doch offensichtlich.«

Sie nahm sein Kinn zwischen Daumen und Zeigefinger ihrer rechten Hand und drehte sein Gesicht sanft zu sich herum. »Es ist auch offensichtlich, dass die Einschätzung, jemand sei gut gekleidet, alles Mögliche bedeuten kann.«

»Was?«, fragte Brunetti; seine Hand erstarrte auf halbem Weg zu der Grappaflasche. »Ich kann dir nicht folgen. Im Übrigen hat er auch gesagt, der Mann sei protzig gekleidet gewesen, was auch immer das heißen mag.«

Paola studierte sein Gesicht wie das eines Fremden. »Was wir für ›protzig‹ oder ›gut gekleidet‹ halten, hängt davon ab, wie wir selbst uns kleiden. Findest du nicht?«

»Ich verstehe immer noch nicht«, sagte Brunetti und nahm die Flasche.

Paola winkte ab, als er ihr nachschenken wollte, und sagte: »Erinnerst du dich an diesen Fall – muss zehn Jahre her sein –, als du eine Woche lang jeden Abend nach Favaro rausmusstest, um einen Zeugen zu befragen?«

Er dachte nach, ja, er erinnerte sich an den Fall, die endlosen Lügen, die Pleite am Ende. »Ja.«

»Weißt du noch, wie die Carabinieri dich immer zurückgebracht und am Piazzale Roma abgesetzt haben und du mit der Nummer eins nach Hause gefahren bist?«

»Ja«, antwortete er und fragte sich, worauf sie hinauswollte. Meinte sie, dass auch in diesem Fall eine Pleite drohte, so wie er selbst es allmählich auch befürchtete?

»Du hast mir von Leuten erzählt, die du jeden Abend auf dem Vaporetto gesehen hast. Erinnerst du dich? Zwielichtige Gestalten in Begleitung billiger Blondinen? Männer in Lederjacken und Frauen in Lederminiröcken?«

»Oh mein Gott«, sagte Brunetti und schlug sich so heftig an die Stirn, dass es ihn tiefer neben sie aufs Sofa drückte. »Wer Augen hat, zu sehen, und doch nicht sieht«, sagte er.

»Bitte, Guido, fang *du* jetzt nicht an, die Bibel zu zitieren.«

»Entschuldige. Der Schock war zu groß für mich«, sagte er mit breitem Grinsen. »Du bist ein Genie. Aber das weiß ich ja seit Jahren. Natürlich, natürlich. Das Casinò. Sie treffen sich bei San Marcuola und gehen zusammen dorthin, oder? Natürlich. Genial, genial.«

Paola hob in offenkundig geheuchelter Bescheidenheit die Hand. »Guido, das ist nur eine Möglichkeit.«

»Ja, es ist nur eine Möglichkeit«, stimmte Brunetti zu. »Aber eine realistische, die mir immerhin erlaubt, etwas zu *tun.*«

»Etwas zu tun?«

»Ja.«

»Zum Beispiel, dass wir ins Casinò gehen?«

»Wir?«

»Wir.«

»Warum wir?«

Sie hielt ihm ihr Glas hin, und er schenkte ihr Grappa nach. Sie nahm einen Schluck, nickte nicht weniger anerkennend als er vorhin und sagte: »Weil nichts so großes Aufsehen erregt wie ein Mann, der allein das Casinò besucht.«

Brunetti wollte widersprechen, aber sie hob ihr Glas und schnitt ihm das Wort ab: »Einer allein kann nicht einfach da herumgehen und die Leute an den Tischen anstarren, ohne selbst zu spielen. Auffälliger geht's ja wohl nicht. Und wenn er spielt – was wird er machen: unsere Wohnung verspielen?« Als seine Miene sich aufhellte, fragte sie: »Außerdem kann man wohl kaum erwarten, dass Signorina Elettra *das* als Ausgaben für Büroausstattung verbucht?«

»Eher nicht«, gab Brunetti zu; klarer konnte kein Mann seine Niederlage eingestehen.

»Im Ernst, Guido«, sagte sie und stellte ihr Glas auf den Tisch. »Du musst dort einen ungezwungenen Eindruck machen, und wenn du allein hingehst, wirst du aussehen wie ein Polizist auf der Pirsch oder jedenfalls wie ein Mann auf der Pirsch. Wenn du mich mitnimmst, können wir wenigstens reden und lachen und den Anschein erwecken, als ob wir uns amüsieren.«

»Soll das heißen, wir werden uns gar nicht wirklich amüsieren?«

»Kannst du dich amüsieren, wenn du anderen Leuten dabei zusiehst, wie sie beim Spiel Geld verlieren?«

»Nicht alle verlieren«, sagte er.

»Und nicht jeder, der vom Dach springt, bricht sich ein Bein«, gab sie zurück.

»Was soll das denn heißen?«

»Dass das Casinò Geld scheffelt, und es scheffelt Geld, weil Leute es verlieren. Beim Spiel. Vielleicht verlieren sie nicht jeden Abend, aber am Ende verlieren sie immer.«

Brunetti überlegte, ob er sich noch ein kleines Glas Grappa genehmigen sollte, verzichtete dann aber mannhaft darauf und sagte: »Na schön. Können wir uns trotzdem amüsieren?«

»Aber erst morgen Abend«, antwortete sie.

Brunetti wollte sein Glück versuchen und hoffte, irgendjemand im Casinò werde den Mann auf dem Foto erkennen, das Paola aus der Universität nach Hause mitgebracht hatte, obwohl Göttin Fortuna unter diesen Umständen vielleicht die falsche Adresse war, da sie zweifellos andere, dringendere Aufträge zu erledigen hatte. Ihm war auch bewusst, dass er, selbst wenn es ihm gelang, die Identität des jungen Mannes oder gar den Mann selbst zu ermitteln, allenfalls noch sein Vorstrafenregister überprüfen konnte, dann aber die Information an Guarino weitergeben musste. Auch wenn jetzt wieder die Rechten das Land regierten, war es immer noch kein Verbrechen, sich fotografieren zu lassen.

Gewiss, Brunetti kam als Privatmann und in Begleitung seiner Frau, aber immerhin hatte er vor etlichen Jahren zwei polizeiliche Ermittlungen gegen das Casinò geleitet und würde daher bestimmt nicht unbemerkt bleiben.

Der Mann an der Rezeption erkannte ihn sofort, doch offenbar trug ihm die Verwaltung nichts nach, und er wurde als VIP empfangen, schlug jedoch den Gratis-Jeton aus. Er kaufte welche für fünfzig Euro und gab die Hälfte davon Paola.

Er war seit Jahren nicht mehr hier gewesen, nicht mehr, seit er den Direktor verhaftet hatte. Viel hatte sich nicht verändert. Er erkannte einige Croupiers wieder, von denen zwei damals unter dem Vorwurf festgenommen worden waren, sie hätten das System organisiert, mit dem das Casinò um eine niemals genau ermittelte Summe betrogen worden war, vielleicht Millionen, mit Sicherheit aber einige hunderttausend Euro. Angeklagt, überführt, verurteilt und jetzt wieder an ihrem alten Arbeitsplatz als Croupiers. Sie waren schließlich Beamte. Dass er Paola an seiner Seite hatte, half Brunetti wenig; er ahnte, dass er sich nicht sehr amüsieren würde.

Sie gingen zum Roulette, dem einzigen Spiel, dem Brunetti sich gewachsen fühlte: Da musste man weder Karten mitzählen noch irgendwelche Wahrscheinlichkeiten ausrechnen. Geld hinlegen. Gewinnen. Verlieren.

Im Näherkommen musterte er die Leute an einem der

Tische, auf der Suche nach dem Gesicht, das er nur von einem Foto im Dreiviertelprofil kannte. Das Foto war am Morgen ohne Erklärung, wann, wo und von wem es gemacht worden war, eingetroffen und nicht besonders gut. Vielleicht mit einem *telefonino* aufgenommen, zeigte es einen glattrasierten Mann, der Anfang dreißig sein mochte. Er stand in einer Bar, eine Kaffeetasse in der Hand, und sprach mit jemandem, der auf dem Bild nicht zu sehen war. Er hatte kurzes dunkles Haar, ob braun oder schwarz, war bei der schwachen Auflösung des Bildes nicht zu erkennen. Nur ein Wangenknochen war sichtbar, und eine Augenbraue, die so schräg stand, wie man es sonst nur bei Zeichentrickfiguren sah. Er war mittelschwer, über die Körpergröße konnte man nichts Genaues sagen. Auch die Qualität seiner Kleidung war nicht zu erkennen: Krawatte, Jackett, helles Hemd.

Brunetti und Paola standen eine Weile am Außenrand des Ovals von Leuten um den Tisch, sie alle angezogen von der Magie des kreisenden Kessels und dem Klicken und Klappern der herumwirbelnden Kugel. Blieb sie schließlich mit einem gedämpften Klacken liegen, folgte Schweigen. Kein Verlust rief Stöhnen hervor, kein Gewinn wurde kommentiert. Wie leidenschaftslos diese Leute sind, dachte Brunetti, wie fade ihre Freude ist.

Von den unerbittlichen Gezeiten des Spiels erfasst, wurden einige Verlierer vom Tisch weg- und aus dem Oval herausgespült; andere strömten nach und nahmen deren Plätze ein, darunter auch Brunetti und Paola. Ohne hinzusehen, wo sein Jeton landete, warf Brunetti einen auf den Tisch. Er beobachtete die Gesichter auf der anderen Seite, die alle gespannt auf den Croupier gerichtet waren und sich, sobald die Kugel seine Hand verließ, dem Kessel zuwandten.

Paola stand neben ihm und drückte seinen Arm, als die Kugel ins Fach Nummer sieben fiel und sein Jeton mit vielen anderen im schmalen Schlitz des Vergessens verschwand; sie schien so niedergeschlagen, als hätte er nicht zehn, sondern zehntausend Euro verloren. Nach einigen weiteren Spielen wichen sie dem stumpfsinnigen Drängen der Leute hinter ihnen, die es nicht erwarten konnten, auch einmal zu verlieren.

Sie gerieten an einen anderen Tisch und sahen unbeteiligt eine Viertelstunde lang zu, wie das Glück hin- und herwogte. Brunetti wurde auf einen sehr jungen Mann aufmerksam – er konnte nicht viel älter als Raffi sein –, der ihnen am Tisch direkt gegenüber stand. Jedes Mal, unmittelbar bevor der Croupier »Nichts geht mehr« sagte, schob er einen Stapel Jetons auf die Nummer zwölf, und jedes Mal verlor er.

Brunetti beobachtete das noch jugendlich weiche Gesicht. Die Lippen des jungen Mannes waren voll und glänzend wie die Lippen von Caravaggios wilden Heiligen. Seine Augen jedoch, die hätten funkeln sollen – wenn auch nur vor Schmerz über den wiederholten Verlust –, waren so entrückt und stumpf wie die einer Statue. Nicht ein einziges Mal sah er nach den Haufen seiner Jetons, die er wahllos stapelte und nach vorne schob: rote, gelbe und blaue. Auf diese Weise setzte er nie denselben Betrag, auch wenn der Jetonstapel immer etwa gleich hoch war: zehn Jetons, schätzungsweise.

Er verlor noch mehrmals, und als keine Jetons mehr vor ihm lagen, griff er in seine Jackentasche und zog eine weitere Faustvoll hervor, die er nachlässig auf den Tisch vor sich streute, ohne sie anzusehen und sich die Mühe zu machen, sie nach ihrem Wert zu sortieren.

Plötzlich fragte sich Brunetti, ob der Junge womöglich blind war und sich beim Spielen nur nach Tastsinn und Gehör richtete. Er beobachtete ihn unter dieser Voraussetzung noch etwas länger, aber dann sah der Junge zu ihm herüber, und sein Blick drückte so frostiges Missfallen aus, dass Brunetti sich abwenden musste, als habe er jemanden bei einer obszönen Handlung ertappt.

»Komm weg von hier«, hörte er Paola sagen, während sie ihn nicht allzu sanft am Ellbogen packte und in den freien Raum zwischen den Tischen zog. »Ich kann den Anblick dieses Jungen nicht ertragen«, sprach sie aus, was er dachte.

»Komm«, sagte er, »ich geb dir einen aus.«

»Oh, mein Kavalier«, schwärmte sie und ließ sich an die Bar führen, wo er sie zu einem Whisky überredete, etwas, das sie selten trank, weil es ihr nicht schmeckte. Er reichte ihr das schwere eckige Glas, stieß mit ihr an und sah zu, wie sie den ersten kleinen Schluck nahm. Ihr Mund zog sich vielleicht ein wenig zu melodramatisch zusammen. »Ich weiß nicht, warum ich mich immer wieder von dir beschwatzen lasse, dieses Zeug zu trinken.«

»Das sagst du, wenn ich mich recht erinnere, seit neunzehn Jahren, seit wir zum ersten Mal in London waren.«

»Aber du versuchst mich immer noch zu bekehren«, erwiderte sie und nahm noch einen Schluck.

»Du trinkst jetzt Grappa, oder?«, fragte er freundlich.

»Ja, aber Grappa *mag* ich. Das hier«, sagte sie und schwenkte ihr Glas, »schmeckt wie Farbverdünner.«

Brunetti trank seinen Whisky aus und stellte das Glas auf den Tresen; er bat den Kellner um einen *grappa di moscato* und nahm sich Paolas Whisky.

Falls er Protest erwartet hatte, wurde er enttäuscht; sie bedankte sich lediglich bei dem Barmann für ihren Grappa. Mit einem Blick zurück in den Raum, den sie soeben verlassen hatten, erklärte sie: »Ich finde es deprimierend, diesen Leuten zuzusehen. Dante schildert solche Seelen.« Sie nippte an dem Grappa und fragte: »Geht es in Bordellen lustiger zu?«

Brunetti hustete und spuckte den Whisky ins Glas zurück. Er stellte das Glas auf den Tresen, nahm sein Taschentuch und wischte sich die Lippen ab. »Verzeihung?«

»Im Ernst, Guido«, sagte sie leichthin. »Ich war noch nie in einem, und ich frage mich, ob es wenigstens dort irgendwem gelingt, sich ein bisschen zu vergnügen.«

»Und da fragst du mich?« Unsicher, welchen Ton er anschlagen sollte, brachte er eine Mischung aus Belustigung und Entrüstung zustande.

Paola nippte nur schweigend an ihrem Grappa, und schließlich sagte Brunetti: »Ich war in zwei, nein, drei.« Er machte dem Barkeeper ein Zeichen, dass er noch einen Drink brauchte.

Als der dritte Whisky kam, sagte Brunetti: »Das erste Mal war zu meiner Zeit in Neapel. Ich musste den Sohn der Betreiberin verhaften. Er wohnte dort, als er an der Universität studierte.«

»Was hat er studiert?«, fragte sie, genau wie er erwartet hatte.

»Betriebswirtschaft.«

»Natürlich«, sagte sie lächelnd. »Und hat sich dort jemand vergnügt?«

»Darauf habe ich nicht geachtet. Ich bin mit drei anderen Männern da rein, und wir haben ihn festgenommen.«

»Weswegen?«

»Mord.«

»Und die anderen Male?«

»Einmal in Udine. Ich musste eine der Frauen befragen, die dort arbeiteten.«

»Warst du dort während der Geschäftszeiten?«, fragte sie, ein Ausdruck, der ein Bild von Frauen heraufbeschwor, die dort hineinkamen und ihre Stechkarten stempelten, ihre Netzstrümpfe und Stöckelschuhe aus dem Spind nahmen, regelmäßige Kaffeepausen hatten und rauchend, plaudernd und essend um einen Tisch herum saßen.

»Ja«, sagte er, als ob drei Uhr morgens eine normale Arbeitszeit war.

»Hat sich jemand vergnügt?«

»Es war wohl zu spät nachts, um das zu erkennen«, sagte er. »Fast alle haben geschlafen.«

»Auch die Frau, die du befragen wolltest?«

»Es stellte sich heraus, dass sie die Falsche war.«

»Und das dritte Mal?«

»Das war ein Fall in Pordenone«, sagte er sehr distanziert. »Aber jemand hatte sie telefonisch vorgewarnt, und es war niemand da, als wir eintrafen.«

»Ach«, sagte sie reizend enttäuscht. »Das hätte mich so sehr interessiert.«

»Tut mir leid, dass ich nicht weiterhelfen kann.«

Sie stellte ihr leeres Glas auf den Tresen, richtete sich

auf die Zehenspitzen auf und gab ihm einen Kuss auf die Wange. »Wenn ich's mir recht überlege, bin ich ziemlich froh, dass du das nicht kannst«, sagte sie. »Gehen wir wieder rein und verlieren den Rest unseres Geldes?«

12

Sie gingen wieder hinein, hielten sich aber hinter den dicht umlagerten Tischen; beide interessierten sich mehr für die Spieler selbst als für ihre Gewinne oder Verluste. Der junge Mann schien an den Tisch gefesselt wie die heilige Katharina von Alexandrien aufs Rad. Brunetti fand den Anblick so unendlich traurig, dass er es kaum mehr ertragen konnte. Was wollte der Junge hier? Er sollte Mädchen nachlaufen, irgendeine Fußballmannschaft anfeuern oder einer wilden Rockband zujubeln, auf Berge steigen, etwas tun – irgendetwas Ausschweifendes, Überstürztes und Törichtes, das seine jugendlichen Kräfte aufbrauchte und schöne Erinnerungen hinterließ.

Er nahm Paola beim Ellbogen und zog sie fast ein wenig unhöflich in den nächsten Raum, wo Leute um einen ovalen Tisch herumsaßen und verstohlen unter ihre Karten spähten. Brunetti dachte an die Kneipen seiner Jugend, wo rauhbeinige Arbeiter nach der Arbeit zusammenkamen, um endlos *scopa* zu spielen. Er erinnerte sich an die winzigen Bechergläser, an den dunklen, fast schwarzen Rotwein darin, den die Männer zwischen den Partien in kleinen Schlucken tranken. Der Flüssigkeitspegel schien nie zu sinken, auch konnte Brunetti sich nicht erinnern, dass irgendeiner von ihnen jemals mehr als ein Glas am Abend bestellt hatte. Sie spielten mit Hingabe, trumpften so mächtig auf, dass die Tischbeine wackelten, und reckten sich jubelnd vor, wenn sie den Gewinn des Abends einstrichen. Was mochte das damals gewesen sein, hundert Lire, gerade genug, um den Wein der Mitspieler zu bezahlen?

Er erinnerte sich an die aufmunternden Rufe der Männer am Tresen, die Billardspieler, die, auf ihre Queues gestützt, diesen Männern bei ihrem ganz anderen Spiel zusahen und ständig ihre Kommentare abgaben. Einige der Männer am Tisch hatten sich das Gesicht gewaschen und ihr gutes Jackett angezogen; andere kamen direkt von der Arbeit und trugen noch ihre dunkelblauen Overalls und schweren Stiefel. Was war aus diesen Kleidern und Stiefeln geworden? Und was war aus all den Männern geworden, die zum Arbeiten noch Körper und Hände gebraucht hatten? Hatte man sie durch die aalglatten Typen ersetzt, die exklusive Geschäfte und Boutiquen führten und allesamt aussahen, als würden sie unter einem schweren Paket oder einem heftigen Windstoß zusammenbrechen?

Paola legte ihm einen Arm um die Hüfte. »Wie lange müssen wir das noch mitmachen?«, fragte sie. Er sah auf seine Uhr: schon nach Mitternacht. »Vielleicht war er nur an diesem einen Abend hier«, meinte sie und versuchte erfolglos, ein Gähnen zu unterdrücken.

Brunetti ließ seinen Blick über die Köpfe der Leute an den Tischen schweifen. Die könnten jetzt alle im Bett sein und lesen, sie könnten im Bett sein und andere Dinge tun. Aber sie waren hier und schauten zu, wie kleine Kugeln und Stückchen Papier und weiße Würfel sich aneigneten, wofür sie wochenlang, vielleicht jahrelang gearbeitet hatten. »Du hast recht«, sagte er und gab ihr einen Kuss auf die Stirn. »Ich habe dir versprochen, dass wir uns amüsieren, und jetzt stehen wir hier herum.«

Er spürte eher, als er es sah, wie sie mit den Schultern zuckte.

»Ich werde jetzt den Direktor aufsuchen und ihm das Bild zeigen, vielleicht erkennt er den Mann. Möchtest du mitkommen oder lieber hier warten?«

Statt zu antworten, drehte sie sich um und ging auf die Tür zu, die zur Treppe führte. Er folgte ihr. Unten setzte sie sich auf eine Bank gegenüber dem Büro des Direktors, klappte ihre Handtasche auf, nahm ein Buch und ihre Brille heraus und begann zu lesen.

Brunetti klopfte an, aber niemand antwortete. Er ging zur Rezeption und sagte, er wolle den Chef der Security sprechen; man telefonierte unauffällig, und gleich darauf erschien er. Claudio Vasco war ein großer Mann, ein paar Jahre jünger als Brunetti; sein Smoking war so elegant, dass man beinahe denken konnte, er habe denselben Schneider wie Commissario Griffoni. Er war als Ersatz für einen der damals Verhafteten angestellt worden. Als Brunetti seinen Namen nannte, schüttelte der Mann ihm lächelnd die Hand.

Vasco führte ihn an Paola vorbei, die nicht von ihrem Buch aufblickte, den Gang hinunter zum Büro des Direktors. Ohne erst Platz zu nehmen, nahm er sich gleich das Foto vor, und Brunetti, der ihn beobachtete, konnte förmlich zusehen, wie der andere mit geistigen Fingern eine Kartei mit Gesichtern durchblätterte. Vasco ließ die Hand mit dem Foto sinken und sah Brunetti an. »Stimmt es, dass Sie die beiden da oben verhaftet haben?«, fragte er und hob die Augen zur Decke, über der die beiden Croupiers bei der Arbeit waren.

»Ja«, antwortete Brunetti.

Vasco gab ihm lächelnd das Foto zurück. »Dann bin ich Ihnen einen Gefallen schuldig. Hoffentlich haben Sie den beiden genug Angst gemacht, dass sie mal für eine Weile ehrlich sind.«

»Nicht auf Dauer?«

Vasco sah ihn an, als habe er das in der Sprache der Vögel gesagt. »Die? Es ist nur eine Frage der Zeit, bis sie sich ein neues System ausdenken oder einer von ihnen Urlaub auf den Seychellen machen will. Wir behalten diese Leute schärfer im Auge als unsere Kunden«, sagte er müde. Er wies auf das Foto und sagte: »Er war ein paarmal hier, einmal zusammen mit einem anderen. Der Mann ist etwa dreißig, etwas kleiner als Sie und schlanker.«

»Und der andere?«, fragte Brunetti.

»An den erinnere ich mich nicht so gut«, sagte Vasco. »Ich hatte mich ganz auf den hier konzentriert«, sagte er und schnippte mit zwei Fingern der linken Hand an das Foto.

Brunetti zog eine Augenbraue hoch, aber Vasco sagte nur: »Genaueres erzähle ich Ihnen, wenn ich die Anmeldung gefunden habe.« Brunetti wusste, dass über jeden Besucher des Kasinos Buch geführt wurde, aber er hatte keine Ahnung, wie lange diese Aufzeichnungen aufbewahrt werden mussten.

»Wie gesagt, ich bin Ihnen einen Gefallen schuldig, Commissario.« Er ging zur Tür, drehte sich um und fügte hinzu: »Und selbst wenn es nicht so wäre, würde ich Ihnen mit Vergnügen helfen, diesen Schweinehund zu finden, besonders wenn ich wüsste, dass ihn das in Schwierigkeiten bringt.« Auf Vascos Gesicht erschien ein Lächeln, das ihn zehn Jahre jünger machte; er ließ die Tür offen und verschwand.

Durch den Spalt konnte Brunetti Paola sehen, die weder vorhin aufgeblickt hatte noch jetzt bei Vascos Abgang. Er trat auf den Gang hinaus und setzte sich neben sie. »Was liest du da, Schätzchen?«, fragte er mit tiefer Stimme.

Sie schlug unbeeindruckt eine Seite um.

Er rückte näher und schob seinen Kopf zwischen sie und das Buch. »Wie war das doch gleich: Prinzessin...?«

»Casamassima«, sagte sie und rutschte von ihm weg.

»Ist es gut?«, fragte er und rutschte ihr nach.

»Spannend«, antwortete sie und wandte sich, da sie am Ende der Bank angekommen war, von ihm ab.

»Du liest viele Bücher, Engelchen?«, setzte er mit der Reibeisenstimme all der zudringlichen Schwätzer nach, die auf dem Vaporetto die Leute anquatschen.

»Ich lese viele Bücher, ja«, sagte sie, und dann höflich: »Mein Mann ist Polizist, Sie sollten mich vielleicht besser in Ruhe lassen.«

»Du musst nicht gleich so unfreundlich werden, Engelchen«, jammerte er.

»Das weiß ich. Aber ich habe seine Pistole in meiner Handtasche und werde Sie erschießen, wenn Sie mich nicht in Ruhe lassen.«

»Oh«, sagte Brunetti und rückte von ihr weg. Am anderen Ende der Bank angekommen, schlug er die Beine übereinander und betrachtete das Poster der Rialto-Brücke an der Wand gegenüber. Paola blätterte um und war schon wieder in London.

Er rutschte tiefer und lehnte den Kopf an die Wand. Ob

Guarino ihn absichtlich auf die falsche Idee gebracht hatte, dass der Mann hier in der Nähe wohnte? Vielleicht fürchtete Guarino, durch Brunettis Mitwirkung könnte den Carabinieri die Kontrolle über den Fall entgleiten. Vielleicht war er nicht sicher, auf wessen Seite Brunetti war. Und wer konnte ihm das zum Vorwurf machen? Brunetti brauchte nur an Tenente Scarpa zu denken, um sich daran zu erinnern, dass man nur mit wohldosiertem Vertrauen einigermaßen auf der sicheren Seite war. Und dann noch Alvise, der sechs Monate lang mit Scarpa zusammengearbeitet und dabei gelernt hatte, bei ihm Gnade zu finden. Von nun an war auch Alvise nicht mehr zu trauen, nicht nur wegen seiner angeborenen Dummheit, sondern auch, weil die Freundlichkeit des Tenente ihm den tumben kleinen Kopf verdreht hatte und er jetzt garantiert mit allem, was er hörte, zu ihm rennen würde.

Er spürte eine Hand auf seiner Schulter; und da er dachte, es sei Paola, die von Henry James zu ihm zurückgekehrt sei, legte er seine Rechte darauf und drückte sie leicht. Die Hand wurde grob unter seiner weggezogen, und als er die Augen aufschlug, erblickte er Vascos schockiertes Gesicht.

»Ich dachte, Sie sind meine Frau«, war alles, was Brunetti dazu einfiel. Er drehte sich zu Paola um: Sie beobachtete die beiden Männer, fand sie aber offenbar nicht so interessant wie ihre Lektüre.

»Wir haben miteinander gesprochen, bevor er eingeschlafen ist«, erzählte sie Vasco, der das blinzelnd verarbeitete und sich dann lächelnd vorbeugte, um Brunetti auf die Schulter zu klopfen.

»Sie glauben gar nicht, was ich hier alles schon erlebt habe«, sagte er. Er hielt ein paar Bögen hoch: »Das sind Kopien der Pässe.« Dann trat er ins Büro des Direktors.

Brunetti stand auf und folgte ihm.

Zwei Blatt Papier lagen auf dem Schreibtisch, die Gesichter auf den Passbildern sahen zu ihm hoch. Eins zeigte den Mann auf dem Foto, das andere einen Jüngeren, dem die Haare bis auf den Kragen fielen, so dass vom Hals kaum etwas zu sehen war. »Die beiden sind zusammen hier gewesen.«

Brunetti nahm die erste Kopie: »Antonio Terrasini«, las er, »geboren in Plati.« Er sah Vasco an. »Wo ist das?«

»Ich dachte mir, dass Sie das interessieren könnte«, antwortete er lächelnd. »Ich habe die Mädchen nachschauen lassen. Aspromonte, oberhalb des Nationalparks.«

»Was tut ein Kalabrier hier?«

»Ich bin aus Apulien«, sagte Vasco ruhig. »Dieselbe Frage könnten Sie auch mir stellen.«

»Entschuldigung«, sagte Brunetti, legte die erste Kopie hin und nahm die zweite. »Giuseppe Strega«, las er. »Im selben Ort geboren, nur acht Jahre später.«

»Das ist mir auch aufgefallen«, sagte Vasco. »Die Mädchen am Empfang teilen Ihre Neugier auf den ersten, aber wohl aus anderen Gründen. Sie finden, er sieht gut aus. Das heißt, beide eigentlich.« Vasco nahm die Kopien und studierte die Gesichter: Terrasini mit den schrägen Augenbrauen über mandelförmigen Augen, der andere mit schwungvoller Poetenfrisur. »Ich selbst finde das nicht«, sagte Vasco und warf die Kopien auf den Schreibtisch.

Brunetti sah das genauso. »Frauen sind schon seltsame

Wesen.« Dann fragte er: »Warum nennen Sie ihn einen Schweinehund?«

»Weil er ein schlechter Verlierer ist«, antwortete Vasco. »Niemand verliert gern. Aber vielen von ihnen ist es letztlich nicht so wichtig, auch wenn sie es sich nicht eingestehen wollen.« Er sah Brunetti an, um festzustellen, ob der ihm folgen konnte, und als jener nickte, fuhr er fort:

»An einem Abend hat er knapp fünfzigtausend Euro verloren. Den genauen Betrag weiß ich nicht, aber einer meiner Leute rief mich an und berichtete, an einem der Blackjack-Tische mache jemand schwere Verluste, und er fürchte, es werde Ärger geben. Leute, die sich für clever halten, glauben immer daran, dass sie noch gewinnen können: mit irgendeinem System, indem sie die Karten mitzählen oder so was. Die sind alle verrückt: Der Gewinner sind immer wir.« Doch als er Brunettis Miene sah, entschuldigte er sich: »Das tut nichts zur Sache, oder? Jedenfalls, als ich dort hinkam, habe ich ihn sofort entdeckt: Der Mann war wie eine tickende Bombe. Strahlte eine Hitze aus wie ein Hochofen.

Er hatte nicht mehr viele Jetons vor sich liegen, also beschloss ich, in der Nähe zu bleiben, damit ich zur Stelle wäre, wenn er alles verloren hatte. Das ging schnell, zwei Spiele noch, und kaum hatte der Croupier die Jetons eingezogen, fing er an herumzubrüllen, die Karten seien gezinkt, er habe gesehen, dass der Croupier immer dieselben benutze.«

Vasco hob die Schultern, ob aufgebracht oder resigniert, war schwer zu deuten. »Kommt nicht oft vor, aber wenn, sagen sie immer dasselbe. Und stoßen dieselben Drohungen aus.«

»Was haben Sie unternommen?«

»Giulio – der Kollege, der mich gerufen hatte – war inzwischen auch da, wir gingen von zwei Seiten auf ihn zu und ... na ja, wir halfen ihm vom Tisch und zur Treppe. Und nach unten. Unterwegs beruhigte er sich ein wenig, aber wir fanden immer noch, wir sollten ihn rausschmeißen.«

»Und haben Sie es getan?«

»Ja. Wir warteten, während er seinen Mantel holte, und brachten – begleiteten – ihn zum Ausgang.«

»Hat er was gesagt? Hat er Ihnen gedroht?«

»Nein, aber Sie hätten ihn mal anfassen sollen«, fing Vasco an und verbesserte sich dann, als erinnere er sich, wie Brunetti seine Hand berührt hatte: »Ich meine, Sie hätten ihn mal sehen sollen. Als ob er unter Hochspannung stand. Jedenfalls brachten wir ihn zur Tür, sagten *Signore* zu ihm, überaus höflich, wie wir hier sein müssen, und warteten, bis er gegangen war.«

»Und dann?«

»Und dann sind wir wieder rein und haben ihn auf die Liste gesetzt.«

»Die Liste?«

»Die Liste der Leute, die keinen Zutritt mehr haben. Wenn jemand sich so aufführt – oder wenn ein Familienangehöriger anruft, uns den betreffenden Namen nennt und darum bittet, wir sollen ihn nicht mehr reinlassen –, dann wird er von uns gesperrt.« Wieder dieses Achselzucken. »Das bringt natürlich nicht viel. Man kann immer noch nach Campione gehen, nach Jesolo, und es gibt auch hier in der Stadt genug Häuser, wo man spielen kann, besonders seit wir die Chinesen haben. Aber wir sind ihn wenigstens losgeworden.«

»Wie lange ist das her?«, fragte Brunetti.

»Genau weiß ich das nicht mehr. Das Datum müsste da stehen.« Vasco zeigte auf die Kopie. »Richtig, am zwanzigsten November.«

»Und was war mit seinem Begleiter?«

»Ich wusste zunächst nicht, dass die beiden zusammen gekommen waren. Das habe ich erst später erfahren, als ich ihn auf die schwarze Liste setzen ließ. An den anderen kann ich mich nicht erinnern.«

»Ist der auch gesperrt?«

»Dafür gibt es keinen Grund.«

»Darf ich die mitnehmen?«, fragte Brunetti und wies auf die Kopien.

»Selbstverständlich. Wie gesagt, ich bin Ihnen einen Gefallen schuldig.«

»Würden Sie mir noch einen tun?«

»Wenn ich kann.«

»Heben Sie die Sperre gegen ihn auf, und rufen Sie mich an, wenn er wieder mal kommt.«

»Abgemacht. Sie müssen mir nur Ihre Telefonnummer geben«, antwortete Vasco. »Ich sage den Mädchen vom Empfang, sie sollen Sie anrufen, wenn ich nicht da bin.«

»Gut«, sagte Brunetti, und dann fiel ihm noch ein: »Meinen Sie, denen kann man trauen? Wenn sie den Kerl für so attraktiv halten?«

Vascos Lächeln wurde noch breiter. »Ich habe ihnen erzählt, dass Sie es waren, der diese beiden Mistkerle verhaftet hat. Denen können Sie jetzt hundertprozentig vertrauen.«

»Danke.«

»Im Übrigen«, sagte Vasco, indem er die Kopien nahm und sie Brunetti reichte, »sind das Spieler. Keins der Mädchen würde solche Leute auch nur mit dem Bootshaken anfassen.«

13

Am nächsten Morgen betrat Brunetti mit den Kopien in der Hand Signorina Elettras Büro. Optisch perfekt auf die Papiere abgestimmt, trug sie Schwarz und Weiß, ein Paar Jeans, die aussahen wie schwarze Levi's – allerdings wie maßgeschneiderte –, und einen Rollkragenpulli, der so weiß war, dass Brunetti fürchtete, sie könnte sich an den Dokumenten schmutzig machen. Sie musterte die Kopien der Passfotos der beiden Männer, sah vom einen zum andern hin und her und sagte schließlich: »Verdammt hübsche Burschen, was?«

»Ja«, antwortete Brunetti und fragte sich, warum anscheinend alle Frauen so auf diese Männer reagierten. Gut aussehen mochten die beiden ja, aber immerhin stand einer von ihnen im Verdacht, an einem Mord beteiligt gewesen zu sein, und trotzdem fiel Frauen nichts anderes dazu ein, als dass sie gut aussähen. Da konnte man als Mann schon seinen Glauben an den gesunden Menschenverstand der Frauen verlieren. Sein besseres Ich hielt ihn davon ab, der Liste der Anklagepunkte gegen die zwei noch hinzuzufügen, dass sie aus dem Süden stammten und zumindest einer von ihnen den Namen eines bekannten Camorranestes trug.

»Was meinen Sie, können Sie sich Zugang zu den Dateien des Innenministeriums verschaffen?«, fragte Brunetti mit der Abgebrühtheit des Gewohnheitsverbrechers. »Zu den Passdateien?«

Signorina Elettra hielt die Fotos ans Licht und betrachtete sie genauer. »An einer Kopie kann man schwer erkennen, ob die Pässe echt sind oder nicht«, sagte sie mit der Abgebrühtheit eines Menschen, der ständig mit Gewohnheitsverbrechern zu tun hat.

»Keine Hotline zum Ministerium?«, scherzte er wenig überzeugend.

»Leider nein«, antwortete sie, ohne eine Miene zu verziehen. Gedankenverloren nahm sie einen Bleistift, stellte ihn mit der Spitze auf den Schreibtisch, fuhr mit den Fingern an ihm auf und ab, drehte ihn herum, wiederholte die Bewegung ein paarmal und legte ihn wieder hin. »Ich fange beim Passamt an«, sagte sie, als stünden dessen Akten links neben ihr und sie könnte gleich darin herumblättern. Ihre Hand griff wie ein eigenständiges Wesen nach dem Bleistift, und diesmal tippte sie mit dem Radiergummi am unteren Ende auf eins der Fotos und sagte: »Wenn die echt sind, sehe ich erst mal in unseren Akten nach, ob wir was über die haben.« Dann fragte sie noch: »Wann brauchen Sie das, Dottore?«

»Gestern?«, fragte er.

»Unwahrscheinlich.«

»Morgen?«, schlug er vor; sie um »heute« zu bitten schien ihm nicht fair.

»Wenn das ihre richtigen Namen sind, müsste ich bis morgen was gefunden haben. Oder falls sie die Namen schon lange genug benutzen, dass sie irgendwo bei uns gelandet sind.« Ihre Finger glitten an dem Bleistift auf und ab, und Brunetti sah darin ein Abbild ihrer Gedanken, die von einer Möglichkeit zur anderen wanderten.

»Können Sie mir noch mehr über die beiden sagen?«

»Der Mann, der in Tessera getötet wurde, hatte mit dem hier zu tun«, sagte Brunetti und zeigte auf den, dessen Name als Antonio Terrasini angegeben war. »Und der andere war mit ihm im Casinò, wo Terrasini sehr viel Geld verloren hat und rausgeworfen werden musste, als er anfing, den Croupier zu beschimpfen.«

»Die Leute verlieren immer«, sagte sie gleichgültig. »Wäre aber interessant zu erfahren, wie er an das viele Geld gekommen ist, oder?«

»Es ist immer interessant zu erfahren, wie Leute an sehr viel Geld gekommen sind«, bestätigte Brunetti. »Ganz besonders, wenn sie bereit sind, es einfach so zu verspielen.«

Sie warf noch einen Blick auf die Fotos und sagte: »Mal sehen, was sich machen lässt.«

»Ich wäre Ihnen sehr verbunden.«

»Geht in Ordnung.«

Er verließ ihr Büro und machte sich auf den Weg zu seinem eigenen. Als er an die Treppe kam, sah er nach oben und erblickte Pucetti und neben ihm eine Frau in einem langen Mantel. Ihre Knöchel erinnerten ihn sofort an den Abend, als er Franca Marinello zum ersten Mal gesehen hatte – ihre eleganten Knöchel, die vor ihm die Brücke hinaufgeschritten waren.

Sein Blick wanderte zum Kopf der Frau, aber sie trug eine Wollmütze, aus der nur hinten ein paar Haarsträhnen heraushingen. Blonde Strähnen.

Brunetti beschleunigte seine Schritte, und als er die beiden fast erreicht hatte, rief er: »Pucetti!«

Der junge Beamte blieb stehen, drehte sich um und lächelte verlegen, als er seinen Vorgesetzten bemerkte. »Ah,

Commissario«, fing er an; jetzt drehte sich auch seine Begleiterin um. Es war tatsächlich Franca Marinello.

Die Kälte hatte ihre Wangen mit seltsamen dunkelvioletten Flecken überzogen, während Kinn und Stirn so bleich waren wie die einer Frau, die nie an die Sonne kam. Ihr Blick entspannte sich, und auf ihrer Miene erschien etwas, das wohl ein Lächeln sein sollte.

»Ah, Signora«, sagte er, ohne seine Überraschung zu verhehlen. »Was führt Sie denn hierher?«

»Ich dachte, ich könnte es ausnutzen, dass wir uns neulich kennengelernt haben, Commissario«, sagte sie mit ihrer tiefen Stimme. »Ich möchte Sie etwas fragen, wenn ich darf. Dieser junge Beamte war sehr zuvorkommend.«

Das schien Pucetti in Verlegenheit zu bringen. »Die Signora hat gesagt«, erklärte er, »sie sei eine Freundin von Ihnen, Commissario, sie wolle mit Ihnen sprechen. Ich habe mehrmals in Ihrem Büro angerufen, aber Sie waren nicht da, also dachte ich, ich könnte die Signora auch gleich zu Ihnen nach oben bringen. Damit sie nicht unten warten muss. Ich wusste ja, dass Sie im Hause sind.« Ihm gingen die Worte aus.

»Danke, Pucetti. Das haben Sie richtig gemacht.« Brunetti nahm die letzten Stufen zu ihnen hin und schüttelte ihr die Hand. »Dann kommen Sie mal in mein Büro«, sagte er lächelnd, dankte Pucetti noch einmal und marschierte an den beiden vorbei.

Beim Eintreten sah er das Büro mit ihren Augen: einen Schreibtisch, bedeckt mit kleinen Erdrutschen aus Papier, ein Telefon, einen mit einem Dachs verzierten Keramikbecher, den Chiara ihm letztes Jahr zu Weihnachten geschenkt hatte, gefüllt mit Bleistiften und Kugelschreibern, ein leeres Glas. Die Wände – das bemerkte er zum ersten Mal – konnten einen Anstrich gebrauchen. Ein Foto des Präsidenten der Republik hing einsam hinter dem Schreibtisch, links davon ein Kruzifix – Brunetti hatte sich nie die Mühe gemacht, es abzunehmen. Der Kalender vom Vorjahr hing immer noch an einer Wand, die Tür des Kleiderschranks stand offen, sein Schal schlängelte sich bis zum Fußboden. Brunetti nahm ihr den Mantel ab, hängte ihn in den *armadio* und schob, wo er schon mal dabei war, mit der Fußspitze den Schal hinein. Sie legte die Handschuhe in ihre Mütze und reichte sie ihm. Er ließ beides im Schrank verschwinden, schloss die Tür und ging an seinen Schreibtisch.

»Ich sehe mir gern an, wo die Leute arbeiten«, sagte sie und blickte umher, während er einen Stuhl für sie zurechtrückte. Nachdem sie Platz genommen hatte, fragte er, ob sie einen Kaffee haben wolle, und als sie ablehnte, setzte er sich auf den Stuhl neben sie und wandte sich ihr zu.

Sie sah sich weiter im Zimmer um, und als sie dann aus dem Fenster schaute, nutzte Brunetti die Gelegenheit, sie genauer zu betrachten. Sie trug einen dezenten hellbraunen Pullover und einen dunklen Rock, der ihre halbe Wade bedeckte. Ihre Schuhe hatten flache Absätze und sahen gut eingetragen aus. Sie hielt eine Lederhandtasche auf dem Schoß; ihr einziger Schmuck war ein Ehering. Die Wärme hatte inzwischen die dunklen Flecken aus ihrem Gesicht vertrieben.

»Sind Sie deswegen gekommen?«, fragte Brunetti schließlich. »Um zu sehen, wo ich arbeite?«

»Nein, natürlich nicht«, antwortete sie und bückte sich

zur Seite, um die Handtasche auf den Boden zu stellen. Als sie aufblickte, glaubte er eine gewisse Spannung in ihrem Gesicht zu bemerken, ließ den Gedanken aber wieder fallen: Ihre Gefühle äußerten sich nur in ihrer Stimme, die äußerst volltönend und angenehm war.

Brunetti schlug die Beine übereinander und setzte ein interessiertes Halblächeln auf. Er konnte warten, das konnte er besser als alle anderen.

»Eigentlich bin ich wegen meines Mannes hier«, sagte sie. »Es geht um seine Geschäfte.«

Brunetti nickte, sagte aber nichts.

»Gestern Abend beim Essen erzählte er mir, jemand habe versucht, an Unterlagen über seine Firmen zu gelangen.«

»Reden Sie von einem Einbruch?«, fragte Brunetti, obwohl er es besser wusste.

Ihre Lippen bewegten sich, und sie antwortete mit sanfter Stimme: »Nein, nein, wo denken Sie hin? Ich hätte mich deutlicher ausdrücken sollen. Er hat mir erzählt, von einem seiner Computerspezialisten – ich weiß, diese Leute haben irgendwelche Titel, aber die kenne ich nicht – habe er gestern erfahren, es gebe Hinweise darauf, dass jemand in ihre Computer eingebrochen sei.«

»Und ist was gestohlen worden?«, fragte Brunetti. Dann aber ernsthaft: »Ich muss gestehen, für so einen Fall bin ich wohl nicht der Richtige. Ich verfüge nur über ein sehr begrenztes Wissen darüber, was Leute mit Computern anstellen können.« Er lächelte zum Beweis seiner Aufrichtigkeit.

»Aber mit den Gesetzen kennen Sie sich doch aus, oder?«, fragte sie.

»Wenn es um so etwas geht?«, fragte Brunetti zurück,

und als sie nickte, musste er zugeben: »Nein, leider nicht. Da sollten Sie besser einen Richter fragen, oder einen Anwalt.« Und als falle ihm das gerade noch ein, fügte er hinzu: »Ihr Mann hat doch sicher einen Anwalt, den er fragen kann.«

Sie sah auf ihre Hände, die ordentlich gefaltet in ihrem Schoß lagen, und sagte: »Ja, er hat einen. Aber den will er nicht fragen, hat er gesagt. Genaugenommen hat er gesagt, dass er deswegen gar nichts unternehmen möchte.« Sie hob den Kopf und sah Brunetti an.

»Ich glaube, ich kann Ihnen nicht folgen«, sagte Brunetti und sah ihr in die Augen.

»Der Mann, von dem er das hat, sein Computermensch, hat gesagt, der Unbekannte habe lediglich ein paar Dateien mit seinen Kontoauszügen und Vermögensaufstellungen geöffnet, als habe er nur herauszufinden versucht, was mein Mann besitzt und wie viel das wert ist.« Wieder betrachtete sie ihre Hände, und als Brunetti ihrem Blick folgte, sah er die Hände einer jungen Frau. »Der Mann hat ihm gesagt«, fuhr sie fort, »es könne sich um eine Untersuchung der Guardia di Finanza gehandelt haben.«

»Darf ich dann fragen, warum Sie hier sind?«, fragte er mit einer Neugier, die nicht gekünstelt war.

Ihr Mund war voll und rot, doch ihre oberen Schneidezähne knabberten nervös an der Unterlippe. Die junge Hand strich eine Strähne bleichen Haars, die sich in ihr Gesicht verirrt hatte, nach hinten, und er ertappte sich bei der Frage, ob ihre Haut noch die normale Reizempfindlichkeit besaß oder ob sie die Strähne nur wahrgenommen hatte, weil sie ihr übers Auge gefallen war.

Erst nach einer Weile – Brunetti hatte den Eindruck, sie müsse sich das erst selbst erklären – sagte sie: »Ich mache mir Sorgen, warum er deswegen nichts unternehmen will.« Bevor Brunetti etwas fragen konnte, fuhr sie fort: »Was da geschehen ist, verstößt gegen das Gesetz. Jedenfalls nehme ich das an. Es ist gewissermaßen ein Überfall, ein Einbruch. Mein Mann hat dem Computermenschen gesagt, er werde sich darum kümmern, aber ich weiß, dass er nichts unternehmen wird.«

»Ich verstehe immer noch nicht, warum Sie damit zu mir gekommen sind«, sagte Brunetti. »Ich kann überhaupt nur etwas veranlassen, wenn Ihr Mann eine förmliche *denuncia* einreicht. Dann würde ein Richter die Fakten, also die Beweislage, prüfen müssen und dann feststellen, ob ein Verbrechen stattgefunden hat, und, falls ja, was für eine Art von Verbrechen, und wie gravierend es ist.« Er beugte sich vor und sagte, als spreche er zu einem Freund: »Und das alles würde einige Zeit in Anspruch nehmen, fürchte ich.«

»Nein, nein«, sagte sie, »das will ich nicht. Wenn mein Mann das nicht weiterverfolgen möchte, ist das seine Entscheidung. Mich ängstigt nur, warum er es nicht will.« Sie sah ihn ruhig an und sagte: »Und ich dachte, Sie kann ich das fragen.« Weiter erklärte sie sich nicht.

»Wenn es die Guardia di Finanza war«, begann Brunetti nach längerem Nachdenken; er sah keinen Grund, warum er nicht, zumindest in dieser Sache, aufrichtig zu ihr sein sollte, »dann würde es um Steuern gehen, und auch dies ist ein Gebiet, für das ich nicht zuständig bin.« Als sie nickte, fuhr er fort: »Nur Ihr Mann und seine Buchhaltung wissen darüber Bescheid.«

»Ja, ich weiß«, stimmte sie hastig zu. »Ich glaube nicht, dass es dort irgendwelchen Anlass zur Besorgnis gibt.«

Das konnte mancherlei bedeuten, erkannte Brunetti. Entweder mogelte ihr Mann nicht bei der Steuer, was ihm unvorstellbar schien, oder in seiner Buchhaltung arbeiteten Experten, die es so aussehen ließen, als ob er das nicht täte – die weit wahrscheinlichere Variante. Oder aber, ebenso gut möglich, wenn man Cataldos Reichtum und Position bedachte, er kannte jemanden bei der Guardia di Finanza, der alle Unregelmäßigkeiten unter den Teppich kehren konnte. »Fällt Ihnen noch etwas anderes ein?«, fragte er.

»Da könnte alles Mögliche dahinterstecken«, sagte sie mit einem Ernst, der Brunetti beunruhigte.

»Zum Beispiel?«, erkundigte er sich.

Sie winkte ab und legte ihre Hände wieder aneinander, verschränkte die Finger, sah ihn an und sagte: »Mein Mann ist ein ehrlicher Mensch, Commissario.« Sie wartete auf seinen Kommentar, und als nichts kam, wiederholte sie: »Ein ehrlicher Mensch.« Sie ließ Brunetti noch mehr Zeit, aber er blieb weiter stumm. »Ich weiß, wie unwahrscheinlich sich das anhört, wenn von einem so erfolgreichen Mann die Rede ist.« Plötzlich, als hätte Brunetti Widerspruch geäußert, sagte sie: »Das hört sich an, als ob ich über seine Geschäfte rede, aber das tue ich nicht. Davon weiß ich nicht viel und will auch nichts wissen. Darum darf – muss – sein Sohn sich kümmern, ich will nichts damit zu tun haben. Über seine Geschäfte kann ich nichts sagen. Aber ich kenne ihn als Mann, und ich weiß, dass er ehrlich ist.«

Brunetti legte, während er sich das anhörte, im Geiste eine Liste von Männern an, die er selbst als ehrliche Menschen kannte und die allesamt vom Raubrittertum des Staates in die Unehrlichkeit getrieben wurden. In einem Land, wo Konkursbetrug nicht mehr als schweres Verbrechen galt, musste ein Mann sich kaum noch anstrengen, um für ehrlich gehalten zu werden.

»... er Römer wäre, würde er allgemein als Ehrenmann gelten«, schloss sie, und Brunetti hatte wenig Mühe, den Rest zu rekonstruieren, den er, in seine eigenen Gedanken versunken, nicht mitbekommen hatte.

»Signora«, sagte er und nahm sich vor, einen möglichst unpersönlichen Ton anzuschlagen, »ich bin mir immer noch nicht sicher, ob ich Ihnen behilflich sein kann.« Er lächelte, um seinen guten Willen zu bekunden. »Es würde mir unendlich weiterhelfen, wenn Sie mir erklären könnten, was genau Ihnen solche Sorgen bereitet.«

Sie hob gedankenverloren die rechte Hand und rieb sich die Stirn. Dabei starrte sie aus dem Fenster, und Brunetti registrierte mit einem gewissen Unbehagen die weißen Streifen, die ihre Finger auf der Haut zurückließen. Zu seiner Überraschung stand sie plötzlich auf, trat ans Fenster und fragte, ohne ihn anzusehen: »Das ist San Lorenzo, oder?«

»Ja.«

Sie blickte weiter über den Kanal nach der seit Ewigkeiten nicht restaurierten Kirche. Schließlich sagte sie: »Er wurde auf einen glühenden Rost gelegt und gemartert, richtig? Soweit ich weiß, hat man von ihm verlangt, seinem Glauben abzuschwören.«

»So will es die Überlieferung«, antwortete Brunetti.

Sie drehte sich um, kam wieder auf ihn zu und sagte: »So

viel haben sie gelitten, diese Christen. Das hat ihnen sehr gefallen, sie konnten gar nicht genug davon bekommen.« Sie setzte sich und sah ihn an. »Wahrscheinlich ist das einer der Gründe, warum ich die Römer so sehr bewundere. Die haben nicht gern gelitten. Das Sterben hat ihnen offenbar nichts ausgemacht, das haben sie aufrecht hingenommen. Aber Schmerzen – zumindest wenn sie selbst sie zu erleiden hatten – waren nicht nach ihrem Geschmack, das war bei den Christen ganz anders.«

»Sind Sie mit Cicero fertig und befassen sich jetzt mit der christlichen Epoche?«, fragte er ironisch, um sie vielleicht etwas aufzuheitern.

»Nein«, sagte sie, »die Christen interessieren mich nicht besonders. Wie gesagt, die haben mir zu gern gelitten.« Sie verstummte, sah ihm lange unbeirrt in die Augen und sagte: »Zur Zeit lese ich Ovids *Fasti*. Zum ersten Mal, früher hatte ich keinen Grund dazu.« Dann, mit besonderem Nachdruck, als fühle sie sich dazu gedrängt und wolle Brunetti veranlassen, jetzt gleich nach Hause zu gehen und mit der Lektüre anzufangen, fügte sie hinzu: »Buch zwei. Da steht alles drin.«

Brunetti erwiderte lächelnd: »Es ist so lange her, dass ich mich nicht einmal erinnere, ob ich es wirklich gelesen habe. Verzeihen Sie mir.« Etwas Besseres fiel ihm nicht ein.

»Oh, da gibt es nichts zu verzeihen, Commissario, wenn man das nicht gelesen hat«, sagte sie mit der Andeutung eines Lächelns. Dann plötzlich mit veränderter Stimme und wieder starrer Miene: »In den *Fasti* wird auch nichts verziehen.« Wieder so ein langer Blick. »Vielleicht sollten Sie das Buch einmal lesen.«

Ohne Übergang, als habe dieser Exkurs in die römische Kultur nicht stattgefunden oder als habe sie seine wachsende Unruhe bemerkt, fuhr sie fort: »Ich habe Angst vor einer Entführung.« Sie nickte ein paarmal, wie um das zu bestätigen. »Ich weiß, das ist dumm, und ich weiß auch, dass so etwas in Venedig nie geschieht, aber eine andere Erklärung habe ich nicht. Jemand könnte das getan haben, um herauszufinden, wie viel Maurizio bezahlen könnte.«

»Wenn Sie entführt würden?«

Ihre Überraschung war vollkommen echt. »Wer sollte mich denn entführen?« Als hörte sie sich selbst, fügte sie hastig hinzu: »Ich dachte an Matteo, seinen Sohn. Er ist der Erbe.« Und mit einem Achselzucken, als habe sie selbst nichts zu bedeuten, fuhr sie fort: »Oder auch seine Exfrau. Sie ist sehr reich und besitzt eine Villa auf dem Land, in der Nähe von Treviso.«

Brunetti antwortete leichthin: »Das hört sich an, als hätten Sie schon viel darüber nachgedacht, Signora.«

»Das habe ich auch. Aber ich weiß nicht, was ich denken soll. Ich weiß überhaupt nicht weiter. Deswegen bin ich zu Ihnen gekommen, Commissario.«

»Weil das mein Fachgebiet ist?«, fragte er lächelnd.

Immerhin löste sein Tonfall ihre zunehmende Spannung. Sie wurde merklich ruhiger. »So könnte man es vielleicht ausdrücken«, sagte sie und lachte sogar ein wenig. »Vielleicht brauche ich jemanden, dem ich vertrauen kann und der mir sagt, dass ich mir keine Sorgen zu machen brauche.«

Jetzt hatte sie die Bitte ausgesprochen: Brunetti konnte nicht mehr darüber hinweggehen, selbst wenn er gewollt hätte. Zum Glück hatte er eine Antwort parat. »Signora, wie gesagt, ich bin kein Experte in diesen Dingen, schon gar nicht, wenn es darum geht, welche Ermittlungsmethoden die Guardia di Finanza für angemessen hält. Aber ich denke, in diesem Fall könnte die richtige Antwort auf die Frage, wer dort eindringen wollte, auch die naheliegendste sein: also die Finanza.« Brunetti, der die direkte Lüge nicht über die Lippen brachte, versuchte sich einzureden, dass es ja wirklich die Finanza gewesen sein *könnte*.

»*La Finanza?*«, fragte sie mit der Stimme eines Patienten, der eine schlimmere Diagnose erwartet hatte.

»Ich denke schon. Ja. Ich weiß zwar nichts von den Geschäften Ihres Mannes, aber sie sind doch garantiert gegen jeden Versuch geschützt, sie auszuspähen, es sei denn, ein solcher Versuch würde von ausgesprochenen Fachleuten unternommen.«

Sie schüttelte den Kopf und zog, ihre Ahnungslosigkeit bekundend, die Schultern hoch. Brunetti wählte seine Worte mit Sorgfalt. »Nach meiner Erfahrung sind Entführer keine Intellektuellen und neigen zu spontanem Handeln.« Er sah, wie aufmerksam sie ihm folgte. »Leute, die so etwas tun konnten, müssen über die technischen Kenntnisse verfügen, die man benötigt, wenn man die in den Firmencomputern Ihres Mannes installierten Sicherungssysteme überwinden will.« Er lächelte und gestattete sich ein leises ironisches Schnauben. »Ich muss gestehen, dies ist das erste Mal in meiner Laufbahn, dass es mich freut, jemanden darauf hinweisen zu können, dass er ins Visier der Finanza geraten ist.«

»Und das erste Mal in der Geschichte dieses Landes, dass der andere erleichtert ist, das zu hören«, sagte sie und fing an zu lachen. Wieder bekam sie diese Flecken im Gesicht, die Brunetti bemerkt hatte, als sie aus der Kälte ins Haus gekommen war; offenbar war das ihre Art zu erröten.

Signora Marinello stand hastig auf, bückte sich nach ihrer Tasche und reichte ihm die Hand. »Ich weiß nicht, wie ich Ihnen danken soll, Commissario«, sagte sie und ließ ihn lange nicht los.

»Ihr Mann ist ein Glückspilz«, sagte Brunetti.

»Warum?«, fragte sie irritiert.

»Weil er eine Frau hat, die sich solche Sorgen um ihn macht.«

Die meisten Frauen würden über ein solches Kompliment lächeln oder falsche Bescheidenheit heucheln. Sie jedoch trat von ihm weg und bedachte ihn mit einem ruhigen Blick, der in seiner Intensität fast etwas Grimmiges hatte. »Er ist meine *einzige* Sorge, Commissario.« Sie bedankte sich noch einmal, wartete, bis er ihre Sachen aus dem *armadio* geholt hatte, und verließ den Raum, noch bevor Brunetti zur Tür gehen und sie ihr aufhalten konnte.

Brunetti ließ sich auf dem Stuhl hinter seinem Schreibtisch nieder und widerstand der Versuchung, Signorina Elettra anzurufen und sie zu fragen, ob es möglich sei, dass jemand etwas von ihrem Ausflug in Signor Cataldos Firmencomputer mitbekommen hatte. Dann hätte er nämlich den Grund für seine Neugier erklären müssen, und daran lag ihm überhaupt nichts. Er hatte nicht gelogen: Nachforschungen von Seiten der Finanza waren viel wahrscheinlicher als der Versuch irgendwelcher mutmaßlicher Kidnapper, sich Informationen über Cataldos Vermögen zu besorgen. Andererseits waren Nachforschungen der Finanza sehr viel unwahrscheinlicher als das, worum er Signorina Elettra gebeten hatte, aber eine solche Auskunft hätte Signora Marinello ganz gewiss nicht als tröstlich empfunden. Er musste einen Weg finden, Signorina Elettra darauf hinzuweisen, dass ihr flinkes Händchen beim Stöbern in Cataldos Computern geschwächelt hatte.

Natürlich machte eine Frau sich Sorgen, wenn sie erfuhr, dass jemand in den Geschäftsunterlagen ihres Mannes herumwühlte; Brunetti fand ihre Reaktion jedoch ziemlich übertrieben. Alles, was sie Brunetti an jenem Abend beim Essen erzählt hatte, hatte sie als vernünftige, intelligente Frau erscheinen lassen: Ihre Reaktion auf die Mitteilung ihres Mannes passte ganz und gar nicht dazu.

Nach einer Weile kam Brunetti zu dem Schluss, er verschwende zu viel Zeit und Energie auf etwas, das mit seinen aktuell anstehenden Fällen in keinerlei Zusammenhang stand. Um einen Strich unter die Sache zu ziehen, sollte er erst einmal einen Kaffee oder vielleicht *un'ombra* trinken gehen und seine Gedanken sortieren, bevor er wieder an die Arbeit ging.

Sergio sah ihm entgegen, aber statt wie sonst zu lächeln, kniff er die Augen zusammen und bewegte sein Kinn minimal nach rechts in Richtung der Tische am Fenster. Am letzten bemerkte Brunetti den Hinterkopf eines Mannes; schmaler Schädel, kurze Haare. Von seinem Standort aus konnte er vom Gegenüber dieses Mannes nur den Umriss seines Kopfes sehen; breiter, die Haare länger. Er kannte diese Ohren, abstehend und nach unten abgeknickt nach Jahren unter der Polizeimütze. Alvise: und damit war auch der Hinterkopf von Tenente Scarpa identifiziert. Aha, so lief das also, wenn Alvise ins Team zurückkehrte und sich als Gleicher unter Gleichen wieder mit seinen Kollegen zusammentat.

Brunetti trat an die Theke, erwiderte Sergios kaum merkliches Nicken und bat leise um einen Espresso. Irgendetwas in Alvises Miene musste Scarpa alarmiert haben, jedenfalls drehte er sich um und erblickte Brunetti. Scarpas Gesicht blieb ausdruckslos, aber Brunetti entging nicht, dass über Alvises Züge etwas anderes als bloße Überraschung huschte – fühlte er sich etwa ertappt? Die Maschine zischte, dann glitt eine Tasse samt Untertasse ratternd über den Tresen.

Keiner sagte etwas; Brunetti nickte den beiden zu, wandte sich ab und riss ein Tütchen auf. Er kippte den Zucker in den Kaffee, rührte gemächlich um, bat Sergio um die Zeitung und breitete den *Gazzettino* vor sich auf der Theke aus. Er wollte beweisen, dass er einen längeren Atem hatte als sie, und vertiefte sich in die Lektüre.

Er warf einen Blick auf Seite eins, wo aus der Welt außerhalb von Venedig berichtet wurde, und blätterte weiter zu Seite sieben: Es fehlte ihm an innerer Kraft – und an Lust –, es mit den fünf Seiten politischen Geschwafels dazwischen aufzunehmen; Nachrichten konnte man das kaum nennen. Seit vierzig Jahren immer dieselben Gesichter, immer dieselben Geschichten, immer dieselben Versprechungen – mit nur wenigen Variationen in Besetzung und Überschrift. Die Aufschläge ihrer Jacketts wurden breiter oder schmaler, wie es die Mode diktierte, aber es waren immer dieselben, die sich um die Futtertröge scharten. Die Opposition war gegen dies und gegen das und schwor, die gegenwärtige Regierung durch ihren selbstlosen Einsatz zu Fall zu bringen. Und was dann? Dann würde er nächstes Jahr am Tresen seinen Kaffee trinken und genau dieselben Worte aus dem Mund der neuen Opposition lesen.

Geradezu erleichtert schlug er die Seite um. Die Frau, wegen Kindsmordes verurteilt, aber immer noch auf freiem Fuß, ließ durch eine neue Schar von Anwälten weiter ihre Unschuld beteuern. Und wer sollte ihrer Meinung nach jetzt für den Mord an ihrem Sohn verantwortlich sein – Außerirdische? Noch mehr Blumen an der Straßenkurve, wo vor einer Woche vier weitere Teenager gestorben waren. Und noch mehr Müll in den Straßen der Vororte von Neapel. Noch ein Arbeiter, an seinem Arbeitsplatz von irgendeiner schweren Maschine zu Tode gequetscht. Und noch ein Richter, der woandershin versetzt worden war, weil er Untersuchungen gegen ein Kabinettsmitglied angestrengt hatte.

Brunetti zog den Venedig-Teil der Zeitung heraus. Ein Fischer aus Chioggia, verhaftet wegen Körperverletzung, nachdem er betrunken nach Hause gekommen war und einen Nachbarn mit einem Messer angegriffen hatte. Noch mehr Demonstrationen gegen die Schäden, die von Kreuzfahrtschiffen beim Durchfahren des Canale della Giudecca angerichtet wurden. Zwei weitere Fischmarkthändler machten ihre Läden zu. Noch ein Fünf-Sterne-Hotel, das nächste Woche eröffnet wurde. Der Bürgermeister prangert die zunehmende Zahl von Touristen an.

Brunetti zeigte auf die letzten beiden Artikel. »Reizend: Die Stadtverwaltung kann gar nicht schnell genug Konzessionen für Hotels herausgeben, und wenn sie gerade mal nichts anderes zu tun hat, ereifert sie sich über die steigende Zahl der Touristen«, sagte er zu Sergio.

»*Votta á petrella, e tira á manella*«, sagte Sergio und sah von dem Glas auf, das er gerade polierte.

»Was war das? Neapolitanisch?«, fragte Brunetti verblüfft.

»Ja«, sagte Sergio und übersetzte: »Wirf den Stein, dann versteck die Hand.«

Brunetti lachte laut auf. »Das wäre das perfekte Motto für eine dieser neuen Parteien. Passt ganz genau: Du tust etwas, und dann verwischst du die Spuren dafür, dass du es getan hast. Wunderbar.« Er lachte weiter, die Unverfrorenheit, die in dieser Redensart steckte, erheiterte ihn.

Links von ihm entstand Bewegung, und er hörte das Scharren von Füßen, als die Männer sich aus den Bänken schoben. Er blätterte um und schenkte seine Aufmerksamkeit der Meldung über die Abschiedsparty für einen Grundschullehrer in Giacinto Gallina, der nach vierzig Jahren Dienst an immer derselben Schule in den Ruhestand gegangen war.

»Guten Morgen, Commissario«, sagte Alvise leise hinter ihm.

»Morgen, Alvise.« Brunetti riss sich vom Studium des Partyfotos los und drehte sich zu dem Beamten um.

Scarpa schien zu glauben, nur weil auch er ranghöher als Alvise sei, stehe er mit Brunetti auf einer Stufe, und grüßte ihn daher lediglich mit einem knappen Nicken, das Brunetti erwiderte, bevor er sich wieder dem Bericht über die Party zuwandte. Die Kinder hatten Blumen und selbstgebackene Kekse mitgebracht.

Als die beiden gegangen waren, faltete Brunetti die Zeitung zusammen und fragte: »Kommen die oft hierher?«

»Zwei-, dreimal die Woche, würde ich sagen.«

»Immer so?«, fragte Brunetti und zeigte auf die beiden Männer, die Seite an Seite zur Questura zurückschlenderten.

»Wie beim ersten Rendezvous, meinen Sie?«, fragte Sergio und stellte das Glas umgedreht auf die Anrichte hinter sich.

»So etwa.«

»Das geht jetzt seit ungefähr sechs Monaten so. Am Anfang war der Tenente irgendwie zickig, und Alvise musste schwer rackern, um ihn freundlich zu stimmen.« Sergio nahm ein anderes Glas, hielt es prüfend ans Licht und rieb es trocken. »Der arme Teufel hat nicht mitgekriegt, was Scarpa für ein Spiel mit ihm trieb.« Und im Plauderton: »Ein echter Mistkerl ist das.«

Brunetti schob dem Barmann seine Tasse hin, und der stellte sie in die Spüle.

»Haben Sie mitbekommen, worüber die beiden reden?«, fragte Brunetti.

»Das spielt wohl keine Rolle. Nein.«

»Warum?«

»Scarpa will bloß Macht ausüben. Der arme Alvise soll springen, wenn er ›spring‹ sagt, und lächeln, wenn er etwas von sich gibt, das er für komisch hält.«

»Warum?«

Sergios Schulterzucken sprach Bände. »Wie gesagt, weil er ein Mistkerl ist. Und weil er einen braucht, den er herumschubsen kann, einen, der ihn wie ein hohes Tier behandelt, den Herrn Tenente, nicht so wie die anderen, die so klug sind, ihn wie das miese kleine Arschloch zu behandeln, das er ist.«

Während dieses Gesprächs war Brunetti keine Sekunde lang der Gedanke gekommen, er stifte einen Bürger an, schlecht von einem Ordnungshüter zu reden. Insgeheim hielt auch er Scarpa für ein mieses kleines Arschloch, und der Bürger bestätigte daher nur, was der Ordnungshüter ohnehin dachte.

Brunetti wechselte das Thema. »Hat gestern jemand für mich angerufen?«

Sergio schüttelte den Kopf. »Die Einzige, die gestern hier angerufen hat, war meine Frau; sie hat aber nur gesagt, wenn ich nicht um zehn nach Hause komme, gibt es Ärger. Und der Betriebsprüfer; der hat gesagt, ich *habe* bereits Ärger.«

»Mit wem?«

»Mit dem Hygienekontrolleur.«

»Warum?«

»Weil ich keine Toilette für Behinderte habe. Ich meine Leute mit anderen Fähigkeiten.« Er spülte Tasse und Untertasse aus und stellte sie in die Spülmaschine hinter sich.

»Ich habe hier drin noch nie einen Behinderten gesehen«, sagte Brunetti.

»Ich auch nicht. Der Hygienekontrolleur auch nicht. Das ändert aber nichts an der Vorschrift, dass ich eine Toilette für solche Leute haben muss.«

»Und das heißt?«

»Handlauf. Spezialbrille, Knopf an der Wand für die Spülung.«

»Und warum wollen Sie das nicht?«

»Weil der Umbau mich achttausend Euro kosten würde, darum.«

»Kommt mir schrecklich teuer vor.«

»Da ist die Zulassung mit drin«, sagte Sergio ausweichend.

Brunetti beschloss, nicht weiter nachzubohren, und sagte nur noch: »Hoffentlich kriegen Sie keine Schwierigkeiten.« Er legte einen Euro auf den Tresen, dankte Sergio und ging ins Büro zurück.

14

Griffoni kam gerade aus der Questura, als Brunetti dorthin zurückkehrte; er sah sie schon von weitem, winkte ihr freundlich zu und beschleunigte seine Schritte. Doch beim Näherkommen bemerkte er, dass etwas nicht stimmte. »Was ist los?«

»Patta sucht Sie. Er hat angerufen und gefragt, wo Sie stecken. Vianello sei nicht zu erreichen, und dann hat er mich losgeschickt, Sie zu suchen.«

»Was ist denn los?«

»Das wollte er mir nicht sagen.«

»Wie ist er?«

»Schlimmer, als ich ihn je erlebt habe.«

»Wütend?«

»Nein, nicht wütend, nein«, antwortete sie und schien selbst überrascht. »Na ja, irgendwie schon, aber so, als ob er wüsste, dass es ihm nicht gestattet ist, wütend zu sein. Ich würde eher sagen, er ist verängstigt.«

Brunetti bewegte sich auf den Eingang der Questura zu, Griffoni schritt neben ihm her. Ihm fiel nichts ein, was er sie fragen könnte. Verängstigt war Patta viel gefährlicher als wütend, das wussten sie beide. Mit Wut reagierte er gewöhnlich auf die Inkompetenz seiner Leute, Angst jedoch bekam Patta nur bei dem Gedanken, es drohe Gefahr für ihn selbst, und das erhöhte das Risiko für alle Beteiligten.

Auf der Treppe zum ersten Stock fragte Brunetti: »Will er Sie auch sehen?«

Griffoni schüttelte den Kopf und entschwand sichtlich erleichtert in ihr Büro. Brunetti ging allein weiter.

Im Vorzimmer war von Signorina Elettra nichts zu sehen, vermutlich war sie schon in der Mittagspause, also klopfte Brunetti einfach an und ging hinein.

Patta empfing ihn mit ernster Miene, seine Hände, zu Fäusten geballt, lagen vor ihm auf dem Schreibtisch. »Wo waren Sie?«

»Ich habe einen Zeugen befragt, Signore«, log Brunetti. »Commissario Griffoni sagte mir, Sie wollten mich sprechen. Was gibt es?« Es gelang ihm, Sorge und Dringlichkeit in seine Stimme zu legen.

»Setzen Sie sich, setzen Sie sich. Stehen Sie nicht so rum und glotzen mich an«, sagte Patta.

Wortlos nahm Brunetti dem Vice-Questore gegenüber Platz.

»Ich habe einen Anruf bekommen«, sagte Patta. Er sah Brunetti an, der sich nach Kräften bemühte, ein aufmerksames Gesicht zu machen. »Es ging um diesen Mann, der vor kurzem hier war.«

»Sie meinen Maggior Guarino, Signore?«

»Ja. Guarino. Oder wie er sich nennt.« Pattas Stimme war heftiger geworden, nachdem er den Namen ausgesprochen hatte; Guarino war der Grund für seinen Zorn. »Blöder Idiot«, brummte er zu Brunettis Verblüffung, solche Ausdrücke war er von seinem Chef nicht gewohnt; jedoch war nicht klar, ob Patta damit Guarino meinte oder die Person, die ihn angerufen hatte.

Guarino mochte nicht die ganze Wahrheit erzählt haben, aber blöd war er auf gar keinen Fall, und für einen Idioten hielt Brunetti ihn auch nicht. Aber diese Einschätzung behielt er für sich und fragte nur mit ruhiger Stimme: »Was ist passiert, Signore?«

»Er hat sich eine Kugel eingefangen, das ist passiert. In den Hinterkopf«, sagte Patta mit unverminderter Wut, die sich jetzt aber darauf zu richten schien, dass Guarino getötet worden war. Ermordet.

Verschiedene Möglichkeiten drängten sich auf, doch Brunetti schob sie beiseite und wartete auf Pattas Erklärung. Er sah ihm gespannt in die Augen. Der Vice-Questore hob eine Faust und ließ sie krachend auf den Schreibtisch fallen. »Heute früh hat ein Capitano der Carabinieri hier angerufen. Er wollte wissen, ob ich vorige Woche Besuch hatte. Er war sehr vorsichtig, nannte keinen Namen, sondern fragte nur, ob ich Besuch von einem Beamten von außerhalb bekommen habe.« Patta klang jetzt nicht mehr wütend, sondern gereizt. »Ich habe ihm gesagt, zu mir kämen viele Besucher. Wie er von mir erwarten könne, dass ich mich an jeden Einzelnen erinnere?«

Darauf brauchte Brunetti nicht zu antworten. »Anfangs wusste ich nicht, wovon er redete«, fuhr Patta fort. »Aber ich hatte den Verdacht, dass er Guarino meinte. Es ist ja nicht wirklich so, dass ich viel Besuch bekomme.« Brunetti, verwirrt von diesem Widerspruch, sah ihn fragend an, und Patta ließ sich zu einer Erklärung herab. »Er war der einzige Unbekannte, der letzte Woche bei mir war. Also konnte nur er gemeint sein.«

Der Vice-Questore stemmte sich unvermittelt aus seinem Sitz, trat einen Schritt vom Schreibtisch weg, drehte sich um und nahm wieder Platz. »Er hat gefragt, ob er mir ein Foto schicken darf.« Brunetti hatte nicht das Bedürfnis, Verblüffung zu heucheln. »Stellen Sie sich vor«, fuhr Patta fort. »Die hatten das mit einem *telefonino* aufgenommen, und er hat es mir geschickt. Als ob er von mir erwartete, ich könnte den Mann erkennen, wo von seinem Gesicht wohl kaum viel übrig war.«

Diese letzte Formulierung machte Brunetti stutzig; erst nach einigen Augenblicken war er imstande zu fragen: »Und haben Sie ihn erkannt?«

»Ja. Selbstverständlich. Die Kugel ist schräg von hinten eingedrungen, so dass nur das Kinn beschädigt war. Ich konnte ihn trotzdem erkennen.«

»Wie wurde er getötet?«, fragte Brunetti.

»Das sagte ich doch bereits.« Patta schrie beinahe. »Haben Sie nicht zugehört? Er wurde erschossen. Eine Kugel in den Hinterkopf. Für die meisten ist das tödlich, oder wie sehen Sie das?«

Brunetti hob eine Hand. »Vielleicht habe ich mich undeutlich ausgedrückt, Signore. Hat dieser Anrufer Ihnen irgendetwas über die genaueren Umstände erzählt?«

»Kein Wort. Er wollte nur von mir wissen, ob ich den Mann erkenne oder nicht.«

»Was haben Sie geantwortet?«

»Dass ich mir nicht sicher sei«, sagte Patta und sah Brunetti scharf an.

Brunetti unterdrückte die Frage, warum sein Vorgesetzter das getan habe.

Patta erklärte: »Ich wollte denen nichts in die Hand geben, bevor wir selbst etwas mehr wissen.« Brunetti übersetzte sich das mühelos in normale Sprache: Es bedeutete, dass Patta die Verantwortung auf jemand anderen abschieben wollte. Daher wehte also der Wind.

»Hat er Ihnen einen Grund für seinen Anruf genannt?«, fragte Brunetti.

»Anscheinend wussten sie, dass er eine Verabredung in unserer Questura hatte; also haben sie hier angerufen und den leitenden Beamten zu sprechen verlangt, um in Erfahrung zu bringen, ob dieser Mann hier gewesen ist.« Wahrhaftig, dachte Brunetti, nicht einmal die Tatsache, dass jemand eine Kugel in den Kopf bekommen hatte, konnte Patta daran hindern, sich als »leitender Beamte« stolz in die Brust zu werfen.

»Wann kam dieser Anruf, Signore?«, fragte Brunetti.

»Vor einer halben Stunde.« Patta gab sich keine Mühe, seine Gereiztheit zu verbergen. »Seitdem habe ich Sie überall gesucht. Aber Sie waren nicht in Ihrem Büro.« Er brummte grimmig: »Zeugen befragen.«

Brunetti ging darüber hinweg. »Was weiß man über den Tatzeitpunkt?«, fragte er.

»Davon war keine Rede«, antwortete Patta leichthin, als sehe er keinen Grund für eine solche Frage.

Brunetti zwang jede Spur von Neugier aus seiner Miene, während er in Gedanken schon vorwärtspreschte. »Hat er gesagt, von wo er angerufen hat?«

»Von da«, antwortete Patta in dem Ton, den er geistes- und charakterschwachen Zeitgenossen vorbehielt, »wo man ihn gefunden hat.«

»Aha, und von da hat er Ihnen auch das Foto geschickt.«

»Sehr klug, Brunetti«, fauchte Patta. »Natürlich hat er mir von da das Foto geschickt.«

»Verstehe, verstehe.« Brunetti spielte auf Zeit.

»Ich habe den Tenente angerufen«, sagte Patta, und wieder löschte Brunetti jeglichen Ausdruck aus seinem Gesicht. »Aber der ist in Chioggia und kann erst am Nachmittag dort eintreffen.«

Brunetti zog sich das Herz zusammen bei der Vorstellung, Patta könnte Scarpa mit diesem Fall betrauen. »Ausgezeichnete Idee«, sagte er und fuhr mit etwas weniger Begeisterung fort: »Ich hoffe nur, der…«, beließ es dann aber dabei und wiederholte: »Ausgezeichnete Idee.«

»Was gefällt Ihnen daran nicht, Brunetti?«, bohrte Patta. Diesmal kleisterte Brunetti sich eine verwirrte Miene auf und sagte gar nichts.

»Antworten Sie, Brunetti«, sagte Patta mit drohendem Unterton.

»Ich habe an den Dienstgrad gedacht, Signore«, wagte Brunetti sich vor; er sprach nur, um die Bambusspitzen unter seinen Fingernägeln loszuwerden. Bevor Patta nachfragen konnte, erklärte er: »Sie sagten, der Anrufer war ein Capitano. Ich sorge mich lediglich darum, was das für einen Eindruck machen wird, wenn wir dort von einem rangniederen Beamten vertreten werden.« Er beobachtete Patta genau und bemerkte ein erstes Ansteigen seiner Körperspannung.

»Nicht dass ich Zweifel an dem Tenente habe«, sagte er. »Aber wir hatten schon einmal Zuständigkeitsprobleme mit den Carabinieri, und die ließen sich vermeiden, wenn wir einen ranghöheren Beamten schicken würden.«

Plötzlich war Pattas Blick voller Misstrauen. »Von wem reden Sie, Brunetti?«

Brunetti sah ihn so überrascht an, wie er konnte: »Nun, von Ihnen natürlich, Signore. Sie sollten uns dort vertreten. Immerhin sind Sie, wie Sie selbst gesagt haben, Vice-Questore, der leitende Beamte hier.« Damit überging er zwar den Questore, aber Brunetti bezweifelte, dass Patta das mitbekam.

Patta machte ein grimmiges Gesicht, auf seiner Miene drängten sich unausgesprochene böse Ahnungen, deren er selbst sich wahrscheinlich gar nicht bewusst war. »Daran hatte ich nicht gedacht«, bekannte er.

Brunetti zuckte die Achseln, als wolle er andeuten, dass er mit der Zeit schon darauf gekommen wäre. Patta gewährte ihm seinen ernstesten Blick und fragte: »Sie halten die Sache also für wichtig?«

»Dass Sie dort hinfahren, Signore?«, fragte ein höchst wachsamer Brunetti.

»Dass jemand, der im Rang über einem Capitano steht, dort hinfahren sollte.«

»Das tun Sie doch, Signore, und zwar bei weitem.«

»Ich habe nicht an mich gedacht, Brunetti«, fauchte Patta empört.

Brunetti unternahm keinen Versuch, seine Verständnislosigkeit zu verbergen, und sagte naiv: »Aber Sie müssen gehen, Dottore.« Er vermutete, dass ein Fall wie dieser landesweit für Aufsehen sorgen würde, aber das zählte nicht zu den Dingen, die er Patta auf die Nase binden wollte.

»Sie glauben, diese Ermittlung wird sich hinziehen?«, fragte Patta.

Brunetti erlaubte seinen Schultern ein kaum merkliches Zucken. »Das kann ich unmöglich beurteilen, Signore, aber solche Fälle tendieren gelegentlich dazu.« Er hatte selbst keine Ahnung, was er mit »solchen Fällen« meinte, aber die Aussicht auf langwierige Anstrengungen müsste reichen, Patta zu entmutigen.

Patta beugte sich vor und setzte ein Lächeln auf. »Ich denke, da Sie, Brunetti, mit ihm gesprochen haben, sollten Sie auch als unser Vertreter dort hinfahren.«

Brunetti suchte noch nach dem angemessenen Ton bescheidenen Widerstrebens, als Patta fortfuhr: »Er wurde in Marghera getötet, Brunetti. Das ist unser Bezirk, unser Zuständigkeitsbereich. Für einen solchen Fall ist ein Commissario genau der richtige Mann, und deshalb ist es das Vernünftigste, wenn Sie dort hinfahren und sich das ansehen.«

Brunetti hob zum Protest an, aber Patta fuhr ihm dazwischen: »Nehmen Sie diese Griffoni mit. Auf die Weise treten wir dort gleich mit zwei Commissari an.« Patta lächelte mit grimmiger Befriedigung, wie ein Schachspieler, dem ein cleverer Zug einfällt. Beziehungsweise Damespieler. »Ich möchte, dass Sie beide dort hinfahren und sehen, was Sie herausfinden können.«

Brunetti erhob sich. Er tat sein Bestes, verstimmt und widerwillig zu erscheinen. »Wie Sie meinen, Vice-Questore, aber ich denke nicht, dass –«

»Was Sie denken, ist unwichtig, Commissario. Ich habe Ihnen gesagt, ich will, dass Sie beide dort hinfahren. Und wenn Sie da sind, ist es Ihre Pflicht, diesem Capitano zu zeigen, wer die Leitung innehat.«

Seine Vernunft hielt Brunetti davon ab, die Rolle des plumpen Querkopfs zu übertreiben. Zuweilen war selbst Patta imstande, das Offensichtliche zu bemerken. »Also gut«, sagte er knapp. Dann, geschäftsmäßig: »Von wo genau hat dieser Mann angerufen, Signore?«

»Er sagte, er sei beim Petrochemie-Komplex in Marghera. Ich gebe Ihnen seine Nummer, dann können Sie ihn selbst anrufen und fragen, wo genau er zu finden ist«, sagte Patta. Er nahm sein *telefonino,* das, von Brunetti bis dahin unbemerkt, neben dem Tischkalender lag, und klappte es mit lässigem Behagen auf. Natürlich besaß Patta das allerneueste superflache Modell. Das BlackBerry, das ihm vom Innenministerium zugeteilt worden war, benutzte der Vice-Questore nicht: Er wolle kein Sklave der Technik werden, behauptete er, doch Brunetti wurde den Verdacht nicht los, er wolle sich nur nicht von dem Ding das Jackett ausbeulen lassen.

Patta drückte auf den Tasten herum und hielt ihm dann plötzlich und ohne ein Wort zu sagen das Handy hin. Guarinos Gesicht füllte den winzigen Bildschirm aus. Seine tiefliegenden Augen waren offen, blickten jedoch zur Seite, als sei es ihm peinlich, dass man ihn so daliegen sah, so gleichgültig gegen das Leben. Wie Patta gesagt hatte, war das Kinn beschädigt, obwohl »zerstört« wohl der treffendere Ausdruck war. Unverkennbar das schmale Gesicht und die ergrauenden Schläfen. Vollständig grau würde sein Haar nun nicht mehr werden, dachte Brunetti, und auch Signorina Elettra würde er nicht mehr anrufen können, falls er das beabsichtigt hatte.

»Nun?«, fragte Patta, und fast hätte Brunetti ihn angeschrien, so überflüssig war die Frage, so leicht zu erkennen war der Tote.

»Ich würde sagen, das ist er«, erklärte Brunetti zurückhaltend, klappte das Handy zu und gab es Patta zurück. In der jetzt eintretenden Pause hatte Brunetti Gelegenheit zu beobachten, wie Patta jeglichen Ausdruck aus seiner Miene tilgte, bis nur noch Leutseligkeit und das selbstlose Verlangen nach Zusammenarbeit übrig waren. Und als Patta zu sprechen anhob, hatte dieselbe Verwandlung sich auch mit seiner Stimme vollzogen. »Ich denke, es wird klüger sein, ihnen zu sagen, dass er hier war.«

Wie ein olympischer Staffelläufer hatte Brunetti alles gegeben, an den vor ihm Rennenden heranzusprinten, um in vollem Lauf eine Hand nach vorn zu strecken und den Stab entgegenzunehmen, worauf der andere abbremsen und aus dem Rennen aussteigen konnte.

Er fürchtete schon, Patta könnte die Rückruftaste drücken und ihm das Handy reichen. In dem Fall wusste er nicht, wie er reagieren würde. Vielleicht bemerkte Patta das. Wie auch immer, er klappte das Handy wieder auf. Er zog ein Blatt Papier heran, notierte die Nummer des Anrufers und schob das Blatt über den Schreibtisch. »An seinen Namen erinnere ich mich nicht, aber er ist ein Capitano.«

Brunetti nahm das Papier und sah sich die Nummer an. Als feststand, dass der Vice-Questore nichts weiter beizutragen hatte, stand Brunetti auf und ging zur Tür. »Ich rufe ihn an«, sagte er.

»Gut. Halten Sie mich auf dem Laufenden«, sagte Patta hörbar erleichtert, nachdem es ihm gelungen war, die ganze Angelegenheit auf Brunetti abzuwälzen.

Oben wählte er die Nummer. Nach nur zweimal Klingeln meldete sich eine Männerstimme: »*Si?*«

»Es geht um Ihr Gespräch mit dem Vice-Questore«, sagte Brunetti, nachdem er sich vorgestellt hatte, fest entschlossen, das Gewicht von Pattas Rang in die Waagschale zu werfen. »Jemand hat unter dieser Nummer den Vice-Questore angerufen, mit ihm gesprochen und dann ein Foto geschickt.« Er legte eine Pause ein, aber der andere sagte weder etwas Bestätigendes, noch äußerte er Neugier. »Vice-Questore Patta hat mir das Foto gezeigt; es scheint sich um einen Toten zu handeln, und nach dem, was der Vice-Questore mir mitgeteilt hat, wurde der Mann in unserem Bezirk getötet«, fuhr Brunetti in offiziellem Ton fort. »Der Vice-Questore hat mich beauftragt, dort hinzufahren und ihm anschließend Bericht zu erstatten.«

»Dazu besteht kein Anlass«, sagte der andere kühl.

»Der Ansicht bin ich nicht«, gab Brunetti nicht minder kühl zurück, »und deswegen werde ich mir das vor Ort ansehen.«

Der andere gab sich alle Mühe, wie jemand zu reden, der nur seine Arbeit macht. »Wir haben ihn eindeutig identifiziert«, sagte er. »Der Mann ist ein Kollege, der in einem unserer aktuellen Fälle ermittelt hat.«

Als hätte der andere gar nicht gesprochen, sagte Brunetti: »Wenn Sie mir verraten, wo Sie sind, fahren wir los.«

»Das ist nicht nötig. Wie gesagt, die Leiche ist bereits identifiziert.« Nach kurzem Schweigen fügte er hinzu: »Ich fürchte, für den Fall sind wir zuständig.«

»Und wer ist wir?«, fragte Brunetti.

»Die Carabinieri, Commissario. Guarino war beim NAS, und damit sind wir gewissermaßen doppelt berechtigt, die Ermittlungen selbst durchzuführen.«

Brunetti sagte nur: »Dann werde ich das hier mal mit einem Richter besprechen.«

Patt.

Brunetti wartete, und er war sicher, der andere wartete auch. Ihm ging durch den Kopf, dass er bei Guarino gewartet hatte, dass er bei Patta gewartet hatte, dass er schon viel zu oft und viel zu lange gewartet hatte.

Noch immer kein Ton vom anderen Ende der Leitung. Brunetti legte auf. Natürlich, Guarino musste auch noch beim NAS gewesen sein, und alle diese Abkürzungen konnte ja sowieso keiner auseinanderhalten. Der Nucleo Anti-Sofisticazione, eine Sondereinheit der Carabinieri, hatte dafür zu sorgen, dass Hygienegesetze und Umweltvorschriften eingehalten wurden. Brunettis Gedanken kehrten zu den Bildern der Müllberge in den Straßen von Neapel zurück, die aber schnell von der Erinnerung an das Foto von Guarino verdrängt wurden.

Er wählte Vianellos Nummer, es meldete sich jedoch nur ein anderer Beamter, der sagte, der Ispettore sei nicht im Haus. Brunetti versuchte es auf Vianellos *telefonino*, aber das war abgeschaltet, nicht einmal eine Nachricht konnte er hinterlassen. Er rief Griffoni an und teilte ihr mit, sie würden zusammen einen Tatort in Marghera aufsuchen, den Rest werde er ihr unterwegs erklären. Unten ging er in Signorina Elettras Büro.

»Ja, Commissario?«, fragte sie.

Es schien nicht der richtige Zeitpunkt, ihr von Guarino zu erzählen, andererseits gab es nie einen richtigen Zeitpunkt, Leuten zu erzählen, dass jemand gestorben war.

»Ich habe schlechte Neuigkeiten, Signorina«, sagte er.

Ihr Lächeln wurde vorsichtiger.

»Vice-Questore Patta hat heute Vormittag einen Anruf bekommen«, fing er an. Er beobachtete, wie sie darauf reagierte, dass er Pattas Titel verwendete: Jetzt war sie vorgewarnt und konnte davon ausgehen, etwas Unerfreuliches zu hören zu bekommen. »Ein Capitano der Carabinieri hat ihm mitgeteilt, dass der Mann, der Anfang der Woche hier war, Maggior Guarino, getötet wurde. Erschossen.«

Sie schloss die Augen, lange genug, um zu verbergen, was sie empfand, aber nicht lange genug, um zu verbergen, dass sie etwas empfand.

Bevor sie etwas fragen konnte, fuhr er fort. »Man hat ein Foto geschickt und sich erkundigt, ob er hier war und mit uns gesprochen hat.«

»Stimmt das wirklich?«, fragte sie.

»Ja.« Die Wahrheit. Kurz und schmerzlos.

»Das tut mir sehr leid«, brachte sie schließlich heraus.

»Mir auch. Er schien ein anständiger Mensch zu sein, und Avisani hat sich für ihn verbürgt.«

»Sie haben jemanden gebraucht, der sich für ihn verbürgt?«, fragte sie in einem Ton, als suche sie nach einem Ventil für ihren Zorn.

»Ja. Schon, um ihm vertrauen zu können: Ich hatte keine Ahnung, in was er verwickelt war und was er von mir wollte.« Vielleicht irritiert von ihrem Verhalten, fügte er hinzu: »Ich weiß es immer noch nicht.«

»Was soll das heißen?«

»Das heißt, ich weiß nicht, ob die Geschichte, die er mir erzählt hat, wahr ist oder nicht, und das heißt, ich weiß nicht, warum der Mann, der hier angerufen hat, sich dafür interessiert, warum der Maggiore uns hier aufgesucht hat.«

»Aber er ist tot?«

»Ja.«

»Danke, dass Sie mir das gesagt haben.«

Brunetti machte sich auf die Suche nach Griffoni.

15

Die Schiffsbauwerften, die petrochemischen Anlagen und die zahlreichen anderen Fabriken in der Umgebung von Marghera hatten auf Brunetti seit seiner Kindheit eine eigenartige Faszination ausgeübt. Etwa zwei Jahre lang, von seinem sechsten Lebensjahr bis kurz nach seinem achten Geburtstag, hatte sein Vater dort als Lagerist in einer Fabrik gearbeitet, die Farben und Lösungsmittel herstellte. Brunetti erinnerte sich dieser Zeit als einer der ruhigsten und glücklichsten seiner Kindheit, als sein Vater einmal regelmäßig Arbeit hatte und stolz darauf war, seine Familie aus eigener Kraft ernähren zu können.

Dann aber hatte es Streiks gegeben, und danach war sein Vater nicht wieder eingestellt worden. Damit änderte sich alles, zu Hause herrschte kein Frieden mehr, auch wenn sein Vater den Kontakt zu den ehemaligen Kollegen noch einige Jahre lang aufrechterhielt. Brunetti erinnerte sich noch an diese Männer und ihre Geschichten, die von ihnen selbst und ihrer Arbeit handelten, an ihren derben Humor, ihre Witze, ihre unendliche Geduld mit seinem launischen Vater. Sie alle waren im Lauf der Jahre an Krebs gestorben, wie so viele andere Arbeiter in den zahllosen neuen Fabriken, die am Rand der *laguna* mit ihren einladenden und so beklagenswert ungeschützten Gewässern aus dem Boden geschossen waren.

Brunetti war seit Jahren nicht mehr in dem Industriegebiet gewesen, hatte es aber immer vor Augen gehabt: Die aus den Schloten wehenden Rauchfahnen grüßten jeden, der mit dem Boot in die Stadt kam, und die am höchsten aufsteigenden Schwaden waren manchmal sogar von Brunettis Terrasse aus zu sehen. Er staunte immer, wie weiß sie waren, vor allem nachts, wenn der Rauch so majestätisch vor dem samtenen Himmel emporquoll. Das sah so harmlos aus, so rein, und erinnerte Brunetti jedes Mal unweigerlich an Schnee, Erstkommunionkleider, Bräute. Gebeine.

Jahrelange Bestrebungen, die Fabriken stillzulegen, waren immer wieder gescheitert, nicht selten am heftigen Widerstand der Arbeiter selbst, denen die Schließung das Leben gerettet oder zumindest verlängert hätte. Wenn ein Mann seine Familie nicht mehr ernähren kann – ist er dann noch ein Mann? Sein Vater hatte diese Frage verneint; Brunetti konnte erst jetzt begreifen, warum er so gedacht hatte.

Im Auto, das sie am Piazzale Roma erwartete, unterrichtete er Griffoni von Guarinos Anruf und dem Telefonat, das sie jetzt nach Marghera führte. Nach einer Reihe von Manövern, die der Fahrer sinnvoll finden mochte, gelangten sie auf den Damm zum Festland und nahmen dort die Abfahrt zu den Fabriken; bis sie am Haupttor vorfuhren, war Griffoni auf dem Laufenden.

Ein Uniformierter trat aus einem Wachhäuschen links vom Tor und hob eine Hand, um sie durchzuwinken, als sei der Anblick eines Polizeiautos für ihn etwas Alltägliches. Brunetti ließ den Fahrer anhalten und fragen, wo die anderen seien. Der Wachmann zeigte nach links, erklärte, er solle geradeaus fahren, über drei Brücken, und dann hinter einem roten Gebäude rechts einbiegen. Von dort aus würden sie die anderen Autos schon sehen.

Der Fahrer hielt sich an die Anweisungen, und als sie hinter dem roten Gebäude, das allein an einer Kreuzung stand, abgebogen waren, erblickten sie eine Reihe von Fahrzeugen, unter anderem einen Krankenwagen mit kreisenden Blinklichtern; dahinter standen mehrere Leute, die ihnen den Rücken zuwandten. Der Straßenbelag war bröckelig und uneben; jenseits der geparkten Autos erhoben sich vier riesige Öllagertanks, jeweils zwei auf jeder Straßenseite. Ihre Wände waren stellenweise durchgerostet; bei einem war weit oben ein Rechteck herausgeschnitten, das Metall hatte sich zurückgebogen und bildete jetzt eine Art Fenster. Die trostlose Umgebung war mit Papierfetzen und Plastiktüten übersät. Kein einziger Grashalm wuchs dort.

Der Fahrer hielt nicht weit von dem Krankenwagen; Brunetti und Griffoni stiegen aus. Die Köpfe, die sich nicht nach dem Geräusch des Motors umgedreht hatten, taten es jetzt, als die Türen zugeschlagen wurden.

Brunetti erkannte einen der Carabinieri, er hatte vor Jahren einmal mit ihm zu tun gehabt, aber damals war der Mann noch Tenente gewesen. Rubini? Rosato? Schließlich fiel es ihm ein – Ribasso. Und dann ging ihm auf, die Stimme, die er am Telefon nicht erkannt hatte, das musste seine gewesen sein.

Neben Ribasso standen ein anderer Mann, ebenfalls in Carabinieri-Uniform, sowie zwei Männer und eine Frau von der Spurensicherung in weißen Papieroveralls. Zwei Helfer standen beim Krankenwagen, an dem eine zusammengerollte Trage lehnte. Beide rauchten. Inzwischen hatten sich alle umgedreht und sahen Brunetti und Griffoni entgegen.

Ribasso trat vor, reichte Brunetti die Hand und sagte: »Ich dachte mir, dass Sie das am Telefon waren, war mir aber nicht sicher.« Er lächelte, ging aber nicht weiter auf den Anruf ein.

»Vielleicht sehe ich im Fernsehen zu viele Krimis, in denen knallharte Polizisten vorkommen«, erklärte oder entschuldigte sich Brunetti mit einer Notlüge. Ribasso klopfte ihm auf die Schulter und begrüßte Griffoni mit Namen. Die anderen taten es Ribasso nach, nickten den Ankömmlingen zu und machten Platz, so dass Brunetti und Griffoni sich zu ihnen stellen konnten.

Etwa drei Meter entfernt lag auf dem Rücken ein Toter im Zentrum einer Fläche, die mit rotweißem, an dünnen Metallstäben befestigtem Plastikband abgesperrt war. Hätte Brunetti nicht schon das Foto gesehen, hätte er Guarino aus dieser Entfernung kaum erkannt. Ein Teil seines Unterkiefers fehlte, und was von seinem Gesicht noch geblieben war, lag abgewandt. Er trug einen dunklen Mantel, und weder darauf noch an den Aufschlägen seines Jacketts war Blut zu sehen. Bei seinem Hemd war das freilich anders.

Die Knie seiner Hose und die rechte Schulter des Mantels waren mit angetrockneten Schlammspritzern bedeckt, und an der Sohle seines rechten Schuhs klebte etwas, das wie Plastikreste aussah. Im halbgefrorenen Matsch um die Leiche wimmelte es von sich überlagernden Fußabdrücken.

»Er liegt auf dem Rücken«, war das Erste, was Brunetti sagte.

»Sehr richtig«, bestätigte Ribasso.

»Von wo wurde er hierhergebracht?«, fragte Brunetti.

»Das weiß ich nicht«, sagte Ribasso, konnte dann aber

seinen Zorn nicht mehr unterdrücken. »Diese Idioten sind hier überall rumgetrampelt, bevor sie uns gerufen haben.«

»Welche Idioten?«, fragte Griffoni.

»Die, die ihn gefunden haben«, schimpfte Ribasso. »Zwei Lkw-Fahrer, die Kupferrohre anlieferten. Hatten sich verfahren und sind auf diese Straße hier geraten.« Er wies in die Richtung, aus der Brunetti und Griffoni gekommen waren. »Als sie wenden wollten, sahen sie ihn am Boden liegen und mussten natürlich einen Blick auf ihn werfen.«

Einiges von dem, was dann passiert sein musste, rekonstruierte Brunetti sich aus den zahllosen Fußspuren im Schlamm um die Leiche und den zwei brustgroßen Knieabdrücken, die einer der beiden neben dem Toten hinterlassen hatte.

»Kann es sein, dass die ihn umgedreht haben?«, fragte Griffoni, aber es klang so, als hielte sie das nicht für möglich.

»Sie haben gesagt, das hätten sie nicht getan«, war die beste Antwort, die Ribasso geben konnte. »Und es sieht auch nicht danach aus, obwohl sie natürlich alle Spuren zerstört haben, als sie hier herumgelaufen sind.«

»Haben sie ihn angefasst?«, fragte Brunetti.

»Das wissen sie nicht mehr, behaupten sie.« Ribassos Entrüstung war hörbar. »Aber als sie uns anriefen, sagten sie etwas von einem toten Carabiniere, also müssen sie seine Brieftasche herausgenommen haben.«

Dazu war nichts zu sagen.

»Haben Sie ihn gekannt?«, fragte Brunetti.

»Ja«, sagte Ribasso. »Ich war es, der ihn zu Ihnen geschickt hat.«

»Wegen dieses Mannes, den er gesucht hat?«

»Ja.« Und nach kurzem Nachdenken: »Ich dachte, Sie könnten ihm helfen.«

»Ich hab's versucht.« Brunetti wandte sich von dem Toten ab.

Die Frau im weißen Anzug, offenbar die Chefin der Spurensicherung, rief Ribasso etwas zu, und der ging rüber und sprach mit ihr. Dann gab er den Helfern ein Zeichen und sagte ihnen, sie könnten den Toten jetzt in die Pathologie des Krankenhauses bringen.

Die beiden warfen ihre Zigarettenstummel auf den Boden zu denen, die schon dort lagen. Brunetti sah zu, wie sie die Trage zu dem Toten brachten, ihn anhoben und darauf ablegten. Alle traten zur Seite, um sie zum Krankenwagen durchzulassen. Sie schoben die Trage durch die Hecktür hinein, und erst das Zuschlagen der Türen brach den Bann, der sie alle zum Schweigen gebracht hatte.

Ribasso trat beiseite und sprach mit dem anderen Carabiniere; der ging zum Auto, baute sich lässig daneben auf und zog ein Päckchen Zigaretten hervor. Die drei Spurensicherer streiften ihre Papieranzüge ab, rollten sie ein und stopften sie in eine Plastiktüte, die sie hinten in ihren Einsatzwagen warfen. Dann klappten sie ihr Stativ zusammen und verstauten die Kameras in einem gepolsterten Metallkoffer. Türen knallten, Motoren brummten, der Krankenwagen fuhr davon, gefolgt vom Wagen der Kriminaltechniker.

In die eintretende Stille hinein fragte Brunetti: »Warum haben Sie Patta angerufen?«

Ribasso schickte seiner Antwort ein gereiztes Knurren

voraus. »Ich kenne ihn von früher.« Er sah nach der Stelle, wo Guarino gelegen hatte. »Ich hielt es für das Beste, von Anfang an den offiziellen Weg zu beschreiten. Außerdem wusste ich, dass er den Fall abgeben würde, vielleicht an jemanden, mit dem wir zusammenarbeiten könnten.«

Brunetti nickte. »Was hat Guarino Ihnen erzählt?«

»Dass Sie versuchen wollten, den Mann auf dem Foto zu identifizieren.«

»Ist das auch Ihr Fall?«

»Mehr oder weniger«, sagte Ribasso.

»Pietro«, sagte Brunetti und verfiel in den vertraulichen Tonfall, der sich damals zwischen ihnen entwickelt hatte. »Guarino – er möge in Frieden ruhen – hat das auch schon bei mir versucht.«

»Und Sie haben ihm gedroht, ihn aus Ihrem Büro zu werfen«, sagte Ribasso. »Das hat er mir erzählt.«

»Also fangen Sie erst gar nicht damit an«, sagte Brunetti unnachgiebig.

Griffoni sah abwechselnd zwischen den beiden Männern hin und her.

»Na schön«, lenkte Ribasso ein. »Ich sagte ›mehr oder weniger‹, weil er als Freund mit mir davon gesprochen hat.«

Zu weiteren Auskünften schien Ribasso nicht bereit, also hakte Brunetti nach: »Sie sagten, er sei beim NAS gewesen?« Immerhin erklärte das Guarinos Interesse für Mülltransporte: Der NAS befasste sich mit Umweltverschmutzung im weiteren Sinn. Brunetti hatte es immer für Ironie und nicht für Zufall gehalten, dass ausgerechnet in Marghera, dem Ursprungsort jahrzehntelanger Umweltverpestung, eine Zweigstelle des NAS eingerichtet worden war.

Ribasso nickte. »Filippo hat Biochemie studiert: Ich nehme an, er ist zum NAS gegangen, weil er etwas Nützliches tun wollte. Etwas Sinnvolles. Die haben ihn mit Kusshand genommen.«

»Wie lange ist das her?«

»Acht, neun Jahre. So etwa. Ich kenne ihn erst seit fünf oder sechs Jahren.« Bevor Brunetti nachfragen konnte, fügte er hinzu: »Wir haben nie zusammen an einem Fall gearbeitet.«

»Auch nicht an diesem?«, fragte Griffoni.

Ribasso verlagerte sein Gewicht von einem Fuß auf den anderen. »Wie gesagt, er wollte mit mir darüber reden, mehr nicht.«

»Was hat er Ihnen sonst noch erzählt?«, fragte Brunetti, und Griffoni schaltete noch ein: »Sie können ihm jetzt nicht mehr schaden.«

Ribasso ging ein paar Schritte auf sein Auto zu und drehte sich wieder zu ihnen um. »Er hat mir gesagt, die ganze Sache stinke nach der Camorra. Der Ermordete – Ranzato – sei nur einer von vielen Beteiligten gewesen. Filippo wollte versuchen, herauszufinden, auf welchen Wegen dieser ganze Müll herumtransportiert wird.«

»Um was für Mengen geht es denn?«, fragte Griffoni dazwischen. »Tonnen?«

»Hunderte Tonnen, würde ich sagen«, korrigierte Brunetti.

»Hunderttausende kommt den Tatsachen schon näher«, brachte Ribasso sie beide zum Schweigen.

Brunetti versuchte es mit Kopfrechnen, aber da er nicht wusste, wie viel Tonnen ein einzelner Lastwagen beförderte, kam er nicht einmal ansatzweise weiter. Plötzlich dachte er an seine Kinder, denn es waren sie und deren Kinder, die diesen ganzen Mist einmal erben würden.

Ribasso schien selbst ernüchtert von dem, was er da gesagt hatte; er scharrte mit der Schuhspitze über den gefrorenen Schlamm, sah dann die beiden an und sagte: »Vorige Woche hat jemand versucht, ihn von der Straße zu drängen.«

»Das hat er mir nicht erzählt«, sagte Brunetti. »Was genau ist da passiert?«

»Er ist ihnen ausgewichen. Sie sind neben ihm hergefahren – er kam auf der Autostrada aus Richtung Treviso –, und als sie von der Seite auf ihn zurückten, ist er auf die Bremse gestiegen und nach rechts rausgefahren. Die anderen sind weitergefahren.«

»Glauben Sie die Geschichte?«

Ribasso zuckte die Achseln und ging dorthin zurück, wo Guarino gelegen hatte. »Jetzt hat ihn jemand erwischt.«

Brunetti und Griffoni fuhren ziemlich schweigsam zum Piazzale Roma zurück, beide noch mitgenommen vom Anblick des Toten und durchgefroren von dem langen Aufenthalt in der frostigen Einöde Margheras. Griffoni fragte Brunetti, warum er Ribasso verschwiegen habe, dass er den Mann auf dem von Guarino gemailten Foto identifiziert hatte, und Brunetti hielt ihr entgegen, dass der Capitano, der doch mit Sicherheit Bescheid wusste, es nicht für nötig gehalten habe, ihm irgendetwas zu erzählen. Vertraut mit der Rivalität zwischen den verschiedenen Ordnungskräften, sagte sie nichts mehr.

Brunetti hatte ihre Ankunft telefonisch angekündigt, und so wurden sie bereits von einer Barkasse erwartet, die sie zur Questura brachte. Aber selbst in der gutgeheizten Kajüte des Bootes wurde ihnen nicht warm.

In seinem Büro blieb er neben der Heizung stehen, er sträubte sich, Avisani anzurufen, und rechtfertigte die Verzögerung damit, dass er sich erst aufwärmen wollte.

»Ich bin's«, sagte er, um einen natürlichen Ton bemüht.

»Stimmt etwas nicht?«

»Gar nichts stimmt«, sagte Brunetti, sofort peinlich berührt von dieser theatralischen Bemerkung.

»Filippo?«, fragte Avisani.

»Ich habe eben seine Leiche gesehen«, sagte Brunetti, und als keine Fragen kamen, fuhr er fort: »Er wurde erschossen. Man hat ihn heute Vormittag in Marghera gefunden, im Petrochemie-Komplex.«

Nach einer langen Pause sagte Avisani: »Er hat immer gesagt, dass er damit rechne. Aber ich habe ihm nicht geglaubt. Wer glaubt denn so etwas? Und dann plötzlich… ist alles anders. Wenn es passiert.«

»Hat er dir sonst noch etwas erzählt?«

»Ich bin Journalist, vergiss das nicht«, schnappte Avisani fast schon wütend zurück.

»Ich dachte, du seist sein Freund.«

»Ja. Ja.« Und wieder ernüchtert, sagte er: »Nur das Übliche, Guido: Je mehr er herausfand, desto mehr Hindernisse türmten sich auf. Der für den Fall zuständige Richter wurde versetzt, und der Neue schien nicht sonderlich interessiert. Als Nächstes wurden zwei seiner besten Mitarbeiter versetzt. Du weißt ja, wie das läuft.«

Ja, dachte Brunetti, ich weiß, wie das läuft. »Noch etwas?«, fragte er.

»Nein, nur das. Ich konnte damit nichts anfangen, das hatte ich schon zu oft gehört.« Er legte auf.

Wie viele Mitarbeiter der Polizei hatte Brunetti schon vor langer Zeit erkannt, dass die Tentakel der verschiedenen Mafias weit in alle Bereiche des Lebens vordrangen, nicht zuletzt auch in zahlreiche Wirtschaftsunternehmen und in die meisten öffentlichen Einrichtungen. Unmöglich, die Zahl der Polizisten und Richter festzustellen, die, wenn ihre Ermittlungen peinliche Verbindungen zur Regierung aufzudecken drohten, plötzlich in irgendein Provinznest versetzt worden waren. Selbst wenn man sich Mühe gab, das zu ignorieren: Die Indizien für das Ausmaß der Unterwanderung waren überwältigend. War die Mafia mit 93 Milliarden Euro Jahresgewinn nicht erst kürzlich von der Presse zum drittgrößten Unternehmen des Landes erklärt worden?

Brunetti hatte zusehen müssen, wie die Mafia und ihre engen Verwandten, die 'Ndrangheta und die Camorra, immer mehr Macht erlangt und sich immer weiter aus der Verborgenheit hervorgewagt hatten, bis sie zum Hauptakteur in der Welt des Verbrechens geworden waren. Wie dieser französische Adlige in dem Buch, das er als Junge gelesen hatte – *Die scharlachrote Blume*. Er versuchte sich an das Spottlied über die Leute zu erinnern, die den Übeltäter aufzuspüren und zu vernichten trachteten: »Sie suchen hier, sie suchen dort, ganz Frankreich sucht ihn immerfort.«

Oder war Herkules' Kampf mit der Hydra ein besseres Bild: Kaum war ein Kopf abgeschlagen, wuchsen zwei neue nach? Er erinnerte sich an den überschwenglichen Medienrummel nach den Verhaftungen von Riina, Provenzano und Lo Piccolo, an die unablässig wiederholte Vermutung, endlich habe die Regierung in ihrem beharrlichen Kampf gegen das organisierte Verbrechen den Sieg davongetragen. Als ob der Tod des Chefs von General Motors oder British Petroleum diese Giganten in die Knie zwingen könnte. Hatte noch nie jemand etwas von Vizechefs gehört?

Wenn überhaupt etwas, so half die Festnahme dieser Dinosaurier jüngeren Männern an die Spitze, akademisch ausgebildeten Männern, die noch besser befähigt waren, ihre längst zu internationalen Großkonzernen gewordenen Unternehmen zu lenken. Und er konnte auch nie vergessen, dass die Verhaftung zweier dieser Männer etwa zeitgleich mit dem *indulto* stattgefunden hatte, jenem huldreichen Erlass, der über 24 000 Kriminelle, darunter zahlreiche Fußsoldaten der Mafia, auf freien Fuß gesetzt hatte. Ach, wie kulant die Gesetze doch sein konnten, wenn nur die Richtigen am Hebel saßen.

16

Brunetti kam zu dem Schluss, er müsse mit Patta über Guarino sprechen, doch als er in die Questura kam, sagte ihm der Wachmann am Eingang, der Vice-Questore habe das Haus vor einer Stunde verlassen. Erleichtert ging er in sein Büro hinauf und bestellte Vianello zu sich. Als der Ispettore eingetreten war, erzählte er ihm von dem Besuch in Marghera und von Guarino, der dort auf offenem Gelände tot auf dem Rücken gelegen habe.

»Von wo hat man ihn dorthin gebracht?«, fragte Vianello als Erstes.

»Das lässt sich nicht mehr feststellen. Die Männer, die ihn gefunden haben, sind zigmal um ihn herumgetrampelt.«

»Wie günstig«, bemerkte Vianello.

»Bevor du dich in Verschwörungstheorien hineinsteigerst«, fing Brunetti an – der diesen Gedanken auch schon gehabt hatte –, aber Vianello unterbrach ihn:

»Du traust diesem Ribasso?«

»Ich denke schon, ja.«

»Dann verstehe ich nicht, warum du ihm den Namen des Mannes auf dem Foto verschwiegen hast, das Guarino dir geschickt hat.«

»Gewohnheit.«

»Gewohnheit?«

»Oder Revierverhalten«, kam Brunetti ihm entgegen.

»Ziemlich verbreitet«, sagte Vianello. »Nadia meint, das ist wie mit den Ziegen.«

»Was für Ziegen? Wovon redest du?«

»Na ja, von dem, was man so vererbt, wem wir die Ziegen hinterlassen, wer sie bekommt, wenn wir sterben.« Hatte Vianello plötzlich den Verstand verloren, oder benutzte Nadia den Garten hinter ihrer Wohnung für etwas anderes als Blumenbeete?

»Vielleicht drückst du dich mal so aus, dass ich dir folgen kann, Lorenzo«, sagte er, froh über die Ablenkung.

»Du weißt doch, dass Nadia liest?«

»Ja«, sagte er und dachte bei dem Stichwort an eine andere Frau, die las.

»Nun, sie hat eine Einführung in die Anthropologie gelesen oder so was Ähnliches. Soziologie, kann auch sein. Sie hat mir beim Essen davon erzählt.«

»Was hat sie erzählt?«

»Ich sagte doch, sie hat ein Buch über Vererbung und Verhalten gelesen. Es gibt da eine Theorie, warum Männer so oft Aggressivität und Konkurrenzdenken an den Tag legen – warum so viele von uns Schweine sind. Sie sagt, das kommt daher, dass wir uns ständig bemühen, die fruchtbarsten Weibchen zu erobern.«

Brunetti stützte beide Ellbogen auf den Schreibtisch und ließ stöhnend den Kopf in seine Hände sinken. Er brauchte Ablenkung, aber nicht so.

»Schon gut, schon gut. Aber diese Einleitung war notwendig«, beteuerte Vianello. »Sowie sie das fruchtbarste Weibchen erobert haben, schwängern sie es; und damit können sie sicher sein, dass die Kinder, denen sie die Ziegen vererben, wirklich ihre eigenen sind.« Vianello spähte über den Schreibtisch, ob Brunetti ihm zuhörte, aber der hielt immer noch den Kopf in den Händen vergraben. »Ich fand das logisch, als sie es mir erklärt hat, Guido. Wir alle wollen Hab und Gut an die eigenen Kinder vererben, nicht an irgendein Kuckuckskind.«

Da Brunetti weiterhin schwieg – immerhin hatte er aufgehört zu stöhnen –, fügte Vianello hinzu: »Deswegen stehen Männer in Konkurrenz miteinander. Die Evolution hat uns dazu bestimmt.«

»Wegen der Ziegen?«, fragte Brunetti und hob den Kopf.

»Ja.«

»Was dagegen, wenn wir ein andermal darüber sprechen?«

»Meinetwegen.«

Ihre Unbeschwertheit kam Brunetti plötzlich unangebracht vor; er sah die Papiere auf seinem Schreibtisch an und wusste nicht, was er sagen sollte. Vianello stand auf, murmelte, er habe etwas mit Pucetti zu besprechen, und ging. Brunetti starrte weiter vor sich hin.

Sein Telefon klingelte. Es war Paola, die ihn daran erinnerte, dass sie am Abend an einem Abschiedsessen für einen scheidenden Kollegen teilnehmen musste; die Kinder seien zu einem Horrorfilm-Festival gefahren und würden auch nicht zum Essen da sein. Bevor er fragen konnte, versprach sie, ihm etwas in den Backofen zu stellen.

Er dankte ihr, dann fiel ihm die Bitte des Conte ein, um die er sich noch nicht hatte kümmern können. »Hat dein Vater etwas von Cataldo erwähnt?«

»Als ich das letzte Mal mit meiner Mutter gesprochen habe, meinte sie, er werde ihm einen Korb geben, aber warum, wusste sie nicht.« Und dann: »Du weißt, mein Vater spricht gern mit dir, also raff dich auf, spiel den besorgten Schwiegersohn und ruf ihn an. Bitte, Guido.«

»Ich *bin* sein besorgter Schwiegersohn«, beteuerte Brunetti.

»Guido«, sagte sie und ließ dem Namen eine lange Pause folgen. »Du weißt selbst, du interessierst dich kein bisschen für seine Geschäfte – oder jedenfalls lässt du keinerlei Interesse daran erkennen. Es wird ihn bestimmt sehr freuen, wenn du endlich damit anfängst.«

Wenn es um die Geschäfte seines Schwiegervaters ging, befand sich Brunetti in einer Zwickmühle. Da seine Kinder eines Tages das Vermögen der Faliers erben würden, konnte jede noch so harmlose Erkundigung danach als eigennützig interpretiert werden: Die bloße Vorstellung war ihm peinlich.

Paola wartete auf seine Antwort; er fand es heikel, sich nach Cataldo umzuhören: Schließlich war der Mann mit einer Frau verheiratet, für die Brunetti sich so sehr interessiert hatte, dass er das nicht hatte verheimlichen können. »In Ordnung«, raffte er sich auf. »Ich rufe ihn an.«

»Gut«, sagte Paola und legte auf.

Den Hörer noch in der Hand, wählte Brunetti die Nummer seines Schwiegervaters, nannte der Sekretärin seinen Namen und verlangte Conte Falier zu sprechen. Diesmal gab es nicht das übliche Klicken, Summen und Warten, sondern der Conte meldete sich sofort: »Guido, wie schön, dass du anrufst. Geht's dir gut? Und den Kindern?« Ein Fremder, der nicht wusste, dass Paola täglich mit ihren Eltern sprach, hätte zweifellos angenommen, der Conte habe schon seit geraumer Zeit nichts mehr von seiner Familie gehört.

»Ja, allen geht es gut, danke«, antwortete Brunetti und fuhr übergangslos fort: »Ich bin neugierig, ob du wegen dieser Investition zu einer Entscheidung gekommen bist. Entschuldige, dass ich mich nicht bei dir gemeldet habe, aber ich konnte nichts in Erfahrung bringen, jedenfalls nichts, was du nicht sowieso schon weißt.« Zurückhaltung am Telefon war Brunetti so zur Gewohnheit geworden, dass er selbst bei einer harmlosen Erkundigung nach dem Befinden eines Mitglieds seiner Familie grundsätzlich keine Namen nannte und so wenig Informationen wie möglich preisgab.

»Das ist schon in Ordnung, Guido«, unterbrach die Stimme seines Schwiegervaters seine Grübeleien. »Ich habe mich bereits entschieden.« Und nach einer Pause: »Wenn du willst, kann ich dir mehr darüber erzählen. Hast du eine Stunde Zeit?«

Da ihn zu Hause niemand erwartete, sagte er ja, und der Conte fuhr fort: »Ich würde gern noch einmal einen Blick auf ein Gemälde werfen, das ich gestern Abend gesehen habe. Vielleicht möchtest du ja mitkommen. Und mir sagen, was du davon hältst.«

»Mit Vergnügen. Wo sollen wir uns treffen?«

»Wie wär's mit San Bortolo? Von dort können wir zu Fuß gehen.«

Sie verabredeten sich für halb acht; der Conte sagte, der Händler werde bestimmt auf sie warten, wenn er ihn verständigte. Brunetti sah auf die Uhr, er konnte sich bis dahin um die Akten kümmern, die es an diesem Tag auf seinen Schreibtisch geregnet hatte. Er riss sich zusammen und begann zu lesen. Keine Stunde später war ein dicker Stapel von rechts nach links gewandert, aber so stolz er auf seinen Fleiß sein mochte, war nur wenig von dem, was er gelesen hatte, in seinem Gedächtnis haften geblieben. Er stand auf, trat ans Fenster und sah zu der Kirche auf der anderen Seite des Kanals hinüber, ohne sie wirklich wahrzunehmen. Er band seine Schuhe fester und öffnete den *armadio*, um nach den gefütterten Stiefeln zu sehen, die dort seit Jahren verlassen herumlagen. Das letzte Mal hatte er sie bei einem ungewöhnlich hohen *acqua alta* getragen. Vor Monaten war ihm aufgefallen, dass einer davon mit Schimmel bedeckt war, und jetzt nutzte er die Gelegenheit, sie beide in den Papierkorb zu werfen; er konnte nur hoffen, dass die nächste Flut ihn nicht in der Questura erwischen und er dann ohne Stiefel dastehen würde. Noch größer aber war seine Hoffnung, Signorina Elettra werde nicht dahinterkommen, dass er Gummistiefel in den Papiermüll getan hatte.

Wieder am Schreibtisch, bemerkte er bei einem Blick auf den Dienstplan, dass Alvise die ganze nächste Woche für den Empfangsbereich eingeteilt war. Das änderte er umgehend und schickte ihn mit Riverre auf Streife.

Endlich war es Zeit. Er machte sich zu Fuß auf den Weg, bereute das aber schon bald, als er in den Borgoloco San Lorenzo einbog und die Temperatur plötzlich stark abfiel. Hätte er wenigstens seinen Schal mitgenommen. Der Wind legte sich, als er auf den Campo Santa Maria Formosa gelangte, doch als er die gefrorenen Spritzer auf dem Pflaster um den Brunnen sah, wurde ihm noch kälter.

Er nahm die Abkürzung neben der Kirche, erreichte San Lio und trat nach dem Durchgang auf den Campo, wo ihn nicht nur der Wind erwartete, sondern auch Conte Orazio

Falier, der einen rosa Wollschal um den Hals trug, wie ihn nur wenige Männer seines Alters zu tragen wagen würden.

Die beiden Männer tauschten Wangenküsse aus, wie es ihnen im Lauf der Jahre zur Gewohnheit geworden war, dann hakte der Conte sich bei Brunetti unter und führte ihn von der Goldoni-Statue fort in Richtung Ponte dell'Ovo.

»Erzähl mir von dem Gemälde«, sagte Brunetti.

Der Conte nickte einem vorübergehenden Passanten zu, dann blieb er stehen und begrüßte eine ältere Frau, die Brunetti bekannt vorkam. »Es ist nichts Besonderes, aber das Gesicht hat etwas, das mich anspricht.«

»Wo hast du es gesehen?«

»Bei Franco. Dort können wir reden«, antwortete der Conte, während er einem alten Paar zunickte.

Sie näherten sich dem Campo San Luca, gingen an der Bar vorbei, die Rosa Salva verdrängt hatte, dann über die Brücken und hinunter auf den Kasten zu, den man aus La Fenice gemacht hatte. Vor dem Theater wandten sie sich nach links, ließen das Antico Martini hinter sich, beide frustriert, dass jetzt nicht der Moment war, dort zu speisen, und traten schließlich in die Galerie am Fuß der Brücke. Franco, den sie beide seit langem kannten, wies mit einer einladenden Geste auf die Bilder an der Wand und vertiefte sich wieder in sein Buch.

Sein Schwiegervater führte ihn vor ein Porträt, das nach Brunettis Schätzung aus dem sechzehnten Jahrhundert stammte, venezianischer Stil. Das Gemälde, nur etwa sechzig mal fünfzig Zentimeter groß, zeigte einen bärtigen jungen Mann, der den Betrachter mit klugem Blick taxierte; seine rechte Hand lag anmutig auf seinem Herzen, die Linke auf einem aufgeschlagenen Buch. Ein Fenster hinter seiner rechten Schulter bot Aussicht auf Berge, die Brunetti auf den Gedanken brachten, der Maler könnte aus Conegliano stammen, vielleicht aus Vittorio Veneto. Das edle Gesicht des Porträtierten hob sich vor einem dunkelbraunen Vorhang ab, schön kontrastiert vom hohen weißen Kragen seines Hemds. Dazu trug er ein rotes Wams und einen schwarzen Überwurf. Seine Ärmelaufschläge, weich gekräuselt und genauso vorzüglich gemalt wie sein Gesicht und seine Hände, setzten zwei weitere helle Akzente.

»Gefällt es dir?«, fragte der Conte.

»Sehr. Weißt du etwas darüber?«

Bevor er antwortete, trat der Conte näher an das Bild heran und lenkte Brunettis Aufmerksamkeit auf das Wappen neben der rechten Schulter des Mannes. Der Conte zeigte mit dem Finger darauf und fragte: »Meinst du, das könnte später hinzugefügt worden sein?«

Brunetti trat zurück, um es sich aus größerem Abstand anzusehen. Er hob eine Hand, verdeckte das Wappen und stellte fest, dass die Proportionen so besser waren. Er studierte das Porträt noch ein wenig länger und sagte schließlich: »Ich denke schon. Ja. Aber von allein wäre ich wohl nicht darauf gekommen.«

Der Conte brummte zustimmend.

»Was meinst du, was ist passiert?«, fragte Brunetti.

»Ich bin mir nicht sicher«, antwortete der Conte. »Genaues lässt sich unmöglich sagen. Aber ich vermute, dass diesem Mann, als das Porträt längst fertig war, irgendein Titel verliehen wurde, und so hat er es dem Maler zurückgebracht und ihn gebeten, das Wappen einzufügen.«

»So ähnlich, als würde man einen Scheck oder einen Vertrag rückdatieren?«, bemerkte Brunetti und fand es faszinierend, wie konstant sich die Lust am Betrug über die Jahrhunderte gehalten hatte. »Keine neuen Moden in Verbrecherkreisen, wie?«

»Versuchst du damit das Gespräch auf Cataldo zu lenken?«, fragte der Conte und fügte rasch hinzu: »Und ich meine das durchaus ernst, Guido.«

»Nein«, sagte Brunetti ruhig. »Ich habe nur herausgefunden, dass er reich ist. Keine Hinweise auf Kriminelles.« Er sah seinen Schwiegervater an. »Weißt du etwas, das ich nicht weiß?«

Der Conte trat zur Seite und betrachtete ein anderes Bild, das lebensgroße Porträt einer Frau mit fettem Gesicht; sie trug auffällig viel Schmuck und ein Kleid aus Brokat. »Wenn sie nur nicht so vulgär aussehen würde«, sagte er und sah zu Brunetti hinüber. »Das Bild ist so wunderbar gemalt, ich würde es auf der Stelle kaufen. Aber ich könnte es nicht ertragen, mit ihr in einem Haus zu leben.« Er streckte eine Hand aus und zog Brunetti am Arm vor das Gemälde. »Und du?«

Das Schönheitsideal veränderte sich im Lauf der Jahrhunderte, das wusste Brunetti natürlich, und so mochte ihre Körperfülle für einen Geliebten oder Gatten des siebzehnten Jahrhunderts durchaus attraktiv gewesen sein. Aber der gefräßige Blick ihrer Schweinsäuglein musste zu allen Zeiten anstößig wirken. Ihre Haut glänzte vor Fett, nicht vor Gesundheit; ihre Zähne, so weiß und ebenmäßig sie auch sein mochten, waren die eines Raubtiers; die Falten im Fett ihrer Handgelenke bargen Schmutz. Das Gewand, aus dem ihr Busen quoll, diente nicht dem Zweck, ihr Fleisch zu verhüllen, sondern es in Zaum zu halten.

Aber wie der Conte bemerkt hatte, war sie phantastisch gut gemalt: der Glanz ihrer Augen, die üppige Fülle ihres goldenen Haars, der rote Brokat des Gewandes, das zu viel von ihrem Busen sehen ließ – das alles hatte der Maler perfekt auf die Leinwand gebracht.

»Es ist ein bemerkenswert modernes Gemälde«, sagte der Conte und führte Brunetti zu zwei Samtsesseln, die aussahen, als seien sie ursprünglich für Mitglieder der höheren Geistlichkeit gebaut worden.

»Das kann ich nicht erkennen«, sagte Brunetti und staunte, wie bequem der riesige Sessel war. »Was daran modern sein soll.«

»Diese Frau symbolisiert Konsumverhalten«, sagte der Conte und wies auf das Bild. »Sieh dir an, wie feist sie ist, und stell dir vor, wie viel sie in ihrem Leben gegessen haben muss, um eine solche Fleischmasse anzuhäufen; ganz zu schweigen davon, wie viel sie essen muss, um so zu bleiben. Und dann die Farbe ihrer Wangen: Man sieht genau, sie ist dem Trunk ergeben. Stell dir vor, wie viel sie trinkt. Und der Brokat: Wie viele Seidenwürmer mussten für ihr Kleid und ihren Umhang sterben, für den Seidenbezug ihres Stuhls? Ihr Schmuck: Wie viele Männer haben dafür in den Goldminen mit dem Tod bezahlt? Wer ist gestorben, als er den Rubin an ihrem Ring aus der Erde geholt hat? Und die Obstschale auf dem Tisch neben ihr? Wer hat diese Pfirsiche angebaut? Wer hat das Glas neben der Schale hergestellt?«

Brunetti betrachtete das Bild aus diesem neuen Gesichtswinkel, sah es als Darstellung von Reichtum, der den Konsum befördert und wiederum durch Konsum befördert wird. Der Conte hatte recht: Man konnte es ohne weiteres so interpretieren, aber genauso gut konnte man es als Illustration für das Geschick des Malers und den Geschmack seiner Epoche sehen.

»Hast du vor, zwischen all dem und Cataldo einen Zusammenhang herzustellen?«, fragte Brunetti lächelnd.

»Konsum, Guido«, fuhr der Conte fort, als hätte Brunetti nichts gesagt. »Konsum. Wir sind davon besessen. Wir wollen nicht einen, sondern sechs Fernseher haben. Jedes Jahr ein neues Handy, oder gar alle sechs Monate, immer wenn neue Modelle auf den Markt kommen. Und angepriesen werden. Unsere Computer jedes Mal aktualisieren, wenn es ein neues Betriebssystem gibt, und jedes Mal neue Bildschirme, wenn sie größer oder kleiner oder flacher oder, was weiß ich, runder werden.« Brunetti dachte an seinen Antrag auf einen eigenen Computer und fragte sich, wohin diese Rede noch führen würde.

»Falls du dich fragst, worauf ich damit hinauswill«, sagte der Conte zu seiner Verblüffung, »ich will auf den Müll hinaus.« Der Conte wandte sich Brunetti so auftrumpfend zu, als habe er soeben den endgültigen Beweis für die Richtigkeit einer logischen Schlussfolgerung oder einer algebraischen Formel erbracht. Brunetti sah ihn nur an.

Der Conte, kein schlechter Schauspieler, ließ einige Zeit verstreichen. Im Nebenraum der Galerie hörten sie den Inhaber eine Seite seines Buchs umschlagen.

Schließlich fuhr der Conte fort. »Müll, Guido. Müll. Das war es, was Cataldo mir empfehlen wollte.«

Brunetti erinnerte sich an die Liste von Cataldos Unternehmen und sah sie plötzlich in neuem Licht. »Aha«, gestattete er sich zu bemerken.

»Du hast doch ein wenig über ihn recherchiert?«, fragte der Conte.

»Ja.«

»Dann kennst du die Firmen, an denen er beteiligt ist?«

»Ja«, sagte Brunetti, »zumindest einige davon. Transportunternehmen: Frachtschiffe und Lastwagen.«

»Transportunternehmen«, wiederholte der Conte. »Und schweres Gerät für Erdbauarbeiten«, ergänzte er. »Er besitzt Schiffe und Lastwagen. Und Erdbaumaschinen. Außerdem – und das habe ich erst durch meine eigenen Leute herausgefunden, die manchmal so gut sind wie deine – besitzt er ein Abfallentsorgungsunternehmen, das alle diese Dinge beseitigt, von denen ich eben gesprochen habe, Dinge, die wir nicht mehr brauchen: *telefonini,* Computer, Faxgeräte, Anrufbeantworter.« Der Conte sah zu dem Porträt der Frau hinüber und sagte: »Im einen Jahr reißen sich alle darum, im nächsten Jahr ist es nutzloser Schrott.«

Brunetti wusste, wohin das führte, und sagte jetzt lieber nichts.

»Das ist das Geheimnis, Guido: neues Modell im einen Jahr, Schrott im nächsten. Weil es so viele von uns gibt und weil wir so viel Schrott konsumieren und so viel Schrott wegwerfen, muss es jemanden geben, der das aufsammelt und für uns beseitigt. Es gab Zeiten, da waren die Leute froh, wenn ihnen alter Schrott geschenkt wurde: Unsere Kinder nahmen unsere alten Computer oder unsere alten Fernsehgeräte. Heutzutage aber muss jeder neuen Schrott haben, seinen eigenen Schrott. Und deshalb müssen wir das Zeug heute nicht nur bezahlen, wenn wir es kaufen; wir müssen auch dafür bezahlen, wenn wir es wieder loswerden wollen.« Der Conte sprach ruhig und sachlich. Tochter und Enkelin des Conte hatten Brunetti schon ganz ähnliche Vorträge gehalten, aber während jene sich heftig ereiferten, bewahrte dieser kühle Gelassenheit.

»Und das macht Cataldo?«

»Ja. Cataldo ist der Müllmann. Andere Leute häufen alles Mögliche an, und wenn sie es satthaben oder wenn es kaputtgeht, sorgt er dafür, dass es ihnen aus den Augen geschafft wird.«

Als Brunetti nichts erwiderte, fuhr der Conte noch ruhiger fort: »Nur daher sein Interesse an China, Guido. China, die Müllgrube der Welt. Aber er hat zu lange gewartet.«

»Zu lange womit?«, fragte Brunetti.

»Er hat die Afrikaner überschätzt«, sagte der Conte. Und als Brunetti ein fragendes Geräusch von sich gab, erklärte er: »Drei von ihm gecharterte Schiffe haben vor einem Monat den Hafen von Triest verlassen.« Bevor Brunetti fragen konnte, sagte er: »Ja, Müllschiffe. Randvoll mit Sachen, deren man sich hier nur auf sehr kostspielige Weise entledigen könnte. Er arbeitet seit Jahren mit den Somalis zusammen. Falls man glauben kann, was meine Leute mir berichten, hat er ihnen bereits Hunderttausende Tonnen geschickt. Er brauchte ihnen nur genug zu zahlen, dann haben sie alles genommen, was er ihnen angeliefert hat: Niemand hat gefragt, wo das Zeug herkam oder was das überhaupt war. Aber die Zeiten ändern sich, und vor allem nach dem Tsunami hat es so viel schlechte Presse gegeben, dass man jetzt seitens der UN versucht, die Lieferwege zu blockieren; es ist praktisch unmöglich, noch etwas dorthin zu schicken.« Am Tonfall des Conte war nicht zu erkennen, was er davon hielt.

»Im Übrigen lohnt es sich auch nicht mehr. Die Afrikaner wollen Geld, wenn sie etwas nehmen sollen«, sagte er kopfschüttelnd beim Gedanken an so altmodische Geschäftspraktiken. »Die Chinesen *geben* dir Geld für fast alles, was du ihnen bringst. Sie sortieren das Zeug, behalten, was sie brauchen können, und schicken, nehme ich an, den wirklich gefährlichen Dreck nach Tibet, um ihn dort zu verbuddeln.« Er hob die Schultern. »Es gibt kaum etwas, das sie nicht nehmen.«

Er sah Brunetti lange an, als überlege er, ob er ihm etwas anvertrauen dürfe. Offenbar bejahte er diese Frage für sich und wurde deutlicher: »Hast du dich jemals gefragt, warum die Chinesen weder Kosten noch Mühen gescheut haben, eine Bahnstrecke von Peking nach Tibet zu bauen, Guido? Meinst du, es gibt genug Touristen, dass solche Ausgaben gerechtfertigt wären? Für *Personenzüge*?«

Brunetti konnte nur den Kopf schütteln.

»Aber ich war bei Cataldo«, nahm der Conte den Faden wieder auf. »Und seinen Schiffen. Er hat sich verkalkuliert. Denn es gibt tatsächlich Dinge, vor denen selbst die Chinesen zurückschrecken, und er hat drei Schiffe voll davon. Die können nirgendwo mehr hin, und zurückkommen können sie erst, wenn sie ihre Fracht losgeworden sind, weil kein Hafen in Europa sie damit reinlassen würde.«

Während der Conte seine Gedanken sammelte, zerbrach Brunetti sich den Kopf darüber, warum überhaupt irgendein europäischer Hafen die Schiffe hatte losfahren lassen, eine Frage, die er dem Conte lieber nicht vorlegen wollte. Stattdessen fragte er: »Was wird nun aus der Fracht?«

»Ihm bleibt nichts anderes übrig, als die Chinesen zu kontaktieren und etwas mit ihnen auszuhandeln. Die wissen natürlich längst Bescheid. Früher oder später erfahren die alles. Sie werden ihn noch eine Weile hinhalten, und er wird ein Vermögen zahlen, um das Zeug loszuwerden.« Als er Brunettis Reaktion bemerkte, versuchte er zu erklären: »Cataldo hat diese Schiffe gechartert, vergiss das nicht: Sie gehören nicht ihm. Und jetzt kreuzen sie im Indischen Ozean herum und warten, bis er einen Hafen für sie gefunden hat, wo sie den Müll abladen können. Jeder Tag kostet ihn eine Stange Geld. Und je länger sie da draußen bleiben, desto mehr Leute erfahren, was sie geladen haben, und desto höher steigt der Preis.«

»Was haben sie geladen?«

»Ich vermute, es handelt sich um Atommüll und hochgiftige Chemikalien«, sagte der Conte so kühl, wie Brunetti ihn selten erlebt hatte. Fast schien es, als sei damit alles gesagt, denn nun wandte er sich wieder dem Porträt der Frau zu, um es aufs Neue zu betrachten. Aber als könne er Brunettis Gedanken lesen, sagte er dann doch noch etwas: »Ich kenne dich, Guido, ich weiß, wie du denkst. Und daher nehme ich an, was ich eben gesagt habe, lässt dich hoffen, jedenfalls ein wenig hoffen, dass ich so etwas wie eine Offenbarung gehabt habe.«

Brunettis Miene blieb unbewegt, weder Bestätigung noch Verneinung dessen, was der Conte gesagt hatte, war darin zu erkennen.

»Ich bin tatsächlich bekehrt, Guido, aber nicht in dem Sinn, wie du es wohl gerne hättest.« Bevor Brunetti sich fragen konnte, was für ein Schwiegervater das dann wohl wäre, fuhr der Conte fort: »Ich habe nicht angefangen, mein Tun und Lassen zu bereuen, Guido, und ich habe mich auch nicht dazu bekehrt, die Welt so zu sehen, wie du sie siehst – oder wie Paola sie sieht.«

»Was ist passiert?«, fragte Brunetti ruhig.

»Ich habe mit Cataldos Anwalt gesprochen: Das hat mich bekehrt. Na ja, um ganz genau zu sein, einer meiner Anwälte hat mit einem seiner Anwälte gesprochen und dabei erfahren, dass Cataldo sich übernommen hat – er fängt schon an, seine Immobilien hier zu verkaufen; und seine Bank hat ihm gesagt, er solle besser keine weiteren Kredite beantragen.« Der Conte wandte sich von dem Porträt ab und wieder seinem Schwiegersohn zu und legte ihm eine Hand auf den Arm. »Das sind gewiss vertrauliche Informationen, Guido, und es wäre mir lieb, wenn du das für dich behalten könntest.«

Brunetti nickte, jetzt verstand er, warum Signorina Elettra das ganze Ausmaß von Cataldos finanziellen Schwierigkeiten nicht hatte erkennen können.

»Habgier, Guido, Habgier«, sagte der Conte zu Brunettis Überraschung. Es war eine Feststellung, kein Werturteil.

»Und was wird jetzt aus ihm?«

»Ich habe keine Ahnung. Noch ist nichts über ihn in die Öffentlichkeit gedrungen, aber wenn das passiert – und das ist nur eine Frage der Zeit –, wird er für sein Geschäft mit den Chinesen keinen Partner mehr finden. Er hat zu lange gewartet.«

»Und was dann?«

»Er wird einen enormen Verlust erleiden.«

»Könntest du ihm helfen?«, fragte Brunetti.

»Wenn ich wollte, könnte ich das wohl«, sagte der Conte und sah ihm ins Gesicht.

»Aber?«

»Aber das wäre ein Fehler.«

»Verstehe«, sagte Brunetti; das brauchte nicht näher erörtert zu werden. »Was wirst du tun?«

»Oh, ich werde das Geschäft mit China machen, aber ohne Cataldo.«

»Allein?«

Der Conte lächelte dünn. »Nein. Mit einem anderen Partner.« Brunetti drängte sich die Frage auf, ob dieser andere womöglich Cataldos Anwalt war. »Alles, was Cataldo mir erzählt hat, war falsch. Er hat von seinen ausgezeichneten Verbindungen nach China gesprochen, aber die hat er nicht. Er hat mir angeboten, von Anfang an als Partner einzusteigen.« Der Conte schloss einen Moment die Augen: Nicht auszudenken, dass jemand so dumm sein konnte, ihm ein solches Angebot zu machen und dabei anzunehmen, er werde schon keine Nachforschungen anstellen.

»Was hast du ihm gesagt?«, fragte Brunetti.

»Dass ich zur Zeit nicht flüssig sei und nicht über das nötige Kapital verfüge, das der von ihm vorgeschlagenen Partnerschaft angemessen wäre.«

»Warum hast du nicht einfach nein gesagt und es dabei belassen?«, sagte Brunetti, dem diese Frage nicht im Geringsten dumm vorkam.

»Weil ich, ehrlich gesagt, immer ein wenig Angst vor

Cataldo gehabt habe, aber diesmal hat es mir nur leid um ihn getan.«

»Und um das, was aus ihm werden wird.«

»Richtig.«

»Aber nicht so sehr, dass du ihm helfen wolltest?«

»Guido. Ich bitte dich.«

17

Brunetti hatte jahrzehntelang Zeit gehabt, sich an die Geschäftsmoral des Conte zu gewöhnen, trotzdem war er überrascht. Sein Blick wanderte wie in plötzlich neuerwachtem Interesse zu dem Porträt der Frau, dann sah er wieder den Conte an. »Und wenn er bankrottgeht?«, fragte Brunetti.

»Ach, Guido«, sagte der Conte, »Leute wie Cataldo sind nie bankrott. Ich sagte, er wird einen Verlust erleiden, aber das wird ihn nicht ruinieren. Er ist seit langer Zeit im Geschäft, und er hatte immer gute Verbindungen zur Politik: Seine Freunde werden sich um ihn kümmern.« Conte Falier lächelte. »Vergeude deine Zeit nicht damit, ihn zu bedauern. Wenn du jemanden bedauern willst, dann bedaure seine Frau.«

»Das tue ich«, gestand Brunetti.

»Ich weiß«, sagte der Conte kühl. »Aber warum? Weil dir eine Frau, die Bücher liest, sympathisch ist?«, fragte er ohne jede Spur von Sarkasmus. Auch der Conte las Bücher, und seine Frage war ganz sachlich gemeint. Er fuhr fort: »Als Cataldo mir den Hof gemacht hat – anders kann man das nicht nennen –, war ich einmal bei den beiden zum Essen eingeladen. Ich saß neben ihr am Tisch, nicht neben ihm, und sie erzählte mir, was sie gerade las. Genau wie bei dir neulich. Und während sie mir von den *Metamorphosen* erzählte, hatte ich die ganze Zeit das Gefühl, dass sie sehr einsam sein müsse. Oder sehr unglücklich.«

»Warum?«, fragte Brunetti und dachte bei dem Titel ihrer Lektüre unwillkürlich wieder an ihr Gesicht und die Veränderungen, die es durchgemacht hatte.

»Nun, sie macht einen gebildeten Eindruck, aber dann ist da auch ihr Gesicht. So auffällig, wie sie geliftet ist, denken die Leute alles Mögliche über sie.«

»Und was denken sie deiner Meinung nach?«

Der Conte versank wieder in der Betrachtung des Frauenporträts. »Uns befremdet dieses Gesicht«, bemerkte er und wies gleichgültig auf das Bild. »Zu ihrer Zeit ist sie vermutlich kaum aufgefallen, vielleicht hielt man sie sogar für attraktiv. Wir hingegen sehen bloß eine viel zu dicke Frau mit fettiger Haut.« Er konnte der Versuchung nicht widerstehen und fügte hinzu: »Nicht viel anders als die Frauen vieler meiner Geschäftspartner.«

Brunetti sah die Ähnlichkeit, sagte aber nichts.

»In unserer Zeit«, fuhr der Conte fort, »fällt jemand auf, der wie Franca Marinello aussieht. Was sie mit ihrem Gesicht angestellt hat, finden die meisten so ungewöhnlich, dass sie ihre Kommentare nicht unterdrücken können.« Er verstummte; Brunetti wartete. Der Conte schloss seufzend die Augen. »Weiß der Himmel, wie viele Ehefrauen meiner Freunde das getan haben: die Augen, das Kinn, dann das ganze Gesicht.« Er öffnete die Augen wieder und betrachtete versonnen das Porträt. »Sie tut also nichts anderes als die anderen, nur hat es bei ihr ein groteskes Ausmaß angenommen.« Er richtete den Blick auf Brunetti. »Warum reden Frauen über sie, als sei sie ein Zombie? Versuchen sie sich weiszumachen, dass sie selbst niemals so weit gehen und so etwas tun würden?«

»Das erklärt aber immer noch nicht, warum sie es getan hat«, sagte Brunetti beim Gedanken an ihr gespenstisches Gesicht.

»Weiß der Himmel«, bestätigte der Conte. »Vielleicht hat sie es Donatella erzählt.«

»Ihr erzählt?« Brunetti fand es unvorstellbar, dass Franca Marinello irgendwem davon erzählt haben könnte, schon gar nicht der Contessa.

»Warum sie es getan hat, meine ich. Die beiden sind seit Francas Studienzeiten miteinander befreundet. Donatella hat einen Cousin, der in ihrer Heimatgegend als Seelsorger arbeitet, und Franca ist irgendwie mit ihm verwandt. Er hat sie Donatellas Obhut empfohlen, als sie nach Venedig ging und dort niemanden kannte. Die beiden sind enge Freundinnen geworden.« Der Conte ließ Brunetti nicht zu Wort kommen. »Frag mich nicht. Ich weiß nicht wie. Ich weiß nur, dass Donatella große Stücke auf sie hält.« Plötzlich fragte er mit verschmitztem Grinsen: »Hat es dich nicht gewundert, dass wir sie dir gegenüber platziert haben?«

Natürlich hatte ihn das gewundert. »Nein, eigentlich nicht«, sagte Brunetti.

»Weil Donatella weiß, wie sehr es Franca fehlt, mit jemandem über die Bücher zu reden, die sie liest. Dir geht es auch so. Daher stimmte sie meiner Vermutung zu, dass es dir Freude machen würde, dich mit ihr zu unterhalten.«

»So war es auch.«

»Gut. Das wird Donatella freuen.«

»Und *ihr*?«, fragte Brunetti

»Wer?«

»Signora Marinello. Hat es ihr Freude gemacht?«

Der Conte sah ihn seltsam an, als überrasche ihn sowohl die steife Anrede als auch die Frage selbst, sagte aber nur: »Keine Ahnung.« Offenbar wollte er nicht weiter über eine Lebende reden, denn er wies jetzt wieder auf das Bild und sagte: »Aber wir haben von Schönheit gesprochen. Jemand muss doch diese Frau für schön genug gehalten haben, dass er sie gemalt oder ein Porträt von ihr in Auftrag gegeben hat, oder?«

Brunetti dachte darüber nach und sagte schließlich zögernd: »Ja.«

»Also wird auch jemand, vielleicht Franca selbst, es schön finden, was sie mit ihrem Gesicht gemacht hat«, sagte der Conte und fuhr in sachlichem Tonfall fort: »Wie ich höre, gibt es noch jemanden, der das schön findet. Du weißt ja, wie es in dieser Stadt zugeht, Guido: Es gibt ständig Gerede.«

»Du meinst Gerede von einem anderen Mann?«

Der Conte nickte. »Donatella deutete neulich so etwas an, aber als ich Näheres wissen wollte, merkte sie, dass sie sich verplappert hatte, und sagte gar nichts mehr.« Er konnte sich die Bemerkung nicht verkneifen: »Ich nehme an, so etwas hast du bei Paola auch schon erlebt.«

»Nein, habe ich nicht«, sagte Brunetti. Nach kurzem Nachdenken fragte er: »Was hast du sonst noch gehört?«

»Nichts. Das sind nicht gerade die Dinge, über die man mit mir spricht.«

Brunetti hatte genug von dem Thema; um das Gespräch über Franca Marinello zu beenden, fragte er unvermittelt: »Worüber wolltest du mit mir reden?«

Der Conte schien enttäuscht – oder gar gekränkt? Brunetti beobachtete ihn, wie er eine Antwort vorbereitete. »Es gab keinen speziellen Grund, Guido. Ich unterhalte mich gern mit dir: Das war alles. Und wir haben so selten die Gelegenheit, ständig kommt etwas dazwischen.« Er schnippte ein Stäubchen von seinem Ärmel, sah Brunetti an und sagte: »Ich hoffe, das macht dir nichts aus.«

Brunetti legte dem Conte eine Hand auf den Unterarm. »Nein, das freut mich sehr, Orazio.« Er konnte gar nicht sagen, wie sehr ihn die Bemerkung des Conte rührte. Dann wandte er sich wieder dem Porträt der Frau zu. »Paola würde wahrscheinlich sagen, das ist das Porträt einer Frau, nicht das einer Dame.«

Der Conte lachte. »Wie recht du hast.« Er stand auf und trat vor das Porträt des jungen Mannes. »Das hier würde ich allerdings gerne haben.« Er ging nach hinten, um mit dem Händler zu sprechen; Brunetti blieb zurück und dachte über die beiden Bilder nach, die zwei Gesichter, die zwei Vorstellungen davon, was Schönheit sei.

Brunetti nahm das sorgfältig verpackte Porträt unter den Arm, und es war schon nach neun, als sie zum Palazzo Falier schlenderten und darüber sprachen, wo das Bild aufgehängt werden sollte.

Die Contessa war nicht da, wie Brunetti zu seiner Enttäuschung erfuhr. In den vergangenen Jahren hatte er ihr Feingefühl und ihren gesunden Menschenverstand schätzen gelernt, und eigentlich hatte er Lust gehabt, sie zu fragen, ob sie mit ihm über Franca Marinello sprechen wolle. So aber verabschiedete er sich von dem ungewöhnlich schweigsamen Conte; das Gespräch mit ihm hatte ihm gutgetan, und er freute sich, dass der Ältere solches Vergnügen an etwas so Schlichtem wie einem neuen Bild empfinden konnte.

Langsam ging er nach Hause, wie jeden Winter leicht verunsichert vom frühen Eintritt der Dunkelheit und bedrückt von der feuchten Kälte, die seit dem Morgen stark zugenommen hatte. Am Fuß der Brücke, wo er Franca Marinello und ihren Mann zum ersten Mal gesehen hatte, lehnte er sich ans Geländer und dachte daran, wie viel er in den letzten Tagen erfahren hatte – keine Woche war das her, stellte er überrascht fest.

Plötzlich dachte er daran, wie der Conte auf seine Frage, warum er ihn habe sprechen wollen, reagiert hatte – die Frage unterstellte, dass nur Eigennutz dahinterstecken konnte. Brunetti hatte sich Sorgen gemacht, er könnte seinen Schwiegervater damit beleidigt haben, eins aber ganz außer Acht gelassen: den Schmerz seines Gegenübers. Es war der Schmerz eines alten Mannes, der die Zurückweisung seiner Familie fürchtete, der Gesichtsausdruck alter Menschen, die sich ängstigten, nicht mehr geliebt zu werden. Das Bild jenes trostlosen Areals in Marghera tauchte aus seiner Erinnerung auf.

»*Sta bene, Signore?*«, fragte ein junger Mann, der neben ihm stehen geblieben war.

Brunetti sah ihn an und lächelte mühsam. »Ja, vielen Dank«, sagte er. »Ich habe nur über etwas nachgedacht.«

Der Junge trug einen knallroten Skiparka, die mit Pelz gesäumte Kapuze umrandete sein Gesicht, das auf einmal leicht unscharf wurde, und Brunetti fragte sich, ob das ein Anzeichen für eine nahende Ohnmacht war. Er blickte über das Wasser hinaus nach der anderen Seite des Canal

Grande, und auch dort war alles verschwommen. Er legte die andere Hand aufs Geländer, blinzelte in der Hoffnung, einen klaren Blick zu bekommen, blinzelte noch einmal.

»Schnee«, sagte er und wandte sich lächelnd wieder dem Jungen zu.

Der sah ihn noch einmal lange an, dann setzte er seinen Weg über die Brücke fort, durch die Tore der Universität.

Am Scheitelpunkt der Brücke, wo es deutlich kühler war, blieb der Schnee auf dem Pflaster liegen. Brunetti behielt eine Hand am Geländer, während er die Brücke überquerte, und ging vorsichtig auf der anderen Seite hinunter. Das Pflaster hier war feucht, aber noch lag zu wenig Schnee, um es rutschig zu machen. Als Kind hatte er Geschichten über Arktisforscher gelesen, die sich durch endlose Schneewüsten ihrem Tod entgegenschleppten: den Kopf in den Wind geduckt, nur von dem einen Gedanken erfüllt, einen Fuß vor den anderen zu setzen und niemals stehen zu bleiben. Auch er setzte jetzt mit letzter Kraft einen Fuß vor den anderen, wollte nur noch ins Warme, an einen Ort, wo er ausruhen und, sei es auch nur für kurze Zeit, dieses unaufhörliche Streben nach einem ewig zurückweichenden Ziel vergessen konnte.

Der Geist von Captain Scott trug ihn die Stufen zu seiner Wohnung hinauf. Der mühsame Marsch dieses Mannes stand ihm so lebhaft vor Augen, dass er, oben angekommen, in Gedanken seine Robbenfellstiefel auszog und den mit Pelz gefütterten Parka auf den Boden fallen ließ. In Wirklichkeit zog er nur seine Schuhe aus und hängte seinen Mantel an einen Haken neben der Tür.

Er horchte in sich hinein: Nein, so müde war er noch

nicht. In der Küche nahm er ein Glas aus dem Schrank und entkorkte den Grappa. Er schenkte sich großzügig ein und ging damit ins Wohnzimmer, wo ihn Dunkelheit erwartete. Als er das Licht anknipste, war der an die Scheiben wirbelnde Schnee nicht mehr zu sehen. Er machte es wieder aus.

Er ließ sich auf dem Sofa nieder, legte sich hin, zog die Füße hoch, streckte die Beine aus und klopfte sich zwei Kissen zurecht. Dann nahm er einen Schluck Grappa, und noch einen. Er sah dem Schneetreiben zu und dachte daran, wie müde Guarino auf einmal gewirkt hatte, als er erkennen musste, dass alle für einen Patta arbeiteten.

Seine Mutter hatte in Augenblicken großer Not immer ein paar Heilige in Reserve gehabt, an die sie sich wenden konnte. Der heilige Gennaro zum Beispiel war für den Schutz der Waisen zuständig; der heilige Mauro behütete die Krüppel, und der heilige Egidio half ihm dabei; die heilige Rosalia wurde in Pestzeiten um Schutz angefleht, und seine Mutter meinte, sie könne auch bei Masern, Mumps und Grippe helfen.

Brunetti lag auf dem Sofa, nippte an seinem Grappa, wartete auf Paola und dachte an die heilige Rita di Cascia, die Schutz vor Einsamkeit bot. »Heilige Rita«, betete er, »*aiutaci.*« Für was aber, fragte er sich, flehte er sie um Hilfe an? Er stellte das leere Glas auf den Tisch und schloss die Augen.

18

Er hörte eine Stimme und stellte sich vor, es sei seine Mutter, die neben ihm betete. Er blieb liegen, glücklich beim Klang ihrer Stimme, auch wenn er wusste, sie war nicht mehr da und er würde sie nie mehr sehen oder hören. Er brauchte die Illusion, die tat ihm gut.

Die Stimme sprach weiter, dann spürte er einen Kuss auf seiner Stirn, wie früher immer, wenn seine Mutter ihn zu Bett gebracht hatte. Aber der Geruch war anders.

»Grappa vor dem Essen?«, fragte sie. »Wirst du jetzt auch anfangen, uns zu schlagen, und in der Gosse enden?«

»Wolltest du nicht essen gehen?«, fragte er zurück.

»Ich bin in letzter Minute abgesprungen«, sagte sie. »Bis zum Restaurant bin ich noch mitgegangen, dann habe ich gesagt, mir sei unwohl – und das stimmte –, und bin nach Hause gekommen.«

Ihre bloße körperliche Anwesenheit erfüllte Brunetti mit Wohlbehagen. Er spürte das Gewicht ihres Körpers auf der Sofakante und schlug die Augen auf. »Ich glaube, dein Vater ist einsam und fürchtet sich davor, alt zu sein.«

»In seinem Alter ist das normal«, sagte sie ruhig.

»Aber das sollte nicht sein!«, protestierte er.

Sie lachte laut auf. »Gefühle hören nicht auf ›sollte‹ und ›sollte nicht‹, Guido. Es gibt Jahr für Jahr genug Morde im Affekt, die das beweisen.« Sie bemerkte seine Reaktion und sagte: »Entschuldige. Ich hätte einen besseren Vergleich wählen sollen. Sagen wir: Heiraten im Affekt?«

»Aber du siehst das auch so?«, fragte Brunetti. »Du kennst ihn besser als ich, also solltest du wissen, was er denkt. Oder empfindet.«

»Glaubst du das wirklich?« Sie rutschte ans Sofaende, tätschelte seine Füße und schob sie hinter sich.

»Natürlich. Du bist doch seine Tochter.«

»Meinst du etwa, Chiara versteht dich besser als jeder andere?«

»Das ist was anderes. Sie ist noch ein Teenager.«

»Das Alter macht also den Unterschied?«

»Hör auf, so zu tun, als seist du Sokrates«, unterbrach er sie. »Habe ich nun recht oder nicht?«

»Dass er sich alt und einsam fühlt?«

»Ja.«

Paola legte ihm eine Hand aufs Schienbein und schnippte einen Krümel Erde vom Aufschlag seiner Hose. Erst nach einer Weile antwortete sie: »Ja, das denke ich auch.« Sie massierte sein Bein. »Aber falls es dich tröstet, ich hatte, seit ich erwachsen bin, den Eindruck, dass er sich einsam fühlt.«

»Wieso?«

»Weil er intelligent und kultiviert ist und bei seiner Arbeit fast ausschließlich mit Leuten zu tun hat, die das nicht sind. Nein«, sagte sie und schnitt ihm die Widerrede ab, indem sie zweimal sachte auf sein Bein klopfte, »bevor du mir widersprichst, will ich zugeben, dass viele von ihnen intelligent sind, aber auf eine ganz andere Weise. Er denkt in abstrakten Zusammenhängen, und die Leute, mit denen er arbeitet, haben meist nur Gewinn und Verlust im Kopf.«

»Er etwa nicht?«, fragte Brunetti ohne jede Spur von Skepsis.

»Natürlich will er Geld verdienen. Wie gesagt, das liegt bei uns in der Familie. Aber das hat ihm nie große Mühe bereitet. Er will den Dingen auf den Grund gehen, sie in größeren Zusammenhängen sehen.«

»Ein gescheiterter Philosoph?«

Sie sah ihn scharf an. »Spar dir die Bosheiten, Guido. Ich weiß, ich kann das nicht gut ausdrücken. Jetzt, wo er nicht mehr darüber hinwegsehen kann, wie alt er ist, beunruhigt ihn die Vorstellung, dass sein Leben ein Fehlschlag gewesen sein könnte.«

»Aber...« Brunetti wusste gar nicht, mit welchem Einwand von seiner langen Liste er anfangen sollte: eine glückliche Ehe, eine wunderbare Tochter, zwei anständige Enkelkinder, Reichtum, finanzieller Erfolg, gesellschaftliche Stellung. Er wackelte mit den Zehen. »Ich verstehe das wirklich nicht.«

»Respekt. Er will von den Leuten respektiert werden. So einfach ist das, denke ich.«

»Aber das tut doch jeder.«

»Du nicht«, gab sie so heftig zurück, dass Brunetti der Gedanke kam, sie habe seit Jahren, vielleicht Jahrzehnten, darauf gewartet, ihm das zu sagen.

Er zog die Füße hinter ihr hervor und richtete sich auf. »Mir ist heute klargeworden, wie gern ich ihn habe«, sagte er.

»Das ist nicht dasselbe«, fauchte sie zurück.

Etwas in Brunetti rastete aus. Er hatte an diesem Tag vor der Leiche eines Mannes gestanden, der jünger war als er und eine Kugel in den Kopf bekommen hatte. Und er vermutete, der Mord an diesem Mann wurde von Männern gedeckt, die ihrem Vater sehr ähnlich waren: reich, mächtig, mit guten Beziehungen zur Politik. Und jetzt wurde von ihm auch noch Respekt verlangt?

Er erwiderte kühl: »Dein Vater hat mir heute erzählt, er wolle in China investieren. Ich habe ihn nicht gefragt, was genau das für eine Investition sein soll, aber im Verlauf unseres Gesprächs erwähnte er so ganz nebenbei, er nehme an, dass die Chinesen Giftmüll nach Tibet schicken und die Bahnstrecke dorthin nur zu diesem Zweck gebaut haben.«

Da er schwieg, fragte Paola schließlich: »Und worauf willst du hinaus?«

»Dass er dort investieren wird; dass ihn das alles überhaupt nicht zu stören scheint.«

Sie starrte ihn an wie einen Fremden. »Und für wen, bitte schön, arbeiten Sie, Commissario Brunetti?«

»Für die Polizia di Stato.«

»Und für wen arbeitet die?«

»Für das Innenministerium.«

»Und für wen arbeitet *das*?«

»Gehen wir jetzt die ganze Nahrungskette rauf bis zum Regierungschef?«, fragte Brunetti.

»Da sind wir schon«, antwortete sie.

Beide verharrten in vorwurfsvollem Schweigen, bis Paola verärgert herausplatzte: »Du arbeitest für *diese* Regierung, und dann wagst du es, meinen Vater zu kritisieren, weil er in China investiert?«

Brunetti holte Luft, um etwas zu sagen, aber in diesem Augenblick stürmten Chiara und Raffi in die Wohnung. Sie machten einen solchen Lärm, dass Paola aufsprang und in den Flur lief, wo die Kinder Schnee von ihren Schuhen trampelten und von ihren Mänteln schüttelten.

»Wie war's beim Horrorfilm-Festival?«, fragte Paola.

»Fürch-ter-lich«, sagte Chiara. »Als Erstes gab es *Godzilla*, der Film ist bald hundert Jahre alt und hat die bescheuertsten Spezialeffekte, die du dir vorstellen kannst.«

»Haben wir das Abendessen verpasst?«, fragte Raffi dazwischen.

»Nein.« Die Erleichterung war Paola deutlich anzuhören. »Ich wollte gerade etwas machen. Zwanzig Minuten?«

Die Kinder nickten, trampelten noch ein bisschen herum, stellten dann sogar ihre Schuhe draußen vor die Tür und gingen in ihre Zimmer. Paola verzog sich in die Küche.

Zufällig gab es als Vorspeise Kalmarsalat; Brunetti wusste, wie furchtsam diese scheuen Meerestiere waren, und nicht viel anders verhielten sich jetzt am Tisch seine Kinder, die immer wieder nach ihrer schweigsamen Mutter sahen und ihre Miene zu deuten versuchten. Polypen besaßen nur ihre Tentakel, um Gefahren wahrzunehmen, seine Kinder hingegen benutzten die Sprache, um sie abzuwenden. Und so hörte Brunetti schweigend zu, wie sie erst mit geheuchelter Begeisterung darum bettelten, an diesem Abend den Abwasch machen zu dürfen, und dann betont artig auf Paolas unbeteiligte Fragen nach der Schule antworteten.

Nach ihrem Ausbruch blieb Paola während der gesamten Mahlzeit ruhig; nur einmal fragte sie, ob jemand etwas von der Lasagne haben wolle, die sie eigentlich für Brunetti in den Ofen gestellt hatte. Brunetti bemerkte, dass die Vorsicht der Kinder sich sogar auf ihr Essverhalten erstreckte: Beide mussten erst zweimal aufgefordert werden, ehe sie

Nachschlag nahmen, und Chiara unterließ es, die nicht gegessenen Erbsen an den Rand ihres Tellers zu schieben, eine Angewohnheit, über die ihre Mutter sich jedes Mal aufregte. Zum Glück sorgten die überbackenen Äpfel mit Vanillecreme allgemein für bessere Stimmung, und als Brunetti seinen Kaffee trank, herrschte wieder so etwas wie Frieden.

Er hatte keine Lust auf einen Grappa, sondern ging ins Schlafzimmer, um Ciceros Reden vor Gericht zu holen, ein Buch, das er nach dem ersten Gespräch mit Franca Marinello noch einmal zu lesen begonnen hatte. Er suchte und fand auch seine Ausgabe von Ovids kleineren Schriften, die er seit Jahrzehnten nicht mehr aufgeschlagen hatte; wenn er mit Cicero fertig war, würde er sich, ebenfalls auf ihre Empfehlung, damit beschäftigen.

Als er ins Wohnzimmer zurückkam, nahm Paola gerade in ihrem Lieblingssessel Platz. Er blieb neben ihr stehen und drehte ihr noch geschlossenes Buch so, dass er den Titel lesen konnte. »Immer noch dem Meister treu?«, fragte er.

»Ich werde Mister James niemals verlassen«, erklärte sie feierlich und schlug das Buch auf. Brunettis Atmung beruhigte sich. Was für ein Glück, dass in ihrer Familie niemand lange schmollte; das Kriegsbeil war begraben.

Er ließ sich auf dem Sofa nieder und streckte sich der Länge nach aus. Nachdem er sich eine Zeitlang in die Verteidigung des Sextus Roscius vertieft hatte, ließ er das Buch auf den Bauch sinken, drehte sich umständlich zu Paola um und sagte: »Ist es nicht seltsam, wie schwer die Römer sich damit taten, Leute ins Gefängnis zu schicken?«

»Auch wenn sie schuldig waren?«

»Besonders wenn sie schuldig waren.«

Sie sah interessiert von ihrem Buch auf. »Was haben sie stattdessen getan?«

»Man sprach sie schuldig, dann ließ man sie laufen. Vor dem Urteilsspruch gab es eine Gnadenfrist, und die meisten nutzten die Gelegenheit und gingen ins Exil.«

»Wie Craxi?«

»Genau.«

»Haben andere Länder auch so viele Vorbestrafte in der Regierung wie wir?«

»Bei den Indern soll es eine ganze Reihe geben«, antwortete Brunetti und kehrte zu seiner Lektüre zurück.

Als Paola ihn nach einiger Zeit kichern und dann laut lachen hörte, sagte sie: »Ich gebe ja zu, dass der Meister mich gelegentlich zum Schmunzeln bringt, aber zum Lachen hat er mich noch nie gebracht.«

»Dann hör dir das an«, sagte Brunetti und las ihr die Stelle vor: »»Die Philosophen erklären sehr zutreffend, dass bereits ein bloßer Gesichtsausdruck ein Verstoß gegen die Kindespflicht sein kann.‹«

»Was meinst du, sollen wir das rauskopieren und an den Kühlschrank kleben?«, fragte sie.

»Moment«, sagte Brunetti und schlug das Buch weiter vorne auf. »Ich habe hier noch was Besseres.«

»Für den Kühlschrank?«

»Nein.« Er suchte nach der Stelle. »Das sollte man an alle öffentlichen Gebäude schreiben, im ganzen Land, am besten in Stein gemeißelt.«

Paola machte eine Handbewegung, als wolle sie ihn zur Eile treiben.

Er blätterte noch ein wenig vor und zurück, dann hatte

er es gefunden. Er hielt das Buch auf Armeslänge vor sich. Dann sah er sie an und erklärte: »Cicero sagt, das seien die Pflichten eines guten Konsuls, aber ich finde, es gilt für alle Politiker.« Sie nickte, und Brunetti deklamierte wie ein Schauspieler: »›Er muss das Leben und die Interessen der Leute schützen, an den Patriotismus seiner Mitbürger appellieren und stets das Wohl der Allgemeinheit über das eigene stellen.‹«

Paola ließ sich das Gehörte durch den Kopf gehen. Dann klappte sie ihr Buch zu und warf es auf den Tisch. »Und ich dachte, *mein* Buch sei frei erfunden.«

19

Am Morgen lag Schnee. Noch bevor er die Augen richtig offen hatte, merkte Brunetti an dem besonderen Licht, dass etwas geschehen war. Als er verschlafen nach den Fenstern sah, erblickte er das Weiß auf dem Geländer der Terrasse und dahinter weiße Dächer und einen Himmel, der so blau war, dass es ihm in den Augen weh tat. Nicht die Spur einer Wolke war zu sehen, als seien sie alle in der Nacht gebügelt und über der Stadt ausgebreitet worden. Er blieb liegen und versuchte sich zu erinnern, wann es das letzte Mal so geschneit hatte und der Schnee nicht sofort wieder vom Regen weggespült worden war.

Er musste wissen, wie tief der Schnee war. In seiner Begeisterung drehte er sich nach Paola um, aber der Anblick ihrer reglosen schlanken Gestalt unter der weißen Decke ließ ihn innehalten, und er gab sich damit zufrieden, allein aus dem Bett zu klettern und sich ans Fenster zu stellen. Der Glockenturm von San Polo war bedeckt, ebenso dahinter der Turm der Frari-Kirche. Er ging den Flur hinunter zu Paolas Arbeitszimmer: Von dort war der Glockenturm von San Marco zu sehen, der goldene Engel auf der Spitze gleißte im Licht. Aus der Ferne drang Glockenläuten zu ihm, das aber vom alles verhüllenden Schnee so verwandelt wurde, dass er nicht sagen konnte, von welcher Kirche es kam; nicht einmal die Richtung hätte er angeben können.

Er ging ins Schlafzimmer zurück und trat wieder ans Fenster. Schon liefen die ersten Spuren winziger Vogelfüße über den Schnee auf der Dachterrasse. Eine führte bis an den Rand und brach dann ab, als habe der Vogel nicht der Versuchung widerstehen können, sich mitten in all dieses Weiß hinabzustürzen. Ohne nachzudenken, öffnete er die Glastür und bückte sich, um den Schnee anzufassen, um festzustellen, ob er von der schweren nassen Sorte war, die sich gut zu Schneebällen verarbeiten ließ, oder eher trocken, so dass er beim Gehen vor einem aufstob.

»Bist du von Sinnen?«, fragte hinter ihm eine entrüstete Stimme unter einem Kissen hervor. Ein jüngerer Brunetti hätte jetzt vielleicht eine Ladung Schnee ans Bett gebracht, aber der hier begnügte sich damit, mit einer Hand einen Abdruck in den Schnee zu machen. Jetzt wusste er, der Schnee war trocken.

Er schloss die Tür und setzte sich aufs Bett. »Es hat geschneit«, sagte er.

Er hob die Hand, die den Abdruck im Schnee hinterlassen hatte, und ließ sie über Paolas Schulter schweben. Obwohl sie von ihm abgewandt lag und ein Kissen überm Kopf hatte, konnte er sie deutlich hören: »Wenn du diese Hand auch nur in meine Nähe bringst, lasse ich mich scheiden und nehme die Kinder mit.«

»Die sind alt genug, darüber selbst zu bestimmen«, antwortete er gelassen wie ein Olympier.

»Ich koche«, sagte sie.

»Stimmt«, gab er seine Niederlage zu.

Sie fiel ins Koma zurück, und Brunetti ging duschen.

Als er eine gute halbe Stunde später die Wohnung verließ, hatte er den ersten Kaffee intus und sogar an seinen Schal gedacht. Und er hatte Stiefel mit Gummisohlen angezogen. Der feine weiche Schnee lag bis zur nächsten Weg-kreuzung unberührt vor ihm. Brunetti schob die Hände in die Manteltaschen und glitt mit einem Fuß vorwärts – um zu testen, wie rutschig das Pflaster war, gaukelte er sich vor. Kein bisschen, stellte er erfreut fest: Man ging wie auf Daunenfedern. Nun kickte er bei jedem Schritt und trieb den Schnee in dicken Wolken vor sich her.

An der Kreuzung drehte er sich um und betrachtete stolz sein Werk. Viele Leute waren schon Richtung Campo gegangen, dort war der Schnee völlig zertrampelt, ja, es gab schon kahle Stellen, wo er wieder zu schmelzen begann. Die Passanten bewegten sich steif und vorsichtig wie Matrosen, die gerade in See gestochen und noch nicht sicher auf den Beinen waren. Dennoch war es Freude, nicht Ängstlichkeit, was er in den meisten Gesichtern sah: wie nach Schulschluss, und jetzt durften sie draußen spielen. Die Leute lächelten sich zu, und jeder hatte etwas über den Schnee zu sagen.

Er kam zu seinem Stammkiosk und kaufte den *Gazzettino*. »Alter Rückfalltäter«, sagte er zu sich selbst, während er die Zeitung entgegennahm. Auf der Titelseite stand ein kleiner Artikel über den Mord in Marghera: nur zwei Sätze und der Hinweis, auf Seite eins des zweiten Teils gehe es weiter. Er schlug auf und las, man habe im Industriegebiet von Marghera die Leiche eines bisher unbekannten Mannes gefunden. Der Mann sei erschossen und im Freien liegen gelassen worden; ein Nachtwächter habe die Leiche entdeckt. Die Carabinieri gingen verschiedenen Spuren nach und hofften, den Toten bald identifizieren zu können.

Brunetti wunderte sich, wie beiläufig das geschrieben war, fast als ob der frei erfundene Wachmann täglich über

Leichen stolpern würde. Es gab keine Beschreibung des Toten, keinen Hinweis auf den genauen Fundort oder darauf,
dass er Carabiniere gewesen war. Brunetti hätte gern gewusst, wer diese Halbwahrheiten und Lügen in die Welt gesetzt hatte und warum.

Am Fuß der Rialto-Brücke faltete er die Zeitung zusammen und klemmte sie unter den Arm. Auf der anderen Seite
angekommen, konnte er sich nicht entscheiden, ob er weiter
zu Fuß gehen oder das Vaporetto nehmen sollte. Schließlich
nahm er das Boot, weil er von dort aus die schneebedeckte
Piazza San Marco in Augenschein nehmen konnte.

Er entschied sich für die schnellere Nummer 2, blieb an
Deck und ließ sich, als sie den Canal Grande hinauffuhren,
von der Verwandlung verzaubern, die über Nacht mit der
Stadt vor sich gegangen war. Die Bootsstege waren weiß, die
Planen auf den schlafenden Gondeln waren weiß; ebenso die
kleineren, noch unbenutzten *calli,* die vom Canal Grande
aus zu den verschiedenen Herzen der Stadt führten. Als sie
an der Commune vorbeiglitten, fiel ihm auf, wie schmutzig
der Schnee so viele Gebäude aussehen ließ; nur die ocker-
farbenen und roten wirkten bei dem Kontrast noch ansehn-
lich. Der Palazzo Mocenigo erinnerte ihn daran, wie er dort
einmal mit seinem Onkel gewesen war; warum, wusste er
nicht mehr. Dann erschien rechts der Palazzo Foscari, fili-
graner Schnee auf allen Fenstersimsen. Links sah er den Palazzo Grassi, der zum reizlosen Lagerhaus für zweitklassige
Kunst verkommen war; auf den Holzstufen der Accademia-
Brücke hielten die Leute sich am Geländer fest. Als sie unter der Brücke hindurchgefahren waren, blickte er zurück
und beobachtete das Gleiche auf der anderen Seite: Offenbar

war Holz viel tückischer als Stein, besonders wenn man beim Gehen das Gefühl hatte, nach vorn zu kippen.

Dann erreichten sie die Piazzetta, und die Blendung durch den Schnee zwischen Bibliothek und Palast war so stark, dass Brunetti sich eine Hand vor die Augen halten musste. Der gute alte San Teodoro stand noch immer auf seiner Säule und stieß mit seinem Speer nach dem Kopf des winzigen Drachen, der ihm zu entkommen suchte – vergeblich selbst jetzt, wo Teodoro durch den Schnee behindert war.

Auf den weißen Kuppeln zeigten sich erste dunkle Flecken, schon schmolz der Schnee in der Morgensonne. Überall tauchten Heilige auf, ein Löwe flog vorbei, Boote hupten einander zu, und Brunetti schloss vor Wonne die Augen.

Als er sie wieder aufmachte, hatten sie die Brücke erreicht, auf der sich selbst zu dieser Stunde Scharen von Touristen drängten, die sich alle an der Stelle fotografieren lassen wollten, wo so viele Menschen ein letztes Mal haltgemacht hatten, bevor sie ins Gefängnis, in die Folterkammer oder zur Hinrichtung geführt worden waren.

Hier war der Schnee schon fast weg, und als er bei San Zaccaria ausstieg, war nur noch so wenig übrig, dass seine Stiefel ihm bloß noch lästig und peinlich waren.

Der Wachmann am Eingang grüßte ihn träge. Brunetti fragte nach Vianello, aber der Ispettore war noch nicht eingetroffen. Ebenso wenig der Vice-Questore – Brunetti stellte sich Patta zu Hause im Schlafanzug vor, irgendjemand würde ihm schon einen Brief des Inhalts tippen, er könne wegen des Schnees erst später zur Arbeit kommen.

Er trat in Signorina Elettras Büro.

Statt ihn zu grüßen, bemerkte sie als Erstes: »Sie haben mir nicht gesagt, dass Sie ein Foto von ihm gesehen haben.« Sie trug ein schwarzes Kleid und eine Seidenjacke in einer Farbe, wie man sie von den Gewändern buddhistischer Mönche kennt. Das heitere Orange bildete einen scharfen Kontrast zur Nüchternheit ihrer Stimme.

»Richtig«, antwortete er sachlich. »Das stimmt.«

»War es sehr schlimm? Für ihn?«, fragte sie. Brunetti war erleichtert, weil sie damit indirekt mitteilte, dass sie zwar von dem Foto gehört, es aber nicht gesehen habe.

Er verzichtete darauf, das Geschehene zu beschönigen. »Es ging sehr schnell. Offensichtlich kam es für ihn aus heiterem Himmel.«

»Wie können Sie da so sicher sein?«

Er sah Guarino vor sich auf dem Boden liegen: seinen zertrümmerten Kiefer. »Das brauchen Sie nicht zu wissen. Glauben Sie mir einfach.«

»Was war er für ein Mensch?«

Die Frage beunruhigte ihn, weil sich so viele Antworten aufdrängten. Er war Carabiniere. Er war jemand, dem Avisani vorbehaltlos vertraute. Er hatte gegen die Hintermänner illegaler Mülltransporte ermittelt, auch wenn Brunetti nicht viel mehr wusste als das. Er hatte sich für einen leicht aufbrausenden Mann interessiert, einen Spieler, der nicht gern verlor und der wahrscheinlich Antonio Terrasini hieß. Er lebte von seiner Frau getrennt.

Während ihm das alles durch den Kopf ging, sah er sich gezwungen, seine Zweifel an dem, was Guarino ihm erzählt hatte, endgültig ad acta zu legen. Gewiss, Guarino war ihm ausgewichen und hatte manche Fragen nicht beantwortet, aber mittlerweile war Brunetti überzeugt davon, dass Guarino ihm die Wahrheit gesagt hatte.

»Ich denke, er war ein ehrlicher Mensch«, sagte Brunetti.

Ohne darauf einzugehen, sagte sie: »Das Foto – das ändert gar nichts, oder?« Brunetti brummte verneinend. »Aber irgendwie doch«, sagte sie. »Dadurch kommt es einem wirklicher vor.«

Signorina Elettra war selten um Worte verlegen: Brunetti jedoch fiel jetzt keine passende Antwort ein. Vielleicht gab es keine.

»Aber ich wollte Ihnen eigentlich etwas anderes sagen«, fing sie an, kam jedoch nicht weiter, denn jetzt vernahmen sie Schritte, und gleich darauf erschien Patta in der Tür, eingemummt wie Captain Scott, falls der Polarforscher Zeit und Gelegenheit gehabt hätte, sich in den Geschäften der Mercerie einzukleiden. Er war in einen beigefarbenen Parka mit fellgefütterter Kapuze gehüllt, die nachlässig offen stand, damit auch jeder das Futter sehen konnte. Darunter trug er ein Harris-Tweed-Jackett und einen burgunderroten Rollkragenpullover, vermutlich aus Kaschmirwolle. An den Füßen hatte er Gummistiefel, genau das Modell, auf das Raffi seinen Vater vor einer Woche im Schaufenster von Duca d'Aosta aufmerksam gemacht hatte.

Der Schnee hatte fast jeden, dem Brunetti auf dem Weg zur Arbeit begegnet war, in heitere Stimmung versetzt, bei Patta schien er das Gegenteil bewirkt zu haben. Der Vice-Questore nickte Signorina Elettra zu – nicht direkt barsch, aber auch nicht sehr freundlich – und sagte zu Brunetti: »Kommen Sie in mein Büro.«

Brunetti folgte ihm und wartete, während sein Vorgesetzter sich aus seinem Parka schälte. Patta legte ihn mit dem Futter nach außen – damit das unverwechselbare Burberry-Karo besser zur Geltung kam – auf einen der Stühle vor seinem Schreibtisch und wies Brunetti den anderen zu.

»Kommen da Schwierigkeiten auf uns zu?«, begann Patta ohne Einleitung.

»Sie sprechen von dem Mord, Signore?«

»Selbstverständlich spreche ich von dem Mord. Ein Carabiniere – ein Maggiore, Herrgott noch mal – lässt sich in unserem Zuständigkeitsbereich ermorden. Was geht da vor? Haben die etwa vor, die Sache auf uns abzuwälzen?«

Brunetti überlegte, ob das rhetorische Fragen sein sollten, doch schien ihm Pattas konfuse Entrüstung so echt, dass er antwortete: »Nein, ich weiß nicht, was da vor sich geht, Signore. Aber dass sie uns in die Ermittlungen hineinziehen wollen, möchte ich bezweifeln. Der Capitano, mit dem ich gestern gesprochen habe – es war wohl der, der Sie angerufen hat –, besteht darauf, dass sie den Fall selbst übernehmen wollen.«

Patta war sichtlich erleichtert. »Gut. Das können sie haben. Es ist mir unbegreiflich, wie einem Beamten der Carabinieri so etwas zustoßen konnte. Er hat doch einen recht vernünftigen Eindruck gemacht. Wie konnte er sich einfach so umbringen lassen?«

Die Furien konnten Orest nicht ärger bedrängt haben als die sarkastischen Antworten, die Brunettis Zunge bestürmten, doch er vertrieb sie alle und sagte nur: »Wir wissen nicht, wie es passiert ist, Signore. Vielleicht waren es mehrere Angreifer.«

»Aber trotzdem...«, sagte Patta, verstummte dann aber,

bevor ihm weitere Kritik an Guarinos Leichtsinn über die Lippen kam.

»Wenn Sie meinen, es sei das Beste für uns, Signore...«, fing Brunetti mit schwankender Stimme an, »... aber vielleicht... nein, sollen sie den Fall ruhig übernehmen.«

Patta war plötzlich hellwach. »Erklären Sie sich deutlicher, Brunetti!«

»Als ich mit Guarino gesprochen habe, Signore«, fing Brunetti zögernd an, »hat er mir gesagt, er habe für den Mord in Tessera einen Verdächtigen ermittelt.« Bevor Patta fragen konnte, fuhr er fort: »Der Mord an dem Spediteur. Vor Weihnachten.«

»Ich bin kein Idiot, Brunetti. Ich lese die Unterlagen, das wissen Sie.«

»Selbstverständlich, Signore.«

»Also, was hat er gesagt? Dieser Carabiniere?«

»Er hat mir gesagt, er habe seinen Kollegen den Namen des Verdächtigen verschwiegen.«

»Ausgeschlossen«, sagte Patta. »Natürlich hat er ihnen den Namen genannt.«

»Ich bin mir nicht sicher, ob er ihnen hundertprozentig vertraut hat.« Auch wenn Guarino das nicht gesagt hatte, kam es der Wahrheit vermutlich sehr nahe.

Brunetti beobachtete, wie Patta sich entschied, den Überraschten zu spielen, ließ ihn aber nicht zu Wort kommen. »Das hat er mir selbst gesagt«, log Brunetti.

»Hat er etwa Ihnen den Namen genannt?«, fragte Patta scharf.

»Ja«, antwortete Brunetti ohne weitere Erklärung.

»Warum?« Patta schrie beinahe.

Brunetti wusste, Patta würde ihn nicht verstehen, wenn er erklärte, Guarino habe ihm vertraut, weil er in ihm einen Menschen erkannt habe, der so ehrlich war wie er selbst. Also ließ er das. »Er hatte den Verdacht, dass seine Ermittlungen behindert wurden; er sagte, das wäre nicht das erste Mal. Vielleicht glaubte er, bei uns würden die Ermittlungen sorgfältiger durchgeführt. Und wir könnten den Mörder finden.« Brunetti war versucht, noch mehr Andeutungen zu machen, hielt sich aber zurück und überließ es Patta, die Vorteile abzuwägen. Als der nicht reagierte, ging Brunetti aufs Ganze: »Dann bleibt mir wohl keine Wahl, ich muss den Carabinieri den Namen nennen, oder, Signore?«

Patta starrte seinen Schreibtisch an, als suche er dort nach einer Antwort. »Glauben Sie ihm, was er über den Verdächtigen gesagt hat?«, fragte er schließlich.

»Ja, ich glaube ihm.« Von dem Foto und dem Ausflug ins Casinò brauchte Patta nichts zu wissen: Mit Einzelheiten wollte er sich ohnehin nicht herumschlagen.

»Meinen Sie, wir können die Ermittlungen fortsetzen, ohne dass sie etwas mitbekommen?« Patta hatte tatsächlich »wir« gesagt, und damit stand für Brunetti fest, dass sein Vorgesetzter bereits entschieden hatte, den Fall an sich zu reißen. Jetzt musste Brunetti nur noch dafür sorgen, dass er allein damit betraut wurde.

»Guarino meinte, unsere guten Ortskenntnisse könnten von Vorteil sein, Signore.« Brunetti sprach, als ob weder Patta noch Scarpa Sizilianer wären.

»Ich wünschte, ich könnte das machen«, sagte Patta versonnen.

»Was, Signore?«

»Den Carabinieri diesen Fall wegschnappen. Erst nimmt uns Mestre die eine Mordermittlung weg, und jetzt wollen die Carabinieri auch noch diese hier an sich reißen.« Aus dem abwägenden Vorgesetzten war ein Mann der Tat geworden, die Erleichterung, den Fall loszuwerden, war vergessen. »Das wird ihnen nicht gelingen, solange ich in dieser Stadt der Vice-Questore bin.«

Zum Glück unterließ es Patta, mit der Faust auf den Schreibtisch zu schlagen: Das wäre dann doch zu weit gegangen. Was für ein Jammer, dass Patta nicht im historischen Archiv eines stalinistischen Staates arbeiten konnte: Wie hätte er es geliebt, Fotos zu retuschieren, Altes zu überpinseln und durch Neues zu ersetzen. Geschichtsbücher zu schreiben und dann umzuschreiben: Der Mann hatte eine echte Begabung.

»… und Vianello, nehme ich an«, räumte Patta ein und riss Brunetti aus seinen Träumereien.

»Selbstverständlich, Signore. Wenn Sie das für das Beste halten«, sagte Brunetti und erhob sich – eine Bewegung, die von Pattas Tonfall veranlasst wurde, nicht von dem, was er gerade gesagt und Brunetti nicht gehört hatte.

Er wartete auf eine abschließende Bemerkung Pattas, und als keine kam, ging er in Signorina Elettras Büro. Laut genug, dass es bis zu Patta durchdringen konnte, sagte er: »Wenn Sie mal einen Moment Zeit haben, Signorina, würde ich Sie bitten, ein paar Dinge für mich zu erledigen.«

»Selbstverständlich, Commissario«, sagte sie ebenso laut in die Richtung von Pattas Tür. »Ich habe noch einiges für den Vice-Questore fertig zu machen. Ich melde mich bei Ihnen, sobald ich kann.«

20

Als Brunetti sein Büro betrat, bemerkte er als Erstes das Licht, das durchs Fenster hereinströmte. Drüben gleißte das Kirchendach, an dem noch kleine Schneereste hafteten, dahinter prangte der blankgeputzte Himmel. Der Schnee hatte die Luft vom Schmutz gereinigt, und falls er nach Hause käme, solange es noch hell genug war, würde er von der Küche aus die Berge sehen.

Er trat ans Fenster und widmete sich dem Lichtspiel auf dem Dach gegenüber, während er auf Signorina Elettra wartete. Sie hatte Guarinos Interesse geweckt, und er errötete bei dem Gedanken, wie er sich über ihre Reaktion darauf geärgert hatte. Es gab kein besseres Wort dafür: Er hatte sich *geärgert*. Die zwei hatten sich näherkommen wollen, und Brunetti war dazwischengetreten. Er legte beide Hände flach aufs Fensterbrett und betrachtete seine Finger, aber das half auch nicht gegen sein schlechtes Gewissen. Um sich abzulenken, dachte er an die trockene Bemerkung, die Guarino über die Ähnlichkeit seiner eigenen Sekretärin mit Signorina Elettra gemacht hatte. Hatte sie nicht auch so einen exotischen, opernhaften Namen gehabt – Leonora, Norma, Alcina? Nein, eher was Schwermütiges: Gott, es gab so viele davon.

Gilda. So hieß sie. Gilda Landi. Oder war das eine dieser falschen Fährten, auf die man als Leser von Spionageromanen ständig gelockt wurde? Nein, Guarino hatte das ganz spontan gesagt, und wie war das noch – wie hatte er sie genannt? Die unbezähmbare? Nein, die unersetzliche Signora Landi. Also eine Zivilangestellte.

Er hörte Signorina Elettra eintreten, und als er sich umdrehte, saß sie bereits auf einem Stuhl vor seinem Schreibtisch. Sie wandte ihm das Gesicht zu, sah aber an ihm vorbei nach dem Dach und dem blauen Himmel dahinter.

Er setzte sich an seinen Schreibtisch und fragte: »Was wollten Sie mir erzählen, Signorina?«

»Dieser Terrasini«, sagte sie. »Antonio. Das scheint sein richtiger Name zu sein.« Sie hatte eine Akte mitgebracht, ließ sie aber ungeöffnet.

Brunetti nickte.

»Er gehört zur Terrasini-Familie in Aspromonte, einer der Bosse ist sein Onkel.«

Sofort überschlugen sich seine Gedanken, aber auch wenn es tatsächlich irgendwelche Verbindungen zu Guarinos Tod geben mochte, blieb doch immer die unumstößliche Tatsache, dass er keinen Grund hatte, den Mann zu verhören, geschweige denn, ihn festzunehmen. Guarino hatte ihm nie etwas zu dem Foto gesagt und würde es auch nicht mehr tun.

»Wie haben Sie das herausgefunden?«, fragte er.

»Wir haben ihn in den Akten, Signore. Als er die ersten Male festgenommen wurde, hat er diesen Namen benutzt, später dann auch verschiedene andere.« Sie sah Brunetti an. »Ich verstehe nur nicht, warum er im Casinò seinen richtigen Namen angegeben hat.«

»Vielleicht weil man dort Ausweise sorgfältiger prüft, als wir es tun«, sagte er. Er hatte das ironisch gemeint, aber plötzlich kam es ihm vor, als könnte er damit den Nagel auf den Kopf getroffen haben.

»Weswegen wurde er festgenommen?«, fragte er.

»Das Übliche«, antwortete sie. »Körperverletzung, Erpressung, Drogenhandel, Vergewaltigung – das alles am Anfang seiner Karriere.« Sie holte Luft. »Dann hat er sich gesteigert: Beziehungen zur Camorra. Mord in zwei Fällen, bei denen es aber nicht zum Prozess gekommen ist.«

»Warum?«

»Im einen Fall ist der Hauptzeuge verschwunden, im anderen hat der Hauptzeuge seine Aussage zurückgezogen.«

Da sich ein Kommentar erübrigte, fragte Brunetti: »Wo ist er jetzt? Im Gefängnis?«

»Das war er. Wurde aber bei der Amnestie freigelassen, obwohl er erst wenige Monate gesessen hatte.«

»Weswegen?«

»Körperverletzung.«

»Wann wurde er entlassen?«

»Vor fünfzehn Monaten.«

»Weiß man, wo er seitdem gewesen ist?«

»In Mestre.«

»Was hat er dort getan?«

»Bei seinem Onkel gewohnt.«

»Und was macht sein Onkel?«

»Unter anderem besitzt er ein paar Pizzerias: eine in Treviso, eine in Mestre und eine hier, in der Nähe des Bahnhofs.«

»Und was besitzt er noch?«

»Eine Spedition – Lastwagen, die Obst und Gemüse aus dem Süden herbringen.«

»Und was bringen sie zurück?«

»Das habe ich nicht herausfinden können, Signore.«

»Verstehe. Sonst noch was?«

»Früher hat er Lastwagen an Signor Cataldo vermietet.« Sie sagte das mit unbewegter Miene, fast als habe sie den Namen noch nie gehört.

»Verstehe. Und was noch?«

»Der Neffe, Signore: Antonio. Wie es aussieht – aber das sind nur Gerüchte –, hat er was mit Signora Cataldo«, sagte sie mit vollkommen ausdrucksloser Stimme.

Bei Gelegenheiten wie dieser konnte sie Brunetti auf die Palme bringen, aber dann erinnerte er sich an sein Verhalten, als er ins Kreuzfeuer ihres Flirts mit Guarino geraten war, und fragte nur: »Mit der ersten Frau oder mit der zweiten?«

»Mit der zweiten.« Und nach einer Pause: »Die Leute waren ganz wild darauf, mir das zu erzählen.«

»Was genau?«

»Dass er mindestens einmal mit ihr essen gegangen ist, als ihr Mann nicht da war.«

»Dafür könnte es eine harmlose Erklärung geben«, sagte Brunetti.

»Ganz bestimmt, Signore, besonders wenn ihr Mann und sein Onkel gemeinsame geschäftliche Interessen haben.«

Er wusste, sie hatte noch mehr und noch Belastenderes auf Lager, aber er hatte nicht vor, sie danach zu fragen.

Als klar war, dass Brunetti ihr das Feld überließ, sagte sie: »Es wurde auch beobachtet, wie er ihre Wohnung verließ – oder, um genau zu sein: das Gebäude, in dem sie eine Wohnung haben. Um zwei Uhr morgens.«

»Von wem beobachtet?«

»Von Leuten, die dort wohnen.«

»Woher wussten die, wer er war?«, fragte Brunetti.

»Damals wussten sie es noch nicht, aber sie merkten sich sein Gesicht, wie man es eben tut, wenn man so spät nachts einen Unbekannten bei sich im Haus bemerkt. Ein paar Wochen später sahen sie Signora Cataldo in einem Restaurant, zusammen mit demselben Mann, und als sie zu ihr gingen und sie grüßten, blieb ihr nichts anderes übrig, als ihn vorzustellen: Antonio Terrasini.«

»Und wo haben Sie das alles her?«, fragte Brunetti betont beiläufig.

»Als ich mich nach Cataldo erkundigte, bekam ich das als Zugabe. Zweimal.«

»Warum sind bloß alle so versessen darauf, Gerüchte über die Signora zu verbreiten?«, fragte Brunetti in einem gleichgültigen Ton, der es ihr erlaubte, sich zu diesen Leuten zu zählen oder nicht.

Sie wandte sich von ihm ab und sah wieder aus dem Fenster. »Wahrscheinlich hat das nicht direkt mit ihr zu tun, Signore. Denken Sie an das Klischee vom alten Mann, der eine viel jüngere Frau heiratet. Der Volksmund sagt, es ist nur eine Frage der Zeit, bis sie ihn betrügt. Außerdem tratschen die Leute nun einmal gern, besonders über jemanden, der zurückgezogen lebt.«

»Und das tut sie?«

»So sieht es aus, Signore.«

Brunetti sagte nur: »Verstehe.« Inzwischen war der Schnee auf dem Kirchendach vollständig geschmolzen; er glaubte von den Ziegeln Dampf aufsteigen zu sehen.

»Danke, Signorina.«

Franca Marinello und Antonio Terrasini. Eine Frau, von der er etwas zu wissen glaubte, und ein Mann, von dem er sehr viel mehr wissen wollte. Wer hatte noch mal gesagt, sie habe sich *angestrengt*, um Brunetti zu beeindrucken? Paola?

War das so einfach?, fragte er sich. Brauchte eine Frau nur über Bücher zu reden und einen halbwegs vernünftigen Eindruck zu machen, und schon fiel er ihr in die Hand wie eine reife Feige? Erzählte sie ihm erst, sie lese gern Cicero, und traf sich dann zum Essen mit… mit wem, und um dann was zu tun? Wie passte ein Rüpel wie Terrasini da hinein? Obwohl – auf dem Foto sah er nicht rüpelhaft aus. Eher aalglatt.

Er ließ den Abend mit Franca Marinello noch einmal Revue passieren und musste zugeben, ihr Anblick hatte ihn, auch als sie sich schon stundenlang gegenübersaßen, immer wieder aus der Fassung gebracht. Wenn eine Bemerkung von ihm sie amüsierte, konnte er das nur in ihren Augen oder am Tonfall ihrer Antwort erkennen. Sie zeigte immer dieselbe unbewegte Miene, ganz gleich, ob er sie zum Lachen brachte oder ob sie von ihrem Abscheu gegenüber Marcus Antonius sprach.

Sie war noch in den Dreißigern, ihr Mann war fast doppelt so alt. Brauchte sie nicht manchmal die Gesellschaft eines Jüngeren, einen Kräftigeren in ihren Armen? Hatte er sich so sehr mit ihrem Gesicht beschäftigt, dass er alles andere vergessen hatte?

Aber dennoch: warum dieser Gangster? Immer wieder kam Brunetti auf diese Frage zurück. Er und Paola kannten sich genügend in der Stadt aus, um Bescheid zu wissen, welche Frauen der Reichen und Mächtigen Trost in den Armen anderer Männer suchten. Doch dabei blieb man in der Regel unter sich, im Freundes- und Bekanntenkreis: Auf diese Weise war Diskretion gesichert.

Und was sollte dann das Gerede von ihrer Angst vor einer Entführung? Vielleicht hatte Brunetti ihre Geschichte von dem Computereindringling allzu schnell abgetan; womöglich stammten die Spuren in den Firmencomputern gar nicht von Signorina Elettra, sondern von jemand anderem, der sich für Cataldos Vermögen interessierte. Andererseits war es einem Mann mit Terrasinis Vergangenheit zwar ohne weiteres zuzutrauen, dass er auch einmal eine Entführung plante, doch schien er nicht der Typ zu sein, der zu diesem Zweck als Erstes fremde Computer ausforschen würde.

Conte Falier hatte vor Jahren einmal gesagt, ihm sei noch nie jemand begegnet, der unempfindlich gegen Schmeichelei gewesen wäre. Brunetti war damals noch jünger und hatte das so aufgefasst, als billige der Conte die Schmeichelei im Umgang miteinander, doch als er ihn besser kennenlernte, wurde ihm klar, dass dies nur eines der vielen unbestechlichen Urteile des Conte zum Wesen des Menschen gewesen war. »Und Cataldos Frau hat sich angestrengt, um dich zu beeindrucken«, hörte er Paolas Stimme wieder. Wenn er alle Sympathie für die Frau ausklammerte: Wie viel von dem, was sie ihm erzählt hatte, würde er ihr dann noch glauben? Hatte er sich davon bestechen lassen, dass sie Ovids *Fasti* gelesen hatte und er nicht?

21

Brunetti rief im Bereitschaftsraum an und fragte nach Vianello. Der Ispettore hatte keinen Dienst, aber jemand gab den Hörer an Pucetti weiter. Inzwischen wussten alle: Wenn Vianello nicht da war, wollte Brunetti mit Pucetti sprechen. »Kommen Sie bitte mal herauf?«, fragte Brunetti.

Wenige Sekunden, nachdem Brunetti aufgelegt hatte, betrat Pucetti schwungvoll das Büro, die Wangen gerötet, als sei er die Treppe hinaufgelaufen oder -geflogen. »Ja, Commissario?«, sagte er eifrig. Brunetti fand, er habe etwas von einem Hund, der an der Leine zerrte. Offenbar konnte er es kaum erwarten, etwas anderes zu tun als das, was er unten gerade getan hatte.

»Gilda Landi«, sagte Brunetti.

»Ja, Signore?« Pucetti schien nicht überrascht, nur neugierig.

»Eine Zivilangestellte bei den Carabinieri. Das heißt, ich vermute, sie ist eine Zivilperson, und ich vermute, es sind die Carabinieri. Es könnte auch etwas anderes sein. Vielleicht das Innenministerium. Versuchen Sie bitte herauszufinden, wo sie arbeitet und, falls das möglich ist, was genau sie da macht.« Pucetti salutierte hastig und ging los.

Brunetti hatte keinen Grund, sich zu Hause für das Mittagessen abzumelden – außer, dass er den ganzen Vormittag an eine andere Frau gedacht hatte. Als er anrief, stellte Paola keine Fragen, was Brunetti mehr beunruhigte, als wenn sie ungehalten reagiert hätte. Er verließ die Questura und ging nach Castello, wo er in einer der schlimmsten Touristenfallen einen üblen Fraß zu sich nahm; als er ging, fühlte er sich gleichermaßen betrogen wie entlastet, als habe er Abbitte dafür geleistet, dass er Paola nicht die Wahrheit gesagt hatte.

Wieder in der Questura, warf er einen Blick in den Bereitschaftsraum, aber Pucetti war nicht da. Als er dann bei Signorina Elettra eintrat, saß sie an ihrem Computer, und Pucetti stand hinter ihr und sah gebannt den Bildschirm an.

»Ich musste sie um Hilfe bitten, Signore«, erklärte Pucetti. »Allein bin ich nicht weitergekommen. An einer Stelle hätte ich, wenn ich – «

Brunetti winkte ab. »Schon gut. Das hätte ich Ihnen gleich empfehlen sollen.« Dann zu Signorina Elettra, die ihn kurz angesehen hatte: »Ich wollte Sie nicht noch mehr belasten. Ich hatte keine Ahnung, dass das so …« Er verstummte.

Lächelnd sah er sie an, und plötzlich dachte er, die beiden seien so etwas wie seine Ersatzkinder in der Questura, Vianello ihr Onkel. Und was war dann Patta? Der kauzige Großvater? Und Scarpa der böse Stiefbruder? Er riss sich von diesen Gedanken los und fragte: »Haben Sie sie gefunden?«

Pucetti trat zurück und überließ Signorina Elettra die Bühne. »Als Erstes habe ich mir das Innenministerium vorgenommen«, sagte sie. »Man kommt leicht in ihr System rein, bis zu einer gewissen Ebene.« Sie sprach ruhig und sachlich, ohne sich aufzuspielen, ohne die Laxheit zu kritisieren, mit der manche Behörden ihre Informationen hüten. »Als ich nach einiger Zeit dann doch auf verschiedene

Sperren stieß, musste ich mir etwas einfallen lassen.« Als sie Brunettis Miene bemerkte, erklärte sie: »Aber die Einzelheiten spielen wohl keine Rolle.«

Brunetti sah zu Pucetti hinüber und bemerkte den Blick, mit dem der Jüngere sie bei diesen Worten anstarrte. Das letzte Mal hatte er diesen Gesichtsausdruck bei einem Drogensüchtigen gesehen, als er ihm seine Spritze aus der Hand geschlagen und sie mit dem Absatz zermalmt hatte.

»... Spezialeinheit zur Untersuchung des Einflusses der Camorra auf die Müllindustrie. Wie sich herausstellt, arbeitet Signorina Landi für das Innenministerium, und zwar schon seit einiger Zeit.«

Er ahnte, dass sie noch sehr viel mehr zu sagen hatte, und fragte: »Was haben Sie sonst noch über sie herausgefunden?«

»Sie ist tatsächlich eine Zivilangestellte, eine ausgebildete Industriechemikerin. Hat in Bologna studiert.«

»Und ihre Aufgaben?«, fragte Brunetti.

»Nach dem wenigen, was ich sehen konnte, bevor ... sie macht die chemischen Analysen zu all dem Zeug, das die Carabinieri finden oder beschlagnahmen.«

»Was wollten Sie da vorhin noch sagen?«, fragte Brunetti.

Sie sah ihn lange an, warf Pucetti einen Blick zu und sagte: »Dass ich das gesehen habe, bevor die Verbindung unterbrochen wurde.«

Brunetti sah erschrocken zu Pattas Bürotür, aber Signorina Elettra konnte ihn beruhigen: »Dottor Patta hat heute Nachmittag eine Besprechung in Padua.«

Brunetti bohrte nach: »Die Verbindung wurde also unterbrochen. Können Sie das einem Ahnungslosen wie mir etwas genauer erklären?«

Sie dachte kurz nach. »Das bedeutet, es gibt dort ein Warnsystem, das sofort alles dichtmacht, wenn es einen unautorisierten Benutzer entdeckt.«

»Können die das zurückverfolgen?«

»Glaube ich kaum«, sagte sie zuversichtlich. »Und falls doch, würden sie bei einem Computer in einer Firma landen, die einem Parlamentsabgeordneten gehört.«

»Das ist die Wahrheit?«, fragte er.

»Ich bemühe mich immer, Ihnen die Wahrheit zu sagen«, antwortete sie, fast schon entrüstet.

»Sie bemühen sich?«

»Ich bemühe mich.«

Brunetti beließ es dabei, wollte ihr aber doch ein wenig Wind aus den Segeln nehmen. »Cataldos Computerleute haben festgestellt, dass jemand versucht hat, in ihr System einzudringen.«

Das bremste ihren Elan vorübergehend, aber dann sagte sie: »Diese Spur führt in dieselbe Firma.«

»Sie nehmen das bemerkenswert leicht, Signorina«, meinte Brunetti.

»Nein, das tue ich nicht. Eher bin ich froh, dass Sie mir das gesagt haben: Ein solcher Fehler wird mir nicht noch einmal unterlaufen.« Damit war das Thema für sie abgeschlossen.

»Arbeitet diese Signorina Landi in derselben Einheit wie Guarino?«, fragte Brunetti.

»Ja. Soweit ich das noch sehen konnte, besteht die Einheit aus vier Männern und zwei Frauen, dazu kommen Dottoressa Landi und ein weiterer Chemiker. Die Einheit hat ihren Sitz in Triest, eine zweite Gruppe arbeitet in Bologna.

Die Namen der anderen weiß ich nicht, und Landi habe ich nur gefunden, weil ich ihren Namen hatte.«

Es wurde still. Pucetti sah schweigend zwischen den beiden hin und her.

»Pucetti?«, sagte Brunetti.

»Wissen Sie, wo er getötet wurde, Signore?«

»In Marghera«, antwortete Signorina Elettra für ihn.

»Dort wurde er gefunden, Signorina«, wandte Pucetti respektvoll ein.

»Sonst noch Fragen, Pucetti?«, wollte Brunetti wissen.

»Wer hat die Leiche dorthin gebracht, wann ist mit dem Ergebnis der Obduktion zu rechnen, warum stand so wenig in der Zeitung, womit war er beschäftigt, als er wo auch immer getötet wurde?«, ratterte Pucetti aufgeregt herunter.

Brunetti bemerkte den Blick und dann das Lächeln, das Signorina Elettra dem jungen Beamten schenkte, als er fertig war. Aber so interessant die Antworten auf alle diese Fragen sein mochten, war doch die erste, zumindest im Augenblick, die wichtigste: Wo war Guarino getötet worden?

»Könnten Sie«, fragte er Signorina Elettra, »mit dieser Dottoressa Landi Kontakt aufnehmen?«

Sie reagierte nicht sofort, und Brunetti fragte sich, ob die Warnsysteme auch anschlagen würden, wenn sie etwas so Banales wie eine Telefonnummer zu ermitteln versuchte. Ihre Augen schienen ins Leere zu blicken, während sie offenbar ein Manöver im Cyberspace plante, das er sowieso niemals verstehen würde.

»In Ordnung«, sagte sie schließlich.

»Und das heißt?«, fragte Brunetti, um Pucetti die dumme Frage zu ersparen.

»Ich besorge Ihnen die Nummer.« Als sie sich erheben wollte, sprang Pucetti hinzu und rückte ihren Stuhl beiseite. »Das geht ohne Risiko«, erklärte sie. »Ich rufe Sie dann an, Signore.«

Brunetti und Pucetti verließen ihr Büro.

Zwanzig Minuten später löste sie ihre Zusage ein und gab ihm Signorina Landis Handynummer durch, aber der Teilnehmer war nicht erreichbar. Und es kam keine Aufforderung, eine Nachricht zu hinterlassen.

Um sich abzulenken, zog Brunetti den ältesten Stapel der Akten heran, die sich auf seinem Schreibtisch angesammelt hatten, zwang sich zur Konzentration und begann sie durchzulesen. Ispettore Vianello hatte von einem Informanten den Tipp bekommen, einmal gewisse Geschäfte in der Calle della Mandola, die in letzter Zeit den Besitzer gewechselt hatten, unter die Lupe zu nehmen. Falls es da, wie der Informant vermutete, um Geldwäsche ging, brauchte er sich keine Gedanken darüber zu machen: Das wäre eine Sache für die Guardia di Finanza.

Außerdem kam er nur selten durch diese Straße und hatte, als er die Schaufensterauslagen vor seinem inneren Auge Revue passieren ließ, nur wenig Anhaltspunkte für etwaige Veränderungen. Das Antiquariat war noch da, ebenso die Apotheke und der Optiker. Die andere Straßenseite war schwieriger, denn dort war manches neu. Geschäfte, die trendiges Olivenöl und Fertigsaucen verkauften, Glaswaren, dann der Obsthändler und der Blumenladen, der im Frühjahr als Erster Flieder nach draußen stellte. Sie könnten sich dort umhören, nahm er an, aber damit kämen sie auch nicht viel weiter als bei den Ermittlungen zu Ranzato. Sollten sie vielleicht in der Straße herumspazieren und die Camorra durch lautes Rufen auffordern, aus ihrem Versteck zu kommen?

Vor Monaten hatte er in einer von Chiaras Tierzeitschriften etwas über eine Krötenart gelesen, die man nach Australien eingeführt hatte, um sie im Kampf gegen Schädlinge einzusetzen, die die Zuckerrohrernte gefährdeten. Da aber die Kröte – war es die Agakröte? – keine natürlichen Feinde besaß, konnte sie sich ungehindert vermehren. Wie sich erst herausstellte, als ihre Ausbreitung auf dem Kontinent nicht mehr zu stoppen war, konnte ihr Gift sogar Hunde und Katzen töten. Agakröten waren selbst dann noch nicht tot, wenn man sie aufspießte, durchbohrte oder mit dem Auto überfuhr. Nur die Krähen hatten gelernt, sie zu töten, indem sie sie auf den Rücken warfen und ihre Eingeweide fraßen.

Gab es einen besseren Vergleich mit der Mafia? Von den Amerikanern nach dem Krieg wieder zum Leben erweckt, um die vermeintliche kommunistische Bedrohung zu bekämpfen, war sie außer Kontrolle geraten und hatte sich wie die Agakröte unaufhaltsam im ganzen Land ausgebreitet. Man konnte sie aufspießen und durchbohren, sie kam immer wieder ins Leben zurück. »Wir brauchen Krähen«, stöhnte Brunetti laut, und als er aufblickte, stand Vianello in der Tür.

»Der Autopsiebericht«, sagte Vianello, als habe er Brunettis Seufzer nicht gehört. Er reichte ihm einen Umschlag und nahm vor dem Schreibtisch Platz, noch bevor Brunetti ihm ein Zeichen gegeben hatte.

Brunetti schlitzte den Umschlag auf und zog die Fotos

heraus; zu seiner Überraschung waren sie nicht größer als Postkarten. Er legte sie auf seinen Schreibtisch, daneben den Bericht. Er sah Vianello an, der sich ebenfalls wunderte, wie klein die Fotos waren.

»Sparmaßnahme, vermute ich«, bemerkte Vianello.

Brunetti klopfte den Stapel zurecht und machte sich ans Studium der Tatortfotos, die er eins nach dem anderen an Vianello weiterreichte. Postkartengröße: War das nicht das neue Italien in Perfektion? Schon entwarf er eine neue Serie von Tourismusplakaten und Souvenirs: die elende Hütte, in der Provenzano verhaftet worden war; die illegal mitten in Nationalparks errichteten Hotelkomplexe; die zwölfjährigen moldawischen Prostituierten am Straßenrand.

Oder vielleicht Spielkarten? Mit Bildern von Leichen? Die Fotos von Toten aus den letzten Jahren, einschließlich Guarino, reichten für ein komplettes Kartenspiel. Vier Farben: Palermo, Reggio Calabria, Neapel, Catania. Und wen könnte man als Joker nehmen? Der für alle anderen einspringen konnte? Er dachte an den Minister, den sie angeblich in der Tasche hatten – der wäre genau der Richtige.

Vianello holte ihn mit einem vorsichtigen Hüsteln aus seinen finsteren Visionen. Brunetti gab ihm das nächste Foto, dann noch eins. Er nahm sie mit wachsendem Interesse entgegen, das letzte riss er ihm fast aus der Hand. Schließlich sah er Brunetti schockiert an. »Das sind Tatortfotos?«, fragte er, als könne er das nur glauben, wenn Brunetti es ihm noch einmal bestätigte.

Brunetti nickte.

»Du warst dort?«, fragte Vianello, aber es klang eher wie eine Feststellung.

Brunetti nickte noch vor sich hin, da warf Vianello schon die Fotos mit der Bildseite nach oben auf den Schreibtisch. »*Gesù bambino,* was sind das für Clowns?« Vianello zeigte wütend auf eins der Fotos, auf dem die Spitzen von drei verschiedenen Paar Schuhen zu sehen waren. »Wer ist das?«, fragte er gereizt. »Was haben die so nah an der Leiche zu suchen, wenn sie fotografiert wird?« Er wies auf die Knieabdrücke. »Und wie kommen die da hin?«

Er schob die Fotos hin und her und fand eins, das aus zwei Metern Entfernung aufgenommen worden war: Hinter der Leiche waren zwei Carabinieri zu sehen, offenbar ins Gespräch vertieft. »Die beiden rauchen«, sagte Vianello. »Und jetzt liegen statt Beweisstücken ihre Kippen in der Asservatenkammer, Herrgott noch mal!«

Dem Ispettore platzte endgültig der Kragen. Er stieß die Bilder in Brunettis Richtung. »Falls die vorhatten, alle Spuren am Tatort zu verwischen, haben sie großartige Arbeit geleistet.«

Vianello presste die Lippen zusammen und zog die Fotos wieder zu sich heran. Nachdem er sie eine Weile herumgeschoben hatte, lagen sie von links nach rechts geordnet so, dass die Kamera jedes Mal etwas näher an den Toten heranrückte. Auf dem ersten waren zwei Meter Boden um die Leiche zu sehen, auf dem zweiten noch einer. Auf beiden war Guarinos ausgestreckte Rechte deutlich in der linken unteren Ecke zu erkennen. Auf dem ersten Foto lag die Hand allein in dem dunkelbraunen Schlamm. Auf dem vierten lag etwa zehn Zentimeter neben der Hand eine Zigarettenkippe. Das letzte Foto zeigte nur Kopf und Brust des Toten, Kragen und Hemd voller Blut.

Vianello konnte es sich nicht verkneifen, das Paradebeispiel für solche Fälle zu nennen: »Alvise hätte keine größere Schweinerei anrichten können.«

»Das denke ich auch«, meinte Brunetti schließlich. »Wir haben es hier mit dem Alvise-Faktor zu tun. Mit menschlicher Dummheit und Fehlverhalten.« Vianello wollte etwas sagen, aber Brunetti sprach weiter: »Ich weiß, es wäre beruhigender, hier eine Verschwörung zu wittern, aber ich glaube wirklich, es ist nur die übliche Schlamperei.«

Vianello antwortete achselzuckend: »Ich habe schon Schlimmeres erlebt.« Dann fragte er: »Was sagt der Bericht?«

Brunetti schlug die Mappe auf, und immer wenn er eine Seite gelesen hatte, gab er sie an Vianello weiter. Guarino war auf der Stelle tot gewesen, die Kugel hatte sein Gehirn durchschlagen und war dann am Unterkiefer ausgetreten. Aber man hatte sie nicht gefunden. Es folgten Mutmaßungen über das Kaliber der Tatwaffe, und am Schluss stand die bloße Feststellung, der Schlamm an Guarinos Jackettaufschlägen und Knien sei anders zusammengesetzt und weise höhere Anteile an Quecksilber, Kadmium, Radium und Arsen auf als der Schlamm, in dem er gelegen habe.

»›Höher‹?«, fragte Vianello, als er Brunetti die Papiere zurückgab. »Gott steh uns bei.«

»Der wird auch der Einzige sein.«

Der Ispettore hob kapitulierend die Hände. »Was machen wir jetzt?«

»Uns bleibt noch Signorina Landi«, antwortete Brunetti zu Vianellos Verblüffung.

22

Brunetti und Dottoressa Landi trafen sich am nächsten Tag vor dem Bahnhof von Casarsa, auf halbem Weg zwischen Venedig und Triest. Er blieb, von der warmen Sonne angenehm überrascht, auf der Eingangstreppe stehen. Wie eine Sonnenblume wandte er sich ihr zu, dann schloss er die Augen.

»Commissario?«, rief eine Frauenstimme aus der Reihe geparkter Autos vor ihm. Er machte die Augen auf und sah eine kleine schwarzhaarige Frau aus einem Wagen steigen. Als Erstes fielen ihm ihre Haare auf, kurzgeschnitten wie bei einem Jungen und feucht glänzend von Gel; sie trug einen gefütterten grauen Parka, und selbst darin wirkte sie schlank und jugendlich.

Er ging die Stufen hinunter zu ihrem Auto. »Dottoressa«, sagte er höflich, »ich möchte Ihnen danken, dass Sie sich bereit erklärt haben, mit mir zu sprechen.« Sie reichte ihm kaum bis an die Schulter und schien höchstens Anfang dreißig zu sein. Sparsam geschminkt, eher nachlässig; von ihrem Lippenstift war kaum noch etwas übrig. Es war ein sonniger Tag hier oben im Friaul, aber sie blinzelte nicht nur wegen der Sonne. Regelmäßige Züge, unauffällige Nase – nur die Frisur und der gequälte Ausdruck prägten sich ein.

Er gab ihr die Hand. »Ich schlage vor, wir gehen irgendwo hin und reden«, sagte sie. Ihre angenehme Stimme hatte einen leicht aspirierenden Akzent. Vielleicht aus der Toskana.

»Gute Idee«, antwortete Brunetti. »Ich kenne mich hier nicht besonders aus.«

»Hier gibt's leider auch nicht viel zu kennen«, sagte sie und stieg ein. Als sie beide angeschnallt waren, ließ sie den Motor an und sagte: »Es gibt ein Restaurant nicht weit von hier.« Schaudernd fügte sie hinzu: »Es ist zu kalt, um draußen zu sitzen.«

»Ganz wie Sie wünschen«, sagte Brunetti.

Sie fuhren durchs Stadtzentrum. Brunetti fiel ein, dass Pasolini hier aufgewachsen war, in Schimpf und Schande von hier geflohen und nach Rom gegangen war. Als sie durch die engen Straßen fuhren, dachte er, welch ein Glück für Pasolini, dass man ihn aus dieser Friedhofsruhe vertrieben hatte. Wie konnte man nur an einem solchen Ort leben?

Schließlich gelangten sie auf eine Autobahn, die links und rechts von Wohn- und Geschäftshäusern und Industriegebäuden gesäumt war. Kein Laub an den Bäumen. Wie öde der Winter hier oben ist, dachte Brunetti. Und dann stellte er sich vor, wie öde die anderen Jahreszeiten sein mochten.

Brunetti war kein Fachmann und konnte nicht beurteilen, ob sie gut fuhr oder nicht. Sie bogen mehrmals ab, durchfuhren Kreisel, kamen auf schmalere Straßen. Nach wenigen Minuten hatte er völlig die Orientierung verloren, und selbst wenn sein Leben davon abgehangen hätte, er hätte nicht mehr sagen können, in welcher Richtung der Bahnhof lag. Sie fuhren an einem kleinen Einkaufszentrum mit einem großen Optikergeschäft vorbei und dann wieder eine Allee mit kahlen Bäumen hinunter. Und schließlich nach links auf einen Parkplatz.

Dottoressa Landi zog den Zündschlüssel und stieg wortlos aus. Tatsächlich hatte sie seit Beginn der Fahrt nichts mehr gesagt, und Brunetti war ebenso stumm geblieben und hatte nur auf ihre Hände und die kümmerliche Landschaft geachtet.

Drinnen führte ein Kellner sie zu einem Ecktisch. Ein anderer Kellner ging zwischen dem Dutzend Tischen umher, legte Besteck und Servietten aus und richtete pedantisch die Stühle. Bratenduft wehte aus der Küche, und Brunetti erkannte den durchdringenden Geruch von gedünsteten Zwiebeln.

Sie bat um einen Caffè macchiato, Brunetti auch.

Sie hängte ihren Parka über die Stuhllehne und setzte sich, ohne abzuwarten, dass jemand ihr dabei half. Er nahm ihr gegenüber Platz. Der Tisch war fürs Mittagessen gedeckt, und sie schob sorgfältig die Serviette beiseite, legte Messer und Gabel darauf und stützte dann beide Arme auf den Tisch.

»Ich weiß nicht, wie wir das machen sollen«, sagte Brunetti, um Zeit zu sparen.

»Was haben wir für Möglichkeiten?«, fragte sie. Ihre Miene war weder freundlich noch das Gegenteil, ihr Blick ruhig und leidenschaftslos wie der einer Juwelierin, die ein Schmuckstück begutachten soll und es am Prüfstein ihres Scharfsinns reibt, um festzustellen, wie viel Gold es enthält.

»Ich gebe Ihnen eine Information, dann geben Sie mir eine, dann bin ich wieder dran und so weiter. Wie beim Spiel, wenn man die Karten aufdeckt«, schlug Brunetti nicht ganz ernst vor.

»Oder aber?«, fragte sie mäßig interessiert.

»Oder aber einer von uns erzählt alles, was er weiß, und dann tut der andere dasselbe.«

»Verschafft das dem Zweiten nicht einen enormen Vorteil?«, fragte sie schon etwas freundlicher.

»Es sei denn, der Erste lügt auch«, antwortete Brunetti.

Zum ersten Mal lächelte sie, und schon sah sie noch jünger aus. »Soll ich dann anfangen?«

»Bitte«, sagte Brunetti. Der Kellner brachte den Kaffee und zwei kleine Gläser Wasser. Die Dottoressa nahm keinen Zucker. Statt zu trinken, schaute sie in die Tasse und schwenkte sie herum.

»Ich habe mit Filippo gesprochen, nachdem er bei Ihnen war.« Sie dachte nach. »Er hat mir erzählt, worum es dabei ging. Um den Mann, bei dessen Identifizierung Sie ihm helfen sollten.« Sie sah ihm in die Augen, dann wieder auf den Schaum in ihrer Tasse. »Wir haben fünf Jahre lang zusammengearbeitet.«

Brunetti trank seinen Kaffee aus und stellte die Tasse auf den Tisch.

Plötzlich schüttelte sie den Kopf. »Nein, so wird das nichts. Wenn ich als Einzige hier was sage.«

»Da haben Sie wahrscheinlich recht«, sagte Brunetti lächelnd.

Zum ersten Mal lachte sie, und er stellte fest, dass ihre Züge, abgesehen von ihrer Trauer, durchaus attraktiv waren. Erleichtert, noch einmal von vorn anfangen zu können, sagte sie: »Ich bin Chemikerin, nicht Polizistin. Aber das habe ich Ihnen bereits gesagt. Oder wussten Sie es schon?«

»Ja.«

»Deshalb überlasse ich den Polizeikram gern den anderen. Aber auch nach so vielen Jahren lerne ich immer noch dazu, manchmal ohne es selbst zu merken. Wenn ich gar nicht darauf achte.« Bisher hatte sie durch nichts zu erkennen gegeben, dass sie und Guarino mehr als Kollegen gewesen waren. Warum versuchte sie dann jetzt so umständlich zu erklären, wie es kam, dass sie so viel von »Polizeikram« verstand?

»Es lässt sich kaum vermeiden, das eine oder andere mitzubekommen«, stimmte Brunetti zu.

»So ist es.« Und dann mit ganz anderer Stimme: »Filippo hat Ihnen von den Transporten erzählt?«

»Ja.«

»So haben wir uns kennengelernt«, sagte sie, und ihre Stimme wurde noch weicher. »Damals wurde eine Ladung auf dem Weg nach Süden beschlagnahmt. Das war vor fünf Jahren. Ich habe das Material chemisch analysiert, und als die Herkunft ermittelt war, habe ich das Erdreich und das Wasser an der Stelle untersucht.« Und dann sagte sie noch: »Filippo war für den Fall zuständig, und von ihm kam der Vorschlag, mich zu seiner Einheit zu versetzen.«

»Manche Freundschaften haben seltsamer angefangen«, bemerkte Brunetti.

Sie hob den Blick und sah ihn lange an. »Ja, das stimmt wohl«, sagte sie und trank endlich ihren Kaffee.

»Worum ging es?«, fragte er, und als sie ihn ratlos ansah: »Was war das für eine Ladung?«

»Pestizide, Krankenhausabfälle, abgelaufene Medikamente.« Und nach einer Pause: »Aber nichts davon stand im Frachtbrief.«

253

»Was stand denn da?«

»Das Übliche: Haushaltsmüll. Als ob es sich um komprimierte Ballen Orangenschalen und Kaffeesatz aus dem Abfalleimer gehandelt hätte.«

»Und wo sollte das Zeug hin?«

»Nach Kampanien«, sagte sie. »In die Verbrennungsanlage.« Als wollte sie sichergehen, dass er die ganze Tragweite dieser Aussage begriff, wiederholte sie: »Pestizide. Krankenhausabfälle. Abgelaufene Medikamente.« Sie nahm einen kleinen Schluck Wasser.

»Vor fünf Jahren?«, fragte er.

»Richtig.«

»Und seither?«

»Hat sich nichts geändert, außer dass es jetzt viel mehr davon gibt.«

»Und wo geht das hin?«

»Manches wird verbrannt, manches wird in Deponien eingelagert.«

»Und der Rest?«

»Es gibt ja noch das Meer«, sagte sie, als sei das das Normalste von der Welt.

»Aha.«

Sie nahm ihren Löffel und legte ihn sorgfältig neben die Tasse. »Es ist genau wie in Somalia, wo sie den Müll früher hingebracht haben. Wo keine Regierung durchgreift, können die machen, was sie wollen.«

Ein Kellner kam an ihren Tisch, und Dottoressa Landi bestellte noch einen Kaffee. Da Brunetti einen zweiten vor dem Mittagessen nicht vertrug, bat er um ein Glas Mineralwasser. Um eine weitere Unterbrechung zu vermeiden, schwieg er bis zur Rückkehr des Kellners, und sie schien damit zufrieden. Zeit verging. Der Kellner kam und stellte ihnen die Getränke hin.

Als er weg war, fing sie von etwas ganz anderem an: »Er hat Sie also nach dem Mann auf dem Foto gefragt.« Ihre Stimme hatte sich beruhigt, als habe sie durch die Aufzählung der Dinge, die sie bisher herausgefunden hatte, einige böse Geister vertrieben.

Brunetti nickte.

»Und?«

Jetzt war es so weit, dachte Brunetti: Jetzt konnte er sich nur noch auf seine Lebenserfahrung und seinen Instinkt verlassen und musste entscheiden, ob er dieser jungen Frau trauen konnte oder nicht. Er kannte seine Schwäche für Frauen in Not – auch wenn er das Ausmaß dieser Schwäche vielleicht noch gar nicht ganz erfasst hatte –, aber er wusste auch, dass sein Instinkt ihn nur selten täuschte. Sie hatte offensichtlich beschlossen, ihn zum Erben des Vertrauens einzusetzen, das Guarino ihr geschenkt hatte, und er sah keinen Grund, ihr mit Argwohn zu begegnen.

»Der Mann heißt Antonio Terrasini«, fing er an. Sie reagierte weder auf den Namen, noch wollte sie wissen, wie er das herausgefunden hatte. »Er gehört zu einem Camorra-Klan.« Er fragte: »Wissen Sie etwas über das Foto?«

Sie rührte umständlich ihren Kaffee um und legte den Löffel auf die Untertasse. »Der Mann, der ermordet wurde…« Sie sah Brunetti hilflos an und hielt sich eine Hand vor den Mund.

»Ranzato?«, half er nach.

Sie nickte erst, dann antwortete sie: »Ja. Filippo hat gesagt, Ranzato habe das Foto gemacht und ihm geschickt.«

»Sonst noch etwas?«

»Nein, nur das.«

»Wann haben Sie ihn das letzte Mal gesehen?«

»Einen Tag bevor er zu Ihnen gefahren ist.«

»Danach nicht mehr?«

»Nein.«

»Hat er Sie angerufen?«

»Ja, zweimal.«

»Was hat er gesagt?«

»Dass er mit Ihnen gesprochen habe und Sie für vertrauenswürdig halte. Und beim zweiten Mal, dass er wieder mit Ihnen gesprochen und Ihnen das Foto geschickt habe.« Sie überlegte. »Er hat gesagt, Sie seien sehr hartnäckig.«

»Ja«, sagte Brunetti, und dann schwiegen sie erst einmal beide.

Sie betrachtete ihren Löffel, als wüsste sie nicht, ob sie ihn nehmen und woanders hinlegen sollte. Und als sie schließlich fragte: »Warum musste er sterben?«, erkannte Brunetti, dass sie sich nur auf dieses Treffen eingelassen hatte, um diese Frage zu stellen. Er konnte ihr keine Antwort geben.

Am anderen Ende des Raums wurden Stimmen laut, aber das waren nur die Kellner. Als Brunetti sie wieder ansah, schien sie genauso froh über die Ablenkung wie er. Er schielte auf seine Uhr: In zwanzig Minuten ging der nächste Zug nach Venedig. Er winkte dem Kellner und bat um die Rechnung.

Nachdem er bezahlt und etwas Trinkgeld auf den Tisch gelegt hatte, gingen sie. Die Sonne schien jetzt kräftiger, und es war ein paar Grad wärmer geworden. Sie warf den Parka auf den Rücksitz ihres Autos und stieg ein. Während der Fahrt schwiegen sie wieder.

Vor dem Bahnhof gab er ihr die Hand. Als er die Beifahrertür aufmachen wollte, sagte sie: »Da ist noch etwas.« Der tiefe Ernst in ihrer Stimme ließ seine Hand am Türgriff innehalten. »Ich denke, das sollte ich Ihnen sagen.« Er drehte sich zu ihr um.

»Vor ungefähr zwei Wochen hat Filippo mir von einem Gerücht erzählt. Chaos in Neapel, die Mülldeponien geschlossen, zu viel Polizei: Deshalb hätten sie die Transporte eingestellt und würden die richtig gefährlichen Sachen jetzt erst einmal irgendwo lagern. Jedenfalls hat er es mir so erzählt.«

»Was heißt ›richtig gefährlich‹?«, fragte Brunetti.

»Hochgiftiges Zeug. Chemikalien. Vielleicht auch nukleare Abfälle. Säuren. Auf jeden Fall Substanzen, die in Containern oder Fässern gelagert werden müssen. Und weil die jeder als gefährlich erkennen kann, wollten sie nicht riskieren, damit durch die Gegend zu fahren, solange die Lage so kritisch war.«

»Hatte er irgendeine Vermutung, wo sie das hingebracht haben könnten?«

»Nicht direkt«, antwortete sie ausweichend, wie ein ehrlicher Mensch es tut, wenn er zu lügen versucht. Er sah ihr direkt in die Augen, bevor sie seinem Blick ausweichen konnte. »Etwas anderes kommt eigentlich nicht in Frage, oder?«, sagte sie.

Paola wäre stolz auf ihn, dachte er, während Dottoressa Landi jetzt seinem Blick standhielt. Er musste an eine Kurzgeschichte denken, auch wenn er nicht mehr wusste, wer sie geschrieben hatte. Hawthorne? Poe? Irgendwas mit Brief im Titel. Versteck den Brief an einem Platz, wo er keinem auffällt: zwischen anderen Briefen. Einfach so. Versteck die Chemikalien zwischen anderen Chemikalien, dann fallen sie keinem auf. »Das erklärt, warum er im Petrochemie-Komplex war«, sagte er.

Ihr Lächeln war unendlich traurig, als sie sagte: »Filippo hat gesagt, Sie seien sehr klug.«

23

Zurück in der Questura, beschloss Brunetti, am unteren Ende der Nahrungskette anzufangen, bei jemandem, mit dem er seit langem nicht gesprochen hatte. Claudio Vizotti war, da gab es nichts zu deuteln, ein widerlicher Zeitgenosse. Vor Jahrzehnten als Klempner bei einer Petrochemie-Fabrik in Marghera angestellt, war er gleich zu Beginn in die Gewerkschaft eingetreten. Dort war er im Lauf der Jahre mühelos in die oberen Ränge aufgestiegen, und jetzt vertrat er Arbeiter nach Betriebsunfällen bei Schadensersatzprozessen gegen ihre Unternehmen. Zum ersten Mal hatte Brunetti mit ihm zu tun bekommen, nachdem Vizotti einen Arbeiter, der beim Sturz von einem schlampig gebauten Gerüst zu Schaden gekommen war, dazu gebracht hatte, seine Klage gegen eine Abfindung von zehntausend Euro zurückzuziehen.

Dann aber stellte sich heraus – während eines Kartenspiels, bei dem ein betrunkener Buchhalter des betroffenen Unternehmens sich über die Gerissenheit der Gewerkschaftsvertreter beklagte –, dass Vizotti tatsächlich insgesamt zwanzigtausend Euro dafür erhalten hatte, dass er den Arbeiter zu dem Vergleich überredet hatte, Geld, das weder bei dem verletzten Arbeiter noch in der Gewerkschaftskasse angekommen war. Die Sache sprach sich herum, aber da das Kartenspiel nicht in Marghera, sondern in Venedig stattgefunden hatte, erfuhren davon nicht die Arbeiter, deren Interessen Vizotti so angelegentlich vertrat, sondern die Polizei. Brunetti bestellte ihn zu einer Vernehmung ein. Anfangs stritt der Gewerkschaftsvertreter entrüstet alles ab und drohte, er werde den Buchhalter wegen Verleumdung und Brunetti wegen Belästigung verklagen. Hier nun wies Brunetti ihn darauf hin, dass der verletzte Arbeiter, ein jähzorniger Mensch, dessen eines Bein jetzt ein paar Zentimeter kürzer als das andere sei, seitdem unter ständigen Schmerzen leide. Noch wisse er nichts von den finanziellen Vereinbarungen, die Vizotti mit seinem Arbeitgeber getroffen habe, aber das könne sich leicht ändern.

Vizotti wurde sofort butterweich und erklärte, er habe das Geld für den Geschädigten lediglich aufbewahren wollen und dann irgendwie vergessen, es an ihn weiterzuleiten: der große Arbeitsdruck, seine Aufgaben bei der Gewerkschaft, so viele Dinge gleichzeitig zu erledigen, so wenig Zeit. Und dann fragte er Brunetti von Mann zu Mann, ob er sich nicht an der Sache beteiligen wolle. Er hatte nicht einmal gezwinkert, als er diesen Vorschlag machte.

Brunetti hatte die Gelegenheit ausgeschlagen und ihm lediglich geraten, sich seinen Namen zu merken, für den Fall, dass sie noch einmal miteinander zu tun bekämen. Jetzt brauchte er einige Minuten, bis er Vizottis Handynummer ermittelt hatte, aber es dauerte keine Sekunde, bis er sich an Brunettis Namen erinnerte.

»Was wollen Sie?«, fragte der Gewerkschaftsvertreter.

Unter normalen Umständen hätte Brunetti ihm eine so unhöfliche Begrüßung übelgenommen, aber jetzt ging er darüber hinweg und sagte ebenso kurz angebunden: »Ich brauche Informationen.«

»Worüber?«

»Über Lagerplätze in Marghera.«

»Versuchen Sie's mal bei der Feuerwehr«, gab Vizotti zurück. »Damit habe ich nichts zu tun.«

»Lagerplätze für Dinge, von denen die Unternehmen nichts wissen wollen«, fuhr Brunetti unbeirrt fort.

Als Vizotti dazu nichts einfiel, fragte Brunetti: »Angenommen, jemand möchte dort irgendwelche Fässer einlagern – wo würde er das tun?«

»Was für Fässer?«

»Fässer mit gefährlichem Inhalt.«

»Keine Drogen?«, fragte Vizotti. Eine interessante Frage, auf die Brunetti jetzt aber nicht näher eingehen wollte.

»Nein, keine Drogen. Flüssigkeiten. Oder Pulver.«

»Wie viele Fässer?«

»Mehrere Lastwagenladungen.«

»Geht es vielleicht um den Mann, den man hier gefunden hat?«

Brunetti sah keinen Grund zu lügen. »Ja«, sagte er.

Es folgte längeres Schweigen; Brunetti hörte Vizotti förmlich abwägen, was für ihn vorteilhafter sei: zu lügen oder die Wahrheit zu sagen. Und wie er den Mann kannte, würde der Eigennutz die Oberhand gewinnen.

»Sie wissen, wo er gefunden wurde?«, fragte Vizotti.

»Ja.«

»Ich habe da etwas mitbekommen – wer das gesagt hat, weiß ich nicht mehr. Jedenfalls ging es um die Lagertanks auf diesem Gelände. Da, wo die Leiche gefunden wurde.«

Brunetti erinnerte sich an die Gegend, die gewaltigen rostzerfressenen Öltanks, die den Hintergrund zu der Leiche am Boden abgegeben hatten.

»Und was haben Sie darüber gehört?«, fragte er ohne jeden Nachdruck.

»Dass einige davon jetzt aussehen, als hätten sie Türen.«

»Verstehe«, sagte Brunetti. »Wenn Sie sonst noch etwas hören, wäre ich –«

Vizotti unterbrach ihn: »Mehr gibt es nicht.« Das Gespräch war beendet.

Brunetti legte leise den Hörer auf. »Tja, ja, ja«, murmelte er. Er fühlte sich hin- und hergerissen. Sie waren für den Fall nicht zuständig, aber Patta hatte ihn darauf angesetzt. Ermittlungen wegen illegaler Mülltransporte waren Sache der Carabinieri, und Brunetti besaß keine richterliche Erlaubnis, Nachforschungen anzustellen oder gar auf eigene Faust eine Razzia durchzuführen. Nun, wenn er und Vianello allein dort hingingen, konnte man das wohl kaum eine Razzia nennen, oder? Sie würden sich lediglich noch einmal den Tatort ansehen.

Er wollte sich gerade auf den Weg zu Vianello machen, als das Telefon klingelte. Er sah es an, ließ es noch dreimal läuten, dann nahm er den Hörer ab.

»Commissario?«, fragte eine Männerstimme.

»Ja.«

»Hier spricht Vasco.«

Brunetti musste erst einmal die Ereignisse der letzten Tage sortieren, und um Zeit zu gewinnen, sagte er: »Schön, dass Sie anrufen.«

»Sie erinnern sich doch an mich?«, fragte der Mann.

»Sicher, sicher«, sagte Brunetti, und mit der Lüge kam die Erinnerung. »Das Casinò. Sind die beiden wieder aufgetaucht?«

»Nein«, sagte Vasco. »Das heißt, ja.« Was denn nun?, hätte Brunetti am liebsten gefragt. Stattdessen wartete er, bis der andere erklärte: »Sie waren hier. Gestern Abend.«

»Und?«

»Terrasini hat viel Geld verloren, etwa vierzigtausend Euro.«

»Und der andere? War das derselbe, der letztes Mal mit ihm da war?«

»Nein«, sagte Vasco. »Das war eine Frau.«

Brunetti bat gar nicht erst um eine Beschreibung; das konnte nur eine gewesen sein. »Wie lange waren die beiden da?«

»Ich hatte meinen freien Abend, Commissario, und der Diensthabende konnte Ihre Nummer nicht finden. Er hat nicht daran gedacht, mich anzurufen, deshalb habe ich erst heute früh davon erfahren.«

»Verstehe«, sagte Brunetti und musste sehr an sich halten, dass er vor Zorn nicht laut losbrüllte. Er riss sich zusammen. »Danke, dass Sie angerufen haben. Ich hoffe ...« Er hörte einfach auf, denn er wusste selbst nicht, was er hoffte.

»Heute Abend kommen sie vielleicht wieder, Commissario«, sagte Vasco mit unverhohlener Befriedigung.

»Wer sagt das?«

»Terrasini. Nachdem er verloren hatte, sagte er dem Croupier, er werde nächstens wiederkommen und sich alles von ihm zurückholen.« Als Brunetti schwieg, fuhr Vasco fort: »So etwas sagt man eigentlich nicht, egal, wie viel man verliert. Es ist ja nicht so, dass der Croupier einem das Geld wegnimmt: Das tut das Casinò, und vor allem die eigene Dummheit, sich einzubilden, man könne das Casinò schlagen.« Vascos Verachtung für Spieler war nicht zu überhören. »Der Croupier hat einem der Aufseher gesagt, er habe sich bedroht gefühlt. Und das ist das Seltsame daran: So denkt ein echter Spieler nicht. Der Croupier hält sich nur an die Regeln, die er gelernt hat. Das Ganze hat nichts Persönliches, und selbstverständlich kann er das Geld nicht behalten, das er einzieht.« Und nach kurzem Nachdenken: »Es sei denn, er ist sehr clever.«

»Was schließen Sie daraus?«, fragte Brunetti. »Sie kennen sich doch mit solchen Leuten aus. Ich nicht.«

»Ich könnte mir denken, dass er nicht sehr oft spielt, jedenfalls nichts, wo er ständig verliert.«

»Gibt es denn auch andere Möglichkeiten?«

»Sicher. Wenn er Karten mit Leuten spielt, die Angst vor ihm haben, lassen sie ihn gewinnen, wenn es irgendwie geht. An so etwas gewöhnt man sich. Solche Typen haben wir hier gelegentlich, meist aus der Dritten Welt. Ich kenne mich mit den Verhältnissen dort nicht aus, aber viele dieser Männer verlieren nicht gern und werden wütend, wenn sie es tun. Vielleicht, weil ihnen das sonst nie passiert. Wir mussten schon einige von ihnen bitten, unser Haus zu verlassen.«

»Aber damals ist er ohne großes Getöse gegangen, oder?«

»Ja«, sagte Vasco schleppend. »Aber da hatte er keine Frau dabei. Wenn eine Frau ihnen zusieht, wollen sie unbedingt gewinnen.«

»Glauben Sie, er kommt zurück?«

Vasco überlegte lange. »Unser Croupier hat viel Erfahrung, und er meint: ja. Ihn kann so leicht nichts schrecken, aber das hat ihn nervös gemacht. Schließlich muss er um drei Uhr morgens nach Hause gehen.«

»Ich komme heute Abend mal vorbei«, sagte Brunetti.

»Gut. Aber vor eins brauchen Sie nicht zu kommen, Commissario. Ich habe in den Unterlagen nachgesehen: Er ist immer erst danach aufgetaucht.«

Brunetti dankte ihm, ohne sich weiter nach der Frau zu erkundigen, und legte auf.

»Warum können wir uns das nicht einfach bei Tageslicht ansehen?«, fragte Vianello, nachdem Brunetti von den zwei Telefonaten erzählt und gesagt hatte, er wolle die beiden Orte in der Dunkelheit aufsuchen. »Wir sind doch die Polizei. Dort wurde ein Toter gefunden. Wir haben jedes Recht, das Gelände abzusuchen. Zumal wir immer noch nicht wissen, wo er ermordet wurde.«

»Es wäre aber besser, wenn niemand merkt, dass wir wissen, wonach wir suchen«, sagte Brunetti.

»Aber das wissen wir ja wirklich nicht«, sagte Vianello. »Wonach wir suchen, meine ich.«

»Wir suchen ein paar Lkw-Ladungen toxische Abfälle, die nicht weit von dort versteckt sind, wo Guarino getötet wurde«, sagte Brunetti. »Das weiß ich von Vizotti.«

»Aber wir wissen nicht, wo er getötet wurde, also wissen wir auch nicht, wo wir nach deinen Fässern suchen sollen.«

»Das sind nicht meine Fässer«, erwiderte Brunetti. »Aber man kann ihn nicht weit transportiert haben, nicht da draußen. Zu viele mögliche Zeugen.«

»Aber es gibt doch keine Zeugen?«, fragte Vianello.

»Man kann nicht einfach so mit einem Toten in diese Fabrikanlagen hineinspazieren, Lorenzo.«

»Ich stelle mir das einfacher vor, als ein paar Lastwagen

mit toxischen Abfällen da hineinzubringen«, erwiderte der Ispettore.

»Heißt das, du willst nicht mitkommen?«, fragte Brunetti.

»Nein, das heißt es selbstverständlich nicht«, sagte Vianello aufgebracht. »Und ins Casinò komme ich auch mit.« Eine Einschränkung konnte er sich aber doch nicht verkneifen: »Falls wir bis eins mit dieser sinnlosen Aktion fertig sind.«

Brunetti ging darüber hinweg. »Wer fährt?«

»Heißt das, du willst keinen Fahrer anfordern?«

»Es wäre mir angenehmer, wenn es jemand wäre, dem wir trauen können.«

»Sieh mich nicht so an«, sagte Vianello. »Ich habe in den letzten fünf Jahren höchstens eine Stunde lang am Steuer gesessen.«

»Wer dann?«

»Pucetti.«

24

Fincantieri baute Kreuzfahrtschiffe im Dreischichtbetrieb; im Industriegebiet herrschte ein ständiges Kommen und Gehen. Als daher um halb zehn an diesem Abend drei Männer in einer unauffälligen Limousine vorfuhren, kam der Wachmann nicht einmal aus seiner Hütte. Er hob nur freundlich die Hand und winkte den Wagen durchs Tor.

»Weißt du noch den Weg?«, fragte Vianello den Commissario, der vorne neben Pucetti auf dem Beifahrersitz des zivilen Polizeifahrzeugs saß. Der Ispettore spähte links und rechts aus den Fenstern. »Das sieht alles so anders aus.«

Brunetti hatte die Wegbeschreibung des Wachmanns vom Vortag noch im Kopf und gab Pucetti entsprechende Anweisungen. Nach wenigen Minuten erreichten sie das rote Gebäude; Brunetti schlug vor, sie sollten das Auto hier stehenlassen und zu Fuß weitergehen. Vianello druckste herum, ob sie vor dem Aufbruch etwas trinken wollten, seine Frau habe darauf bestanden, dass er eine Thermoskanne Tee mit Zitrone und Zucker mitnehmen solle. Als sie dankend ablehnten, fügte er hinzu, er habe auch etwas Whisky mitgebracht, und klopfte auf die Tasche seines Daunenparkas.

In dieser Nacht war beinahe Vollmond, so dass sie Vianellos Taschenlampe eigentlich nicht brauchten und er sie bald wieder einsteckte. Die Quelle des unheimlichen Lichts, in dem sie sich fortbewegten, war schwer auszumachen. Es schien nicht nur von der Abgasfackel hoch oben aus einem Schlot in der Nähe zu kommen, sondern auch von dem vagen Schimmer, der über die *laguna* von Venedig her bis zu ihnen leuchtete: Die Stadt hatte die Dunkelheit besiegt.

Brunetti drehte sich um und sah nach dem roten Gebäude zurück, das nachts nicht mehr rot war. Bei dieser Beleuchtung war nichts mehr sicher. Womöglich waren sie schon über den Fundort von Guarinos Leiche hinaus, aber genauso gut konnten sie noch hundert Meter davon entfernt sein. Vor ihnen erhoben sich die riesigen Öllagertanks, überdimensionale Damesteine auf der endlosen Fläche. Pucetti flüsterte: »Wenn es dort neue Türen gibt – wie kommen wir da rein?«

Als Antwort klopfte Vianello auf seine Parkatasche, woraus Brunetti schloss, dass er sein Einbruchswerkzeug mitgebracht hatte – was für ein Skandal, wenn so etwas bei einem Polizeibeamten gefunden würde. Schockierender war nur noch, wie geschickt Vianello damit umzugehen wusste.

Feine Nebeltröpfchen bedeckten ihre Mäntel, und plötzlich rochen sie auch etwas. Aber das war weder Säure noch der bittere Geruch von Eisen, sondern eine Mischung aus Chemikalien und Gas, die auf der Haut einen Film bildete und in Nase und Augen eine schwache Reizung hervorrief. Besser nicht einatmen; besser nicht weitergehen.

Sie erreichten den ersten Öltank und gingen darum herum, bis sie eine Tür fanden, die offenbar mit einem Schneidbrenner in das Metall geschnitten worden war. Wenige Meter davor blieben sie stehen, und Vianello leuchtete mit der Taschenlampe den Boden ab. Glitschiger Schlamm, gefroren und seit dem letzten Regen vor einigen Wochen unberührt. »Hier war schon lange keiner mehr«, sagte Vianello überflüssigerweise und knipste die Lampe aus.

Beim nächsten war es genauso: keine Fußabdrücke im Schlamm, nur die Spuren irgendeines Tiers: Katze, Hund, Ratte. Keiner von ihnen hatte eine Ahnung.

Sie machten sich auf den Weg zum dritten Tank. Er ragte bedrohlich vor ihnen auf, mindestens zwanzig Meter hoch, dahinter glommen in der Ferne die Lichter des Hafens von San Basilio. Links und rechts flimmerten die Lichterketten der drei Kreuzfahrtschiffe, die auf der anderen Seite der *laguna* vor Anker lagen.

Plötzlich näherte sich von hinten das dumpfe Brummen eines Motors; auf der Suche nach Deckung liefen sie von der Straße weg zu dem Tank und drückten sich an die rostige Wand. Das Brummen wurde immer lauter. Ein Lichtfleck fiel aufs Gelände und kam mit erschreckendem Tempo auf sie zu. Sie drückten sich noch fester an das Metall.

Das Flugzeug schoss mit ohrenbetäubendem Lärm über sie hinweg. Brunetti und Vianello hielten sich die Ohren zu, Pucetti blieb gelassen. Als das Flugzeug verschwunden war, stießen sie sich betäubt von der Wand ab und gingen um den Tank, bis sie die Tür gefunden hatten.

Auch hier leuchtete Vianello den Boden ab, und diesmal erzählte der Schlamm eine ganz andere Geschichte: Deutlich waren Reifenspuren und Fußabdrücke zu sehen. Außerdem war diese Tür nicht schludrig aus dem Metall geschweißt und zum Schutz vor Eindringlingen mit zusammengenagelten Brettern verrammelt worden. Das hier war eine fachgerecht eingebaute Schiebetür, wie manche Garagen sie haben, aber nicht an Privathäusern, sondern an Busbahnhöfen. Oder Lagerhäusern.

Vianello trat näher und untersuchte das Schloss. Sein

Licht fiel auf ein zweites, das etwas höher angebracht war, und dann auf ein drittes, ein Vorhängeschloss, das durch zwei an die Tür und die Tankwand geschweißte Metallringe eingehängt war. »Das obere schaffe ich nicht«, sagte er und wandte sich ab.

»Und was jetzt?«, fragte Brunetti.

Pucetti ging links, dicht am Eisenmantel des Tanks entlang. Nach wenigen Schritten kam er zurück, ließ sich von Vianello die Taschenlampe geben und brach von neuem auf. Brunetti und Vianello hörten seine Schritte, als er sich zur Rückseite des Tanks aufmachte, und ab und zu ein hohles Klappern, wenn er an die Wand schlug. Dann ging das Geräusch seiner Schritte im Heranbrausen eines weiteren Flugzeugs unter, das ihre ganze Welt mit Lärm und Licht erfüllte. Ebenso plötzlich war es weg.

Eine Minute verging, bis es halbwegs still war, aber auch jetzt noch hörten sie Motoren in der Ferne und von irgendwo das Sirren von Stromleitungen. Dann Knirschen von gefrorenem Schlamm, als Pucetti wieder zu ihnen stieß.

»Da hinten ist eine Leiter.« Der junge Polizist konnte seine Aufregung nicht verbergen: Räuber und Gendarm spielen, auf Pirsch mit den Kollegen. »Kommen Sie. Ich zeig's Ihnen.«

Schon war er um die Rundung des Tanks verschwunden. Sie gingen ihm nach, und da stand er und leuchtete mit der Taschenlampe nach oben. Als ihre Augen dem Lichtstrahl folgten, bemerkten sie eine Reihe von Eisensprossen, die etwa zwei Meter über dem Boden anfingen und an der Wand hoch bis ganz nach oben führten.

»Was ist da?«, fragte Vianello.

Pucetti trat zurück, hielt den Strahl aber weiter auf das obere Ende der Leiter gerichtet. »Keine Ahnung. Ich sehe nichts.« Die beiden stellten sich zu ihm, sahen aber auch nichts, nur die letzte Sprosse, eine Handbreite unterhalb der Kante.

»Es gibt nur eine Möglichkeit, das herauszufinden«, sagte Brunetti und kam sich ziemlich verwegen vor. Er schritt auf den Tank zu und streckte die Hände nach der untersten Sprosse aus.

»Warten Sie, Signore«, sagte Pucetti. Er ging hin, schob Brunetti die Lampe in die Tasche, ließ sich auf ein Knie und dann auf das andere nieder und machte sich zu einer menschlichen Fußbank. »Steigen Sie auf meine Schulter, Signore. Das ist einfacher.«

Vor fünf Jahren hätte Brunettis Männlichkeit das Angebot verächtlich zurückgewiesen. Er hob den rechten Fuß, doch als er spürte, wie sich der Stoff vor seiner Brust spannte, stellte er den Fuß wieder ab, knöpfte den Mantel auf, stieg dann auf Pucettis Schulter und packte die Sprossen Nummer zwei und drei. Er zog sich mühelos hoch und setzte mit beiden Füßen gleichzeitig auf der untersten Sprosse auf. Als er loskletterte, hörte er erst Pucetti, dann Vianello etwas rufen. Das Scharren unter ihm trieb ihn immer weiter nach oben; einmal gab es einen dumpfen Krach, als einer der beiden mit dem Fuß die Tankwand traf.

Er hatte mit seinen Kindern den ersten *Spiderman*-Film gesehen und seinen Spaß daran gehabt. Jetzt hatte er selbst das Gefühl, an der Außenwand eines Gebäudes emporzuklettern und dank seiner besonderen Kräfte nicht abstürzen zu können. Er nahm weitere zehn Sprossen, ruhte kurz aus und wollte zu den beiden unter sich hinabsehen, ließ es dann aber lieber bleiben und stieg weiter nach oben.

Die Leiter endete an einer Metallplattform, etwa so groß wie eine Tür. Zum Glück war sie mit einem Geländer abgesichert. Brunetti krabbelte hinauf, stand auf und trat ans hintere Ende, um den beiden Kollegen Platz zu machen. Er nahm die Taschenlampe und leuchtete ihnen, bis Vianello und dann Pucetti auf die Plattform gekrochen waren. Vianello stemmte sich hoch und starrte erschöpft in das grelle Licht. Brunetti richtete die Lampe auf Pucetti: Der strahlte übers ganze Gesicht. Was für ein Abenteuer.

Als Brunetti die Wand ableuchtete, entdeckte er auf seiner Seite der Plattform eine Tür mit eisernem Griff. Er drückte ihn runter, und die Tür schwang auf. Im Innern des Tanks gab es noch so eine Plattform. Er ging hinein und leuchtete den beiden anderen, so dass sie ihm folgen konnten.

Brunetti schnippte mit den Fingern: Gleich darauf kam das Echo, wiederholte sich ein paarmal und verebbte. Er klopfte mit der Taschenlampe auf das Geländer, und auch dieses dumpfe Geräusch hallte durch den Raum.

Er richtete den Lichtstrahl auf eine Treppe, die sich von der Plattform in weitem Bogen an der Innenwand des Tanks nach unten schwang. Das Licht reichte nicht bis ans Ende der Treppe, und in der Finsternis ließ sich unmöglich abschätzen, wie weit es bis zum Boden war.

»Und?«, fragte Vianello.

»Wir gehen runter«, sagte Brunetti.

Um seine Wahrnehmung zu schärfen, machte Brunetti die Taschenlampe aus. Die beiden anderen holten tief Luft: allumfassende Dunkelheit. Die Alten hatten noch gewusst, was Dunkelheit war, während die heute Lebenden sie nur noch künstlich erzeugen konnten, um auch einmal einen Nervenkitzel zu haben. Das hier war Dunkelheit, sonst nichts.

Brunetti machte das Licht wieder an, und er spürte förmlich, wie die beiden sich ein wenig beruhigten. »Vianello«, sagte er, »ich gebe jetzt Pucetti die Lampe, und dann haken wir uns unter und machen uns an den Abstieg.« Er reichte Pucetti die Taschenlampe. »Sie leuchten auf unsere Füße und folgen uns.«

»Ja, Signore«, sagte Pucetti. Vianello streckte die Hand aus und packte Brunettis Arm.

»Abmarsch«, sagte Brunetti. Vianello ging außen, eine Hand am Geländer, den anderen Arm bei Brunetti eingehakt – wie ein gebrechliches Rentnerpärchen, das beim Nachmittagsspaziergang unerwartet in Schwierigkeiten gerät. Pucetti hielt das Licht immer auf die Stufe unmittelbar vor ihnen gerichtet und folgte ihnen mehr oder weniger nach Gefühl.

Aber den Rost auf den Stufen konnten sie alle sehen, und Brunetti, der sich neben Vianello eine Treppe hinabzwängte, die gerade breit genug für einen war, spürte nicht nur, wie er mit dem Ärmel die Flocken von der Innenwand schabte, sondern glaubte sie auch zu riechen. Und mit jedem Schritt tiefer in das höllische Dunkel nahm der Geruch zu. Öl, Rost, Metall: Je näher sie dem Boden kamen, desto aufdringlicher wurde der Gestank – oder aber das überwältigende Gefühl, in grenzenloser Dunkelheit eingeschlossen zu sein, schärfte ihre anderen Sinne.

Obwohl er wusste, dass es unmöglich war, glaubte Brunetti, hier unten sei es noch dunkler als oben. »Pucetti, ich bleibe jetzt stehen«, warnte er den jungen Kollegen, damit der ihnen nicht in die Hacken trat. Er hielt an, Vianello mit ihm. »Leuchten Sie mal den Boden an«, sagte er zu Pucetti, der sich ans Geländer lehnte und das Licht in die finstere Tiefe richtete.

Nach oben gewandt, erblickte Brunetti einen mattgrauen Fleck, bei dem es sich um die Tür handeln musste, durch die sie hereingekommen waren; erstaunt stellte er fest, dass sie schon über die Hälfte der Treppe geschafft hatten. Er drehte sich wieder um und sah dem Strahl der Taschenlampe nach: noch vier, fünf Meter bis zum Boden. Die Oberfläche funkelte, als leuchte sie von innen. Aber flüssig war sie nicht, denn wie der Schlamm draußen war sie von starren Wirbeln und Wellen durchzogen. Das Zittern der Lampe verwandelte sie in ein weindunkles Meer.

Ein Frösteln durchlief Vianellos Arm, und auch Brunetti spürte plötzlich die Kälte.

»Was jetzt, Signore?«, fragte Pucetti, indem er mit einem gleichmäßigen Schwenken der Taschenlampe den Raum immer tiefer ausleuchtete. Etwa zwanzig Meter von ihnen entfernt traf er auf ein Hindernis, und Pucetti ließ das Licht langsam daran hinaufgleiten. Das Gebilde war fünf, sechs Meter hoch, ein Massiv aus schwarzen, grauen und gelben Fässern und Plastikbehältern, die ohne erkennbare Ordnung sorglos übereinandergestapelt waren. Einige Fässer ganz oben lehnten müde an ihren Nachbarn, andere in den äußeren Reihen drängten sich aneinander wie Pinguine in der antarktischen Nacht.

Ohne dass man es ihm sagen musste, ließ Pucetti den

Lichtstrahl langsam von einem Ende des Stapels zum anderen wandern, so dass sie die Fässer in der vorderen Reihe zählen konnten. Vianello verkündete leise das Ergebnis. Es waren vierundzwanzig Fässer nebeneinander, in fünf Reihen übereinander.

Brunetti hatte einmal gelesen, ein Fass enthalte hundertfünfzig Liter, vielleicht auch etwas mehr. Oder weniger. Auf jeden Fall mehr als hundert. Er versuchte die Gesamtmenge im Kopf auszurechnen, aber da er weder das genaue Volumen noch die Anzahl der Reihen hinter denen kannte, die sie sehen konnten, kam er nicht über eine grobe Schätzung hinaus: Pro Reihe mochten es ungefähr zwölftausend Liter sein.

Aber die Menge spielte keine Rolle, solange sie nicht herausgefunden hatten, was in den Fässern war. Erst dann konnten sie die Gefahr abschätzen. Das alles ging Brunetti durch den Kopf, während der Lichtstrahl über die Fässer wanderte.

»Das sehen wir uns doch mal näher an«, sagte er leise und ging mit Vianello bis zur untersten Stufe. »Geben Sie mir die Taschenlampe, Pucetti.«

Brunetti löste sich von Vianellos Arm und betrat den Boden des Tanks. Pucetti schob sich an dem Ispettore vorbei und stellte sich neben Brunetti. »Ich komme mit Ihnen, Signore«, sagte er und beleuchtete den Schlamm um ihre Füße.

Vianello wollte ihnen schon folgen, aber Brunetti legte ihm die Hand auf den Arm. »Ich will erst sehen, wie wir hier rauskommen.« Er war sich bewusst, wie leise sie alle sprachen, als könnte ein Echo Gefahr heraufbeschwören.

Pucetti wies stumm mit dem Lichtstrahl die Treppe hinauf, bis ganz nach oben.

»Nein. Für den Fall, dass es schnell gehen muss.« Brunetti nahm ihm die Taschenlampe aus der Hand. »Wartet hier«, sagte er und ging los. Er strich mit der Linken an der Wand entlang und bewegte sich langsam voran, bis er die Tür und dann die inneren Schlüssellöcher der beiden Schlösser gefunden hatte.

Etwas weiter entdeckte er, worauf er gehofft hatte: einen kleineren Notausgang, der in die große Tür eingelassen war. Brunetti sah kein Hinweisschild auf eine Alarmanlage, und auch sonst deutete nichts darauf hin, keine Kabel oder Drähte. Er drückte den Griff nach unten, und die Tür schwang auf gutgeölten Angeln nach außen. Frische Luft strich ihm übers Gesicht und erinnerte ihn daran, was für ein entsetzlicher Gestank im Inneren herrschte. Kurz spielte er mit der Idee, die Tür aufzulassen, entschied sich dann aber dagegen. Kaum hatte er sie zugezogen, war der Gestank wieder da.

Er tastete sich zu den anderen zurück. Bevor er etwas sagen konnte, trat Pucetti an ihn heran und hakte sich bei ihm unter – eine beschützende Geste, die Brunetti geradezu rührend fand. Vorsichtig, Arm in Arm, gingen sie los, setzten behutsam einen Schritt vor den anderen und blieben immer wieder stehen, um sich zu vergewissern, dass sie mit beiden Füßen sicheren Halt auf den glitschigen Unebenheiten des gefrorenen Bodens hatten. Auf diese Weise brauchten sie ziemlich lange, bis sie vor dem breiten Turm aus Fässern angekommen waren.

Brunetti ließ das Licht über die Fässer wandern, irgendwo musste doch ein Hinweis zu finden sein, was sie enthielten oder woher sie kamen. Bei den ersten dreien war Fehlanzeige, aber der bleiche Schädel und die gekreuzten Knochen ließen solche Feinheiten ohnehin überflüssig erscheinen. Am nächsten Fass klebten Reste eines weißen Aufklebers, auf dem noch zwei blasse kyrillische Buchstaben zu erkennen waren. Der Behälter daneben brachte nichts, ebenso die drei danach. Aus einem Fass ziemlich am Ende der Reihe war etwas Schwefelgrünes ausgetreten, das im Schlamm eine eingetrocknete Pfütze hinterlassen hatte. Pucetti ließ Brunettis Arm los und ging um das letzte Fass herum. Brunetti folgte ihm und leuchtete die Reihen an der Seite ab. »Achtzehn«, sagte Pucetti. Brunetti, der neunzehn gezählt hatte, nickte und ging zurück, um sich das Fass an der Ecke genauer anzusehen; unterhalb des Deckels entdeckte er einen orangeroten Aufkleber. Die Aufschrift war in Deutsch, das wusste er, auch wenn er die Sprache nicht verstand. »*Achtung!*« Das war deutlich genug. »*Vorsicht Lebensgefahr.*« Auch hier war oben etwas ausgelaufen und hatte sich unten im Schlamm zu einem dunkelgrünen Fleck gesammelt.

»Ich denke, wir haben genug gesehen, Pucetti«, sagte er und wandte sich dorthin, wo er Vianello vermutete.

»Jawohl, Commissario«, sagte Pucetti und kam auf ihn zu.

Brunetti trat zur Seite, rief Vianellos Namen und richtete den Lichtstrahl dorthin, von wo seine Antwort kam. Was dann passierte, sahen sie beide nicht. Er hörte nur, wie Pucetti hinter ihm nach Luft schnappte – vor Schreck, nicht vor Angst –, und dann ein Geräusch, das er erst nachträglich als das Schlittern identifizierte, mit dem Pucettis Fuß auf dem gefrorenen Schlamm nach vorne rutschte.

Etwas krachte ihm in den Rücken, und Entsetzen packte ihn bei der Vorstellung, das sei eins der Fässer. Es folgte ein dumpfer Schlag, dann Stille, dann plötzlich ein Schrei. Pucetti.

Er drehte sich langsam um, achtete auf seine Füße, und erfasste Pucetti mit dem Lichtkegel. Der junge Beamte lag auf den Knien und wischte seine linke Hand am Mantel ab. Er stöhnte. Dann schob er die Hand zwischen seine Knie und rieb sie hektisch an den Hosenbeinen ab.

»*Oddio, oddio*«, jammerte er, und Brunetti sah erschrocken, wie er sich auf die Hand spuckte und sie noch einmal am Stoff seiner Kleidung rieb. Schließlich rappelte er sich hoch.

»Vianello, der Tee«, schrie Brunetti und fuchtelte wild mit der Taschenlampe herum. Wo war Vianello? Wo war die Tür?

»Hier bin ich«, sagte der Ispettore und hielt schon die Thermoskanne bereit, als Brunetti ihn mit der Lampe gefunden hatte. Er zog Pucetti an sich, fasste seinen Unterarm und streckte Vianello die Hand des jungen Kollegen entgegen. Handfläche und Handrücken waren mit den Resten einer schwarzen Substanz bedeckt, die er zum großen Teil schon an seiner Kleidung abgewischt hatte. Die Haut dazwischen war gerötet, stellenweise schälte sie sich ab und blutete schon.

»Das wird weh tun, Roberto«, sagte Vianello. Er hob die Kanne hoch über Pucettis Hand, was Brunetti im ersten Augenblick nicht nachvollziehen konnte. Erst als die dampfende Flüssigkeit herauszulaufen begann, erkannte er, dass der Ispettore sie auf diese Weise wenigstens etwas abzukühlen hoffte, bevor sie über die offenen Wunden rann.

Brunetti verstärkte seinen Griff, aber das war nicht nötig. Pucetti hatte schon verstanden und rührte sich nicht, als der heiße Tee über seine Hand rieselte. Brunetti trat zurück, um die Szene noch besser zu beleuchten. Wo der Tee auf den Boden traf, stieg Dampf auf. Die Zeit schien stillzustehen. »Hier«, sagte Vianello endlich und reichte ihm die Thermoskanne.

Der Ispettore zog seinen Parka aus und riss ein Stück Vlies aus dem Futter. Dann machte er sich sorgfältig wie eine Mutter daran, dem jungen Kollegen die Haut zwischen den Fingern zu reinigen. Als er das meiste von dem klebrigen schwarzen Zeug entfernt hatte, nahm er wieder die Thermoskanne, träufelte noch etwas Tee über Pucettis Hand und achtete genau darauf, dass die Flüssigkeit auch überall hinkam, bevor sie auf den Boden rann.

Als die Kanne leer war, klemmte er sie sich unter den Arm und sagte zu Brunetti: »Gib mir dein Taschentuch.« Brunetti gab es ihm, und Vianello wickelte es um Pucettis Hand und knotete es zu. Dann nahm er die Kanne mit der einen, Pucetti mit der anderen Hand und sagte zu Brunetti: »Bringen wir ihn ins Krankenhaus.«

25

Der Arzt in der Notaufnahme des Krankenhauses in Mestre brauchte fast zwanzig Minuten, bis er Pucettis Hand gesäubert hatte; dazu badete er sie zunächst in einer milden Reinigungsflüssigkeit und anschließend in einem Desinfektionsmittel, um einer Entzündung der verbrannten Stellen vorzubeugen. Er sagte, wer auch immer daran gedacht habe, die Hand zu spülen, habe sie wahrscheinlich gerettet, auf jeden Fall aber dafür gesorgt, dass die Verbrennungen nicht noch sehr viel schlimmer seien. Nachdem er die Hand dick mit Salbe eingeschmiert hatte, verband er sie, bis sie aussah wie ein weißer Boxhandschuh; dann gab er Pucetti noch etwas gegen die Schmerzen und sagte, er solle am nächsten Tag in Venedig ins Krankenhaus gehen und den Verband wechseln lassen, eine Woche lang, täglich.

Vianello blieb bei Pucetti, während Brunetti draußen auf dem Gang mit Ribasso telefonierte, den er nach einigem Hin und Her erreicht hatte. Der Carabiniere schien kein bisschen überrascht und bemerkte, als Brunetti mit seinem Bericht fertig war: »Sie können froh sein, dass meine Scharfschützen Sie in Ruhe gelassen haben.«

»Wie bitte?«

»Meine Leute haben beobachtet, wie Sie reingefahren und die Leiter raufgestiegen sind, aber einer von ihnen ist auf die Idee gekommen, das Kennzeichen zu überprüfen. Gut, dass Sie einen offiziellen Wagen benutzt haben, sonst hätte es Ärger geben können.«

»Seit wann sind Sie schon da?«, fragte Brunetti so gleichgültig, wie es ihm möglich war.

»Seit wir ihn gefunden haben.«

»Sie liegen dort auf der Lauer?«, fragte Brunetti, dem alles Mögliche durch den Kopf schoss.

»Ja, sicher. Es ist doch auffällig, dass die ihn gerade da haben liegen lassen, so nah bei dem Zeug«, sagte Ribasso ohne weitere Erklärung. »Früher oder später kommt garantiert jemand, um das abzuholen.«

»Und wenn nicht?«

»Die werden kommen.«

»Sie scheinen sich ja sehr sicher zu sein.«

»Bin ich auch.«

»Warum?«

»Weil jemand dafür bezahlt worden sein muss, dass er sie das da einlagern lässt; und wenn sie es nicht wegschaffen, wird es Ärger geben.«

»Also warten Sie?«

»Also warten wir«, sagte Ribasso. »Übrigens hatten wir Glück. Die Mordsache Guarino ist einem neuen Richter zugeteilt worden, einer Richterin, und wie es aussieht, nimmt sie die Sache ernst.«

Brunetti wollte ihm seinen Optimismus nicht nehmen und schwieg.

Dann fragte Ribasso: »Was war da mit Ihrem Mann? Meine Leute sagen, Sie mussten ihm in den Wagen helfen.«

»Er ist ausgerutscht und mit einer Hand in den Schlamm geraten.«

Ribasso stöhnte entsetzt auf, aber Brunetti beruhigte ihn: »Er wird schon wieder. Er ist gerade beim Arzt.«

»Rufen Sie von dort aus an? Vom Krankenhaus?«

»Ja.«

»Halten Sie mich über ihn auf dem Laufenden, bitte.«

»Mache ich«, sagte Brunetti. »Wie schlimm ist das Zeug?«

»Der Schlamm? Da sind alle Chemikalien drin, die man sich denken kann.« Nach langem Schweigen fügte er hinzu: »Und Blut.«

Brunetti schwieg noch länger, bevor er fragte: »Guarinos?«

»Ja«, sagte Ribasso. »Es ist derselbe Schlamm wie an seiner Kleidung und den Schuhen.«

»Warum haben Sie mir das nicht gesagt?«

Ribasso schwieg.

»Sie haben die Kugel gefunden?«, fragte Brunetti.

»Ja. Im Schlamm.«

»Verstehe.« Brunetti hörte hinter sich eine Tür aufgehen und sah Vianello herauskommen. »Ich muss Schluss machen.«

»Passen Sie gut auf Ihren Mann auf«, sagte Ribasso.

»Was gibt's, Lorenzo?«, fragte Brunetti und klappte das Handy zu.

Vianello hielt ihm sein eigenes Handy hin. »Griffoni. Bei dir war besetzt. Da hat sie mich angerufen.«

»Was will sie?«, fragte Brunetti.

»Das wollte sie mir nicht verraten«, sagte der Ispettore, gab ihm das *telefonino* und ging wieder.

»Ja?«, sagte Brunetti.

»Ein Mann namens Vasco hat versucht, Sie zu erreichen, aber Ihr Handy war abgeschaltet; dann war besetzt. Da hat er mich angerufen.«

»Was hat er gesagt?«

»Dass der Mann, den Sie suchen, jetzt da ist.«

»Warten Sie kurz«, sagte Brunetti. Er ging ins Behandlungszimmer, wo Vianello an der Wand lehnte. Der Arzt warf Brunetti einen tadelnden Blick zu. »Vasco. Er ist da.«

»Im Casinò?«

»Ja.«

Statt zu antworten, sah Vianello zu Pucetti hinüber, der benommen und mit entblößtem Oberkörper auf der Kante des Untersuchungstischs saß und sich die bandagierte Hand hielt. Jetzt drehte er sich tapfer zu Brunetti um. »Es tut nicht mehr weh, Commissario.«

»Gut«, sagte Brunetti und lächelte aufmunternd. Dann zu Vianello: »Nun?« Er hielt ihm das Handy hin, damit er sah, dass Griffoni noch am Apparat war.

Vianello dachte nach und kam zu einem Entschluss. »Frag sie, ob sie dich begleiten kann«, sagte er. »Zu zweit fallt ihr weniger auf. Ich bleibe hier bei ihm.«

Brunetti nahm das Handy wieder ans Ohr und sagte: »Ich bin in Mestre, im Krankenhaus, aber ich fahre jetzt zum Casinò. In…« Er überschlug die Zeit, die er brauchen würde. »In einer halben Stunde bin ich da. Schaffen Sie das?«

»Ja.«

»Keine Uniform«, sagte er.

»Selbstverständlich.«

»Und schicken Sie mir eine Barkasse zum Piazzale Roma. Die soll mich in zwanzig Minuten abholen.«

»In Ordnung«, sagte sie und legte auf.

Brunetti konnte nicht begreifen, wie sie das geschafft hatte, aber als sein Wagen zwanzig Minuten später am Landesteg der Polizei vorfuhr, erwartete Commissario Claudia Griffoni ihn tatsächlich bereits an Deck eines Taxiboots. Selbst wenn sie eine Uniform getragen hätte, wäre die unter ihrem dunklen Nerzmantel nicht zu sehen gewesen, denn der reichte bis zu den nadelspitzen Krokodillederschuhen, deren hohe Absätze sie so groß wie Brunetti machten.

Sobald er an Deck war, legte das Taxi ab und jagte den Canal Grande hinauf Richtung Casinò. Brunetti erklärte ihr alles, so gut es ging, und schloss mit dem, was Ribasso von seinen Scharfschützen gesagt hatte.

Als er fertig war, fragte sie nur: »Und Pucetti?«

»Seine Hand ist verbrannt; der Arzt sagt, es hätte schlimmer kommen können, das einzige Risiko ist jetzt eine Infektion.«

»Und was war das?«, fragte sie.

»Weiß der Himmel. Irgendein Zeug, das aus den Fässern gelaufen ist.«

»Der arme Junge«, sagte sie mit viel Gefühl, dabei konnte sie höchstens zehn Jahre älter sein als Pucetti.

Als der Palazzo Vendramin Calergi zu ihrer Linken auftauchte, gingen sie an Deck. Der Fahrer hielt auf den Landungssteg zu, legte den Rückwärtsgang ein und brachte das Boot einen Millimeter vor dem Steg zum Stehen. Als Griffoni ihre mit Pailletten besetzte Tasche aufmachte, sagte der Fahrer nur: »Claudia, *per piacere*«, und bot ihr den Arm, um ihr von Bord zu helfen.

Froh, dass er im Krankenhaus daran gedacht hatte, sich mit einem Handtuch Schuhe und Mantel zu säubern, trat

Brunetti dicht hinter ihr auf den roten Teppich, und dann schritten sie Arm in Arm auf die offene Eingangstür zu. Drinnen empfingen sie Licht und Wärme: wie so ganz anders als der Ort, an dem er gerade noch mit Vianello und Pucetti gewesen war. Er sah auf die Uhr: weit nach eins. Schlief Paola schon, oder wartete sie, vielleicht in Gesellschaft von Henry James, auf ihren rechtmäßig angetrauten Ehemann? Er lächelte bei dem Gedanken, und Griffoni fragte: »Was ist?«

»Nichts. Ich habe nur an etwas gedacht.«

Sie warf ihm einen prüfenden Blick zu, dann gingen sie über den Hof und die Treppe hinauf durch den Haupteingang. Am Empfang fragte Brunetti nach Vasco, und als er kurz darauf zu ihnen trat, konnte er weder seine Aufregung noch, als er eine andere Frau an Brunettis Seite bemerkte, seine Überraschung verbergen.

»Commissario Griffoni«, sagte Brunetti und genoss Vascos offenkundige Verblüffung, die er zu überspielen versuchte, indem er sie bat, ihm zu folgen und ihre Mäntel in seinem Büro abzulegen. Dort gab er Brunetti eine Krawatte, und während der sie umband, sagte Vasco: »Er ist oben am Blackjack-Tisch. Seit ungefähr einer Stunde.« Und noch überraschter als zuvor beim Anblick der Kommissarin fügte er hinzu: »Er gewinnt.« Es hörte sich an, als sollte so etwas in diesem Haus eigentlich nicht passieren.

Die beiden Commissari folgten Vasco die Treppe hinauf in den ersten Stock. Alles war so, wie Brunetti es in Erinnerung hatte: dieselben Leute, derselbe Eindruck von körperlichem und moralischem Verfall, dasselbe weiche Licht auf Schultern und Juwelen.

Vasco führte sie durch die Roulettesäle zu dem Raum, in dem Brunetti die Kartenspieler beobachtet hatte. Vor der Tür blieb er stehen und bat sie zu warten, bis er am anderen Ende des Raums angelangt sei. Er habe bereits mit Terrasini zu tun gehabt, der Mann solle besser nicht sehen, dass sie zusammengehörten.

Vasco ging hinein und schlenderte auf einen der Tische zu, die Hände lässig auf dem Rücken wie ein Abteilungsleiter oder ein Bestatter. Brunetti entging nicht, dass Vasco mit dem rechten Zeigefinger auf den Tisch links von ihm deutete, auch wenn seine ganze Aufmerksamkeit auf einen anderen Tisch gerichtet schien.

Als Brunetti dort hinsah, trat gerade jemand vom Tisch weg und gab den Blick auf den jungen Mann frei, der auf der gegenüberliegenden Seite saß. Brunetti erkannte sofort die auffällig schrägstehenden Augenbrauen, die aussahen wie mit geometrischer Präzision aufgemalt. Große dunkle Augen, die ungewöhnlich stark glänzten und nur aus der Iris zu bestehen schienen, ein breiter Mund, schwarzes, gegeltes Haar, das dicht an der linken Braue vorbeiführte, ohne sie zu berühren. Er war unrasiert, und als er seine Karten aufhob, sah Brunetti große Hände mit dicken Fingern, die Hände eines Arbeiters.

Jetzt schob Terrasini einen kleinen Stapel Jetons nach vorne. Der Mann neben ihm warf seine Karten hin. Der Croupier nahm noch eine Karte. Terrasini schüttelte den Kopf. Der Mann neben ihm nahm ebenfalls noch eine Karte, dann warf auch er seine Karten hin. Der Croupier nahm noch eine, dann warf auch er seine Karten auf den Tisch und schob die Jetons in Terrasinis Richtung.

Die Mundwinkel des jungen Mannes bogen sich nach oben, aber nicht erfreut, sondern höhnisch. Der Geber teilte jedem Spieler zwei Karten aus – eine offen, eine verdeckt –, und das Spiel ging weiter. Brunetti sah sich um und bemerkte, dass Griffoni ans hintere Ende des Raums gegangen war, wo sie ihre Aufmerksamkeit zwischen dem Tisch, an dem der junge Mann spielte, und einem anderen zu teilen schien, an dem Vasco sich mit einer Frau in einem gelben Kleid unterhielt.

Als Brunetti sich wieder umwandte, machte der Mann, der eben zur Seite getreten war, noch einen Schritt nach rechts und gab den Blick auf Franca Marinello frei, die hinter Terrasini stand und ihm in die Karten schaute. Terrasini drehte sich zu ihr um, und ihre Lippen bewegten sich. Er kippelte mit seinem Stuhl nach hinten, während die anderen Spieler überlegten, was sie tun sollten, streckte einen Arm aus, legte ihn ihr um die Hüfte und zog sie an sich heran: Als sei ihre Hüfte ein Talisman oder das Knie einer Heiligenstatue, das einem Glück brachte, wenn man es anfasste, so griff er zu: Der Stoff ihres Kleids warf Falten unter seiner Berührung.

Brunetti beobachtete ihr Gesicht. Die Augen sahen nach Terrasinis Hand, dann wieder auf den Tisch. Sie sagte etwas, vielleicht machte sie ihn auf den Croupier aufmerksam. Er zog seine Hand zurück und kippte mit dem Stuhl wieder nach vorn. Ihr Gesichtsausdruck änderte sich nicht. Terrasini bat um eine Karte, die der Croupier vor ihn hinlegte. Terrasini sah sie sich an, schüttelte den Kopf, und der Croupier wandte sich dem nächsten Spieler zu.

Terrasinis Blick wanderte um den Tisch und glitt auf

Brunetti zu, der aber inzwischen sein Taschentuch aus der Brusttasche gezogen hatte und sich die Nase putzte. Als er sich zum Tisch zurückwandte, schob der Croupier gerade wieder Jetons in Terrasinis Richtung.

An dem Tisch entstand leichte Unruhe, als der Croupier plötzlich aufstand und etwas zu den Spielern sagte. Er trat hinter seinen Stuhl, verbeugte sich flüchtig und wurde sogleich von einem anderen Mann in tadellosem Abendanzug abgelöst.

Terrasini nutzte die Gelegenheit, sich ein wenig die Füße zu vertreten. Er stand auf und reckte die Arme über den Kopf wie ein erschöpfter Sportler. Die Bewegung ließ sein Jackett hochrutschen, und Brunetti sah unmittelbar über der linken hinteren Hosentasche den Rand eines Lederhalfters.

Der neue Geber nahm frische Karten und begann sie zu mischen. Bei dem Geräusch ließ Terrasini die Arme sinken und rückte näher an Franca Marinello heran. Wie nebenbei strich er ihr mit beiden Händen über die Brüste und nahm dann wieder Platz. Brunetti sah die Haut um ihren Mund kalkweiß werden, aber sie unternahm keinen Versuch, sich vom Tisch zu entfernen, sondern wandte sich nur ein wenig ab.

Sie blinzelte, behielt aber die Augen vielleicht eine Sekunde zu lang geschlossen. Als sie sie wieder aufschlug, sah sie in Brunettis Richtung. Und erkannte ihn.

Er dachte, sie könnte durch irgendein Zeichen, ein Nicken, ein Lächeln, zu erkennen geben, dass sie ihn bemerkt hatte. Oder gar Terrasini auf ihn hinweisen. Aber sie rührte sich nicht. Sie stand da wie eine Statue, die eine andere Statue anstarrt. Nach einiger Zeit senkte sie den Blick wieder auf die Karten, die vor Terrasini lagen. Das Spiel ging weiter, aber diesmal war es der Croupier, der die Jetons einstrich – so auch beim nächsten und übernächsten Spiel. Dann gewann der Mann rechts neben Terrasini, dann der links neben ihm, und schließlich war wieder der Croupier an der Reihe.

Terrasinis Jetons schmolzen dahin, bis nur noch ein Stapel übrig war, und auch der war bald weg. Er stieß seinen Stuhl nach hinten und sprang auf; der Stuhl fiel um. Der junge Mann ließ beide Hände auf den Tisch krachen, beugte sich weit vor und brüllte den Croupier an. »Das kannst du nicht machen. Das kannst du nicht machen.«

Plötzlich – Brunetti hatte keine Ahnung, wie das so schnell gegangen war – standen Vasco und ein anderer Mann links und rechts neben Terrasini, fassten ihn unter und sprachen leise auf ihn ein. Vascos rechte Hand packte so fest zu, dass die Knöchel weiß hervortraten, und Terrasinis Ärmel warf noch mehr Falten als vorhin Franca Marinellos Kleid.

Während die drei Männer zur Tür gingen, redete Vasco so gelassen auf Terrasini ein, als brächten er und sein Helfer lediglich einen Gast zu seinem Taxiboot. Die Frau im gelben Kleid trat hastig an den Tisch, hob den Stuhl auf, zog ihn heran und setzte sich. Sie öffnete ihr Täschchen und nahm eine Handvoll Jetons heraus.

Brunetti sah Griffoni zur Tür gehen, und als ihre Blicke sich trafen, eilte er ihr nach. Franca Marinello folgte wenige Meter vor ihnen den drei Männern, die bereits die Tür erreicht hatten. Vasco sah noch einmal in den Raum zurück. Als er die Polizisten hinter sich bemerkte, verschwand das Lächeln aus seinem Gesicht, und er ging immer eiliger mit dem jungen Mann die Treppe hinunter. Franca Marinello blieb ihnen auf den Fersen, begleitet vom leisen Stimmengewirr aus dem Spielsaal.

Die Männer blieben auf dem ersten Absatz stehen, und Vasco sagte etwas zu Terrasini, der immer noch den Kopf gesenkt hielt und nickte. Vasco und der andere tauschten über seinen Kopf hinweg einen Blick aus, und als hätten sie das schon oft geprobt, gaben sie im selben Moment seine Arme frei und traten von ihm weg.

Franca Marinello schob sich an Vascos Gehilfen vorbei und stellte sich neben Terrasini. Sie legte ihm eine Hand auf den Arm. Brunetti hatte den Eindruck, er brauchte einen Moment, sie zu erkennen, dann aber schien er sich zu beruhigen. Da die Lage sich offensichtlich entspannt hatte, kamen Vasco und sein Helfer wieder die Treppe herauf und blieben zwei Stufen vor Brunetti und Griffoni stehen.

Franca Marinello flüsterte Terrasini etwas ins Ohr. Erschrocken blickte er zu den vier Leuten auf, während sie wieder etwas zu ihm zu sagen schien. Seine rechte Hand bewegte sich so langsam, dass Brunetti nicht glauben konnte, was er da tat, bis die Hand in seinem Jackett verschwand und mit der Pistole wieder hervorkam.

Terrasini schrie etwas, Vasco und sein Helfer sahen sich nach ihm um und warfen sich dann flach auf die Treppe. Griffoni hatte ihre Pistole schon in der Hand und presste sich in möglichst großer Entfernung von Brunetti gegen das Geländer. Brunetti zog ebenfalls seine Waffe, richtete sie auf Terrasini, der sich wie in Zeitlupe bewegte, und versuchte seiner Stimme einen möglichst selbstbewussten Klang zu geben: »Antonio, wir sind zu zweit.« Er verdrängte die Vorstellung, was passieren könnte, wenn sie alle drei in diesem engen Raum das Feuer eröffneten und ihnen die Querschläger aus allen Richtungen um die Ohren pfiffen.

Als erwachte er aus einer Betäubung, sah Terrasini erst Griffoni an, dann Brunetti, dann Franca Marinello und die beiden Männer auf den Treppenstufen, dann wieder Brunetti.

»Legen Sie die Waffe auf den Boden, Antonio. Hier sind zu viele Leute, das ist gefährlich.« Brunetti sah, dass Terrasini ihm zuhörte, fragte sich aber, was seinen Blick so trüb machte: Drogen, Alkohol, Wut? Oder alles zusammen? Was er sagte, war nicht so wichtig: Auf den Tonfall kam es an, und darauf, die Aufmerksamkeit des jungen Mannes in Beschlag zu nehmen.

Signora Marinello trat dicht an Terrasini heran und sagte etwas, das Brunetti nicht hören konnte. Dann hob sie sehr langsam eine Hand, legte sie an seine linke Wange und drehte sein Gesicht in ihre Richtung. Wieder sagte sie etwas, dann streckte sie die Hand aus, zog die Mundwinkel auseinander und nickte aufmunternd mit dem Kopf.

Terrasini blinzelte verwirrt. Sein Blick fiel auf seine Hand: Er schien geradezu überrascht, die Waffe darin zu sehen, und ließ sie sinken. Unter normalen Umständen hätte Brunetti sich den beiden jetzt genähert, aber Franca Marinello stand so nah bei Terrasini, dass er, die Waffe im Anschlag, lieber auf Distanz blieb.

Wieder sagte sie etwas. Der junge Mann hielt ihr kopfschüttelnd die Waffe hin; er schien völlig durcheinander. Sie nahm die Pistole mit der linken Hand und wechselte sie in die rechte.

Brunetti ließ seine Pistole sinken und schob sie ins Halfter zurück. Als er sich wieder den beiden unten auf dem Treppenabsatz zuwandte, starrte Terrasini sie entgeistert an, holte mit der rechten Hand aus und ballte sie zur Faust. Seine linke Hand zuckte nach vorn und packte sie genau am Übergang zwischen Schulter und Hals, und Brunetti wusste, was er vorhatte.

Sie schoss. Sie schoss ihm einmal in den Bauch, dann noch einmal, und als er vor ihr auf dem Boden lag, machte sie einen Schritt auf ihn zu und schoss ihm ins Gesicht. Ihr Kleid war hellgrau und lang: Die ersten zwei Schüsse befleckten die Seide in Höhe ihres Bauchs, der dritte sprenkelte rote Tröpfchen auf den Saum.

Der Krach im Treppenhaus war ohrenbetäubend. Brunetti sah Griffoni an, deren Mund sich bewegte, doch vernahm er nur ein lautes Summen, das auch nicht aufhörte, als Griffoni den Mund längst wieder zugemacht hatte.

Vasco und der andere rappelten sich auf, sahen Franca Marinello mit der Pistole in der Hand unten auf dem Absatz stehen und rannten wie von der Tarantel gestochen die Treppe hoch und durch die Tür in den Spielsaal, aus dem kein Laut zu hören war. Brunetti sah die Doppeltür von der Gewalt des Zuschlagens vibrieren, hörte aber immer noch nur dieses Rauschen.

Er drehte sich wieder um. Franca Marinello warf die Pistole gleichgültig auf Terrasinis Brust, sah zu Brunetti hinauf und sagte etwas, das er nicht hören konnte, so laut war das Rauschen in seinem Ohr, so dicht war die Glasglocke um ihn herum geschlossen.

Dann drang bleiern und dumpf etwas durch das Rauschen, und als er sich danach umwandte, sah er Griffoni auf sich zukommen: Offenbar waren das ihre Schritte gewesen. »Alles in Ordnung mit Ihnen?«, fragte Brunetti. Griffoni verstand und nickte.

Franca Marinello kauerte an der Wand, so weit weg von Terrasini wie möglich, das Gesicht an die Knie gepresst. Noch hatte niemand bestätigt, dass der junge Mann tot war, aber Brunetti wusste, da lag eine Leiche: Aus dem Hinterkopf sickerte Blut auf den Marmorboden.

Er wunderte sich, wie steif seine Knie waren, wie sie sich sträubten, ihn die Treppe hinunterzutragen. Er spürte seine Schritte, hörte sie aber nicht. Er ging um Terrasini herum und ließ sich neben der Frau auf ein Knie nieder. Wartete, bis er sicher war, dass sie ihn wahrgenommen hatte, und sagte dann, froh, wenigstens seine Stimme hören zu können, wenn auch noch so leise: »Alles in Ordnung mit Ihnen, Signora?«

Sie hob den Kopf und zeigte ihm ihr Gesicht, das er noch nie aus solcher Nähe gesehen hatte. Die schrägstehenden Augen sahen von nahem noch seltsamer aus, und plötzlich bemerkte er eine dünne Narbe, die unter ihrem linken Ohr begann und dahinter verschwand.

»Haben Sie Zeit gefunden und die *Fasti* gelesen?«, fragte sie, und Brunetti war sich nicht sicher, ob sie unter Schock stand.

»Nein«, sagte er. »Ich bin nicht dazu gekommen.«

»Schade«, sagte sie. »Da steht alles drin. Alles.« Sie ließ den Kopf wieder auf ihre Knie sinken.

Brunetti wusste nicht, was er noch sagen sollte. Er stand auf und sah in Richtung der Geräusche, die er zu seiner grenzenlosen Erleichterung hören konnte. Vasco stand oben an der Treppe wie ein Riese aus einem Actionfilm, eine Zeichentrickfigur wie Conan der Barbar, wie…

»Ich habe Ihre Leute angerufen«, sagte er. »Die müssten bald hier sein.«

Brunetti betrachtete den Kopf der schweigenden Frau und dann, am anderen Ende des Treppenabsatzes, den für immer verstummten Terrasini. Der lag auf dem Rücken. Brunetti musste an die andere Leiche denken, Guarino, und wie furchtbar ähnlich sich diese beide Männer geworden waren, beide so entsetzlich schnell aus dem Leben gerissen.

26

Nach einigen Minuten allgemeiner Verwirrung gelang es Vasco, die Leute in den oberen Spielsälen mit der Behauptung zu beruhigen, es habe einen Unfall gegeben. Sie glaubten es nur zu gerne, machten sich wieder ans Verlieren, und das Leben ging weiter.

Claudia Griffoni nahm Signora Marinello in die Questura mit, auch sie in einen langen Pelz gehüllt, denselben wie an dem Abend, als Brunetti sie zum ersten Mal gesehen hatte. Er wartete, während die Kriminaltechniker im Treppenhaus ihre Kameras aufbauten. Sie mussten, nachdem zwei Polizisten die Tat als Augenzeugen beobachtet hatten, nur noch den Tatort fotografieren, die Pistole sicherstellen und dann auf den *medico legale* warten.

Kurz vor drei rief er Paola an und sagte ihrer verschlafenen Stimme, es werde noch eine ganze Weile dauern, bis er nach Hause kommen könne. Nachdem Terrasini für tot erklärt war, bat Brunetti, auf dem Boot der Spurensicherung mitfahren zu dürfen, blieb aber bei dem Steuermann an Deck. Beide schwiegen; der Motor brummte unerklärlich leise, bis Brunetti sich an die drei Schüsse und das wattige Gefühl in seinen Ohren erinnerte. Sein Blick streifte die Fassaden der Gebäude, ohne sie wirklich wahrzunehmen, denn er war jetzt wieder im Treppenhaus, Zeuge eines Geschehens, das er nicht begreifen konnte.

Franca Marinello spricht mit Terrasini, der zieht seine Pistole; wieder sagt sie etwas, und er gibt sie ihr. Und als

Brunetti kurz woanders hinsieht, geschieht etwas – sagt sie etwas? –, das ihn wütend macht. Sie schießt. Es gibt für alles eine vernünftige Erklärung, das wusste Brunetti. Keine Wirkung ohne Ursache. Die Obduktion würde ergeben, welche Substanzen sich im Gehirn des jungen Mannes befanden, aber zumindest solange Brunetti ihn beobachtet hatte, hatte er nicht auf Chemikalien reagiert, sondern auf Worte.

Die Barkasse schwenkte in den Rio di San Lorenzo und legte am Steg der Questura an. Brunetti sah in die Kabine, wo zwei Beamte sich von ihren Sitzen erhoben. Er fragte sich, ob sie auf der Rückfahrt von solchen Einsätzen miteinander redeten.

Er dankte dem Steuermann und sprang von dem noch schwankenden Boot. Als er an die Tür der Questura klopfte, ließ der Diensthabende ihn ein und sagte: »Commissario Griffoni ist in ihrem Büro, Signore.«

Er ging die Treppe hoch und folgte dem Licht am Ende des dunklen Flurs. An der Tür blieb er stehen, klopfte aber nicht an. »Kommen Sie rein, Guido«, sagte sie.

Eine Uhr an der Wand links von ihrem Schreibtisch sagte ihm, es war halb vier. »Wenn Sie mir einen Kaffee bringen, erschieße ich Patta und lasse Sie auf seinen Posten versetzen«, sagte sie und sah ihn lächelnd an.

»Als wir in diesem Job angefangen haben, hat uns niemand auf solche Sachen vorbereitet, stimmt's?«, sagte er und nahm ihr gegenüber Platz. »Was hat sie gesagt?«

Griffoni fuhr sich mit beiden Händen durchs Haar, eine Geste, die er oft am Ende von Besprechungen mit Patta an ihr beobachtet hatte: ein Zeichen, dass sie mit ihrer Geduld am Ende war. »Nichts.«

»Nichts? Wie lange waren Sie mit ihr zusammen?«

»Ich habe sie mit dem Boot hierhergebracht, aber sie hat kein Wort gesagt, hat sich nur bedankt, erst beim Steuermann, dann bei dem Mann, der ihr die Tür aufgehalten hat, und schließlich bei mir.« Sie hob die Hände an den Kopf, riss sich aber zusammen und sagte: »Auf meinen Hinweis, wenn sie wolle, könne sie ihren Anwalt anrufen, antwortete sie nur: ›Nein, danke. Ich warte lieber, bis es hell ist‹, wie eine Minderjährige, die man betrunken am Steuer erwischt hat und die nicht will, dass man ihre Eltern weckt.« Sie schüttelte den Kopf, entweder über ihren Vergleich oder über Marinellos Verhalten.

»Ich habe ihr gesagt, wenn ihr Anwalt käme und sie in meiner Gegenwart eine Aussage mache, könne sie nach Hause gehen, aber sie bestand darauf, mit Ihnen zu reden. Sie war ausgesprochen höflich – was ich sehr sympathisch fand –, wollte aber partout nichts sagen, und ich habe weiter nichts aus ihr herausbekommen. Ich bin mit keiner Frage zu ihr durchgedrungen. Das ist wirklich seltsam. Und dann dieses Gesicht.«

»Wo ist sie jetzt?«, fragte Brunetti, der eine Debatte über dieses Thema vermeiden wollte.

»Unten, in einem der Besprechungszimmer.«

Normalerweise wurden diese Zimmer »Verhörraum« genannt. Brunetti fragte sich, warum sie diese weniger bedrohlich klingende Bezeichnung wählte, aber auch darüber wollte er mit ihr nicht reden.

»Ich gehe runter«, sagte er und hielt ihr im Aufstehen die Hand hin. »Geben Sie mir bitte den Schlüssel?«

Sie hob in einer ohnmächtigen Geste die Hände. »Die

Tür ist nicht abgeschlossen. Sie hat sich gleich hingesetzt, ein Buch aus ihrer Tasche genommen und angefangen zu lesen. Ich habe es nicht über mich gebracht, die Tür abzuschließen.« Brunetti lächelte. Ihre Schwäche war ihm sympathisch. »Außerdem ist Giuffrè unten, und sie müsste an ihm vorbei, wenn sie verschwinden wollte.«

»In Ordnung, Claudia. Vielleicht sollten Sie nach Hause gehen und ein wenig schlafen. Ich danke Ihnen. Danke, dass Sie heute Nacht gekommen sind.«

Sie konnte ihre Nervosität nicht verbergen. »Haben Sie immer noch dieses Geräusch in den Ohren?«

»Nein. Sie?«

»Kaum. Nur noch ein schwaches Rauschen. Schon viel besser, aber ein bisschen ist noch da.«

»Gehen Sie schlafen, und morgen früh erzählen Sie den Leuten im Krankenhaus, was passiert ist. Vielleicht können die Ihnen was sagen.«

»Danke, Guido, das werde ich tun«, sagte sie und knipste ihre Schreibtischlampe aus. Sie stand auf, Brunetti half ihr in den Mantel und ließ ihr dann an der Tür den Vortritt. Schweigend gingen sie die Treppe hinunter. Unten sagte sie gute Nacht. Brunetti drehte sich um und schritt auf das Licht zu, das aus einem der hinteren Räume fiel.

Er blieb stehen und spähte hinein, und Franca Marinello sah von ihrem Buch auf.

»Guten Morgen«, sagte er. »Entschuldigen Sie, dass ich Sie habe warten lassen.«

»Oh, schon gut. Ich schlafe ohnehin nicht mehr viel, und ich hatte ein Buch dabei, also was soll's.«

»Aber zu Hause würden Sie sich wohler fühlen.«

»Ja, stimmt natürlich. Aber ich dachte, vielleicht ist es wichtig für Sie, noch heute Nacht mit mir zu reden.«

»Ja, ich denke schon«, sagte er und trat ein.

Als sei das ihr Salon, wies sie mit einer Kopfbewegung auf einen Stuhl ihr gegenüber, und er nahm Platz. Sie klappte ihr Buch zu und legte es auf den Tisch, jedoch so, dass er nicht erkennen konnte, was es war.

Sie hatte seinen Blick bemerkt. »Die *Chronographia* des Psellos«, sagte sie und legte eine Hand auf das Buch. Brunetti kannte den Titel und den Namen des Autors, mehr aber auch nicht. »Es handelt von Verfall«, erklärte sie.

Es war spät, fast vier, und er sehnte sich nach Schlaf. Jetzt war nicht der Moment, sich über Bücher zu unterhalten. »Ich möchte mit Ihnen über die Ereignisse dieses Abends reden, wenn ich darf«, sagte er ernst.

Sie bog den Kopf zur Seite, als wollte sie um ihn herumsehen. »Muss da nicht jemand mit einem Aufnahmegerät dabei sein, oder wenigstens ein Stenograph?«, fragte sie, um einen scherzhaften Ton bemüht.

»Vermutlich, aber das kann noch warten. Ich möchte, dass Sie zuerst mit Ihrem Anwalt sprechen.«

»Aber ist das nicht der Traum aller Polizisten, Commissario?«

»Ich weiß nicht, wovon Sie reden«, sagte er. Ihm ging die Geduld aus, und er war zu müde, das zu verbergen.

»Eine Verdächtige, die bereit ist, ohne Aufnahmegerät und ohne Anwalt eine Aussage zu machen?«

»Ich bin mir nicht sicher, wessen man Sie verdächtigt, Signora«, sagte er und spürte selbst, dass sein bewusst gleichgültiger Ton nicht sehr überzeugend war. »Und solange nichts aufgezeichnet oder gefilmt wird, hat Ihre Aussage nicht viel Wert, da Sie hinterher immer alles abstreiten können.«

»Ich will aber unbedingt eine Aussage machen«, sagte sie. Sie war ernst geworden, ganz sachlich, wenn sich das auch nicht an ihrem Gesicht zeigte, nur an ihrer Stimme.

»Dann wäre ich Ihnen dankbar, wenn Sie jetzt reden würden.«

»Ich habe heute Nacht einen Mann getötet.«

»Ich weiß. Ich habe Sie dabei gesehen, Signora.«

»Wie interpretieren Sie, was da geschehen ist?«, fragte sie, als gehe es um einen Film, den sie beide gesehen hatten.

»Darauf kommt es leider nicht an. Wichtig ist nur, was geschehen ist.«

»Aber das haben Sie doch gesehen. Ich habe ihn erschossen, Commissario.«

Eine Woge von Müdigkeit erfasste ihn. Er war an diesem Öltank hochgeklettert, er hatte Pucettis verbrannte Hand gesehen, die Haut in Fetzen, den blutigen Verband. Er war Augenzeuge gewesen, wie sie einen Mann erschossen hatte, und jetzt war er zu müde, um dieses Gefasel noch länger auszuhalten.

»Ich habe auch beobachtet, dass Sie mit ihm gesprochen haben, und jedes Mal hat er dann etwas anderes getan.«

»Was denn?«

»Er hat zu uns hinaufgesehen, als hätten Sie ihn auf unsere Anwesenheit aufmerksam gemacht; dann haben Sie wieder etwas gesagt, und er hat Ihnen die Pistole gegeben; und als Sie die hatten, hat er mit einer Hand ausgeholt, als ob er Sie schlagen wollte.«

»Er *wollte* mich schlagen, Commissario. Bitte zweifeln Sie keine Sekunde lang daran.«

»Könnten Sie mir sagen, warum?«

»Was meinen Sie?«

»Signora, was ich meine oder nicht meine, spielt leider keine Rolle. Entscheidend ist, dass Commissario Griffoni und ich gesehen haben, dass er Sie schlagen wollte.«

Zu seiner Verblüffung antwortete sie: »Schade, dass Sie es noch nicht gelesen haben.«

»Ich bitte um Verzeihung?«

»Die *Fasti:* ›Die Flucht des Königs‹. Ich weiß, das ist kein sehr bedeutendes Werk, aber einige andere Autoren fanden es recht interessant. Mir liegt daran, dem Buch die Aufmerksamkeit zu verschaffen, die es verdient.«

»Signora!« Brunetti stieß wütend seinen Stuhl nach hinten und sprang auf. »Es ist vier Uhr morgens, und mir reicht es jetzt. Ich musste fast die ganze Nacht draußen in der Kälte verbringen, und entschuldigen Sie, wenn ich das sage, aber ich habe die Nase voll von Ihren literarischen Katz-und-Maus-Spielchen.« Er wollte nur noch nach Hause, ins Warme, ins Bett, schlafen, ohne Rauschen im Ohr und ohne sich von irgendjemandem provozierende Reden anhören zu müssen.

Ihre Maske ließ keinerlei Reaktion erkennen. »Also gut«, seufzte sie. »Dann warte ich eben, und morgen früh rufe ich den Anwalt meines Mannes an.« Sie zog das Buch heran, sah ihm in die Augen und sagte: »Danke, dass Sie heute mit mir gesprochen haben, Commissario. Und danke auch, dass Sie die anderen Male mit mir gesprochen haben.« Sie nahm das Buch. »Vielleicht tut es mir gut, wenn ich merke, dass ein Mann an mir auch noch etwas anderes interessant findet als mein Gesicht.«

Sie warf ihm einen letzten Blick zu, zeigte so etwas wie ein Lächeln und kehrte zu ihrer Lektüre zurück.

Brunetti war froh, dass sie ihre Aufmerksamkeit von ihm abgewandt hatte. Ihm fiel nichts mehr ein, keine Antwort, keine Frage.

Er wünschte ihr gute Nacht und ging nach Hause.

27

Er schlief. Um neun, kurz bevor sie aufstehen und zur Uni musste, versuchte Paola ihn zu wecken, aber nur mit dem Erfolg, dass er im Bett ein wenig näher zu ihr heranrückte. Etwas später läutete das Telefon, aber auch das drang nicht bis dahin durch, wohin Brunetti sich verkrochen hatte: an einen Ort, wo Pucetti zwei unversehrte Hände besaß, wo Guarino nicht tot im Schlamm und Terrasini nicht tot auf dem Marmorboden lag und wo Franca Marinello eine reizende junge Frau war, deren Züge sich bewegten, wenn sie lächelte oder lachte.

Gegen elf wachte Brunetti einmal auf und sah, dass es regnete. Er schlief wieder ein. Als er das nächste Mal aufwachte, schien die Sonne, und er fragte sich, ob er noch schlafe und das ein Traum sei. Er blieb noch etwas liegen, dann holte er langsam eine Hand unter der Decke hervor und freute sich, als er die Laken rascheln hörte. Er versuchte mit den Fingern zu schnipsen, bekam aber nur das Geräusch von zwei Fingern zustande, die sich rieben. Das jedoch hörte er deutlich, ohne Rauschen, und als er die Decke zurückschlug, vernahm er entzückt auch deren Rascheln.

Er stand auf, lächelte in die Sonne und akzeptierte, dass er duschen und sich rasieren musste. Vor allem aber brauchte er Kaffee.

Er trug den Kaffee ans Bett und stellte Tasse und Untertasse auf den Nachttisch. Dann stieg er aus seinen Pantoffeln, kroch unter die Decke zurück und zog seinen alten

Ovid zwischen den Büchern neben ihm hervor. Er hatte das Buch vor zwei Tagen gefunden, aber keine Zeit gehabt, keine Zeit. *Fasti.* Was hatte sie gesagt? Irgendwas mit König. Er überflog das Inhaltsverzeichnis und fand es: »Die Flucht des Königs«, ein Fest, das am 24. Februar begangen wurde. Er deckte sich zu, nahm das Buch in die rechte Hand, trank einen Schluck Kaffee, stellte die Tasse hin und begann zu lesen.

Nach wenigen Sätzen glaubte er die Geschichte wiederzuerkennen: Stand das nicht bei Plutarch, und hatte Shakespeare das nicht irgendwo verwendet? Der böse Tarquinius, der letzte König von Rom, aus dem Amt gejagt vom gemeinen Volk, an dessen Spitze der edle Brutus schritt, um den Tod der schönen Lucretia zu rächen, die Selbstmord begangen hatte, nachdem der noch bösere Sohn des Königs sie vergewaltigt und den guten Ruf ihres Mannes zu zerstören gedroht hatte.

Er las die Passage noch einmal, klappte das Buch dann sachte zu und legte es neben sich auf die Decke. Er trank den Kaffee aus, rutschte tiefer in die Kissen und schaute aus dem Fenster in den klaren Himmel.

Antonio Terrasini, Neffe eines Camorra-Bosses. Antonio Terrasini, verhaftet wegen Vergewaltigung. Antonio Terrasini, fotografiert von einem Mann, der später bei einem vorgetäuschten Raubüberfall erschossen wurde, das Foto im Besitz eines Mannes, der auf ähnliche Weise ums Leben gekommen war. Antonio Terrasini, mutmaßlicher Geliebter der Frau eines Mannes, der irgendetwas mit dem ersten Opfer zu tun hatte. Antonio Terrasini, von ebendieser Frau erschossen.

Während Brunetti aus dem Fenster sah, versuchte er diese Personen und Gegebenheiten in eine logische Ordnung zu bringen, ergänzte hier und da ein Detail aus seiner Erinnerung, wischte verschiedene Spekulationen beiseite und ersetzte sie durch andere, die sie in einen neuen Zusammenhang brachten.

Er erinnerte sich an die Szene am Spieltisch: die Hand des Mannes auf ihrer Hüfte, und wie sie ihn da angesehen hatte; seine Hände auf ihren Brüsten, und wie sie sich ihm nicht entzogen hatte, obwohl ihr ganzer Körper von ihm wegzustreben schien. Brunetti hatte sie im Profil gesehen, als sie ihn erschoss, aber ihr starres Gesicht verriet ja nichts. Also ihre Worte: Mit welchen Worten hatte sie den Zorn dieses Mannes erregt, dann beschwichtigt, dann wieder entflammt?

Brunetti griff nach dem Telefon und wählte die Privatnummer seiner Schwiegereltern. Eine Sekretärin meldete sich, er nannte seinen Namen und verlangte die Contessa zu sprechen. Brunetti hatte im Lauf der Jahre gelernt, bei solchen Gelegenheiten die offiziellen Titel zu verwenden: Offenbar wurde er dann schneller verbunden.

»Ja, Guido?«, sagte sie.

»Könnte ich auf dem Weg zur Arbeit einmal kurz bei dir vorbeikommen?«, fragte Brunetti.

»Komm, wann immer du Zeit hast, Guido«, sagte sie.

Er drehte sich nach dem Wecker auf dem Nachttisch um und stellte erstaunt fest, dass es schon nach eins war. »In etwa einer halben Stunde bin ich da; das heißt, wenn es dir passt.«

»Aber ja, Guido, natürlich. Ich warte auf dich.«

Als sie aufgelegt hatte, warf Brunetti die Decke zurück, ging unter die Dusche und rasierte sich. Bevor er das Haus verließ, sah er im Kühlschrank nach und fand noch etwas Lasagne von gestern. Er stellte sie auf die Anrichte, nahm eine Gabel aus der Schublade, aß den größten Teil auf, legte die Gabel in die Spüle, zog die Plastikfolie über den kümmerlichen Rest Lasagne und stellte sie in den Kühlschrank zurück.

Zehn Minuten später läutete er am Palazzo und wurde von einem Mann im dunklen Anzug, den er nicht kannte, ins Arbeitszimmer der Contessa geführt.

Sie begrüßte ihn mit Wangenküssen, setzte ihm so lange zu, bis er einen Kaffee wollte, und bat den Mann, der Brunetti zu ihr geführt hatte, *caffè* und *biscotti* für sie beide zu bringen. »Du kannst doch nicht ohne Kaffee zur Arbeit gehen«, sagte sie. Sie nahm in ihrem Lieblingssessel Platz, von dem sie über den Canal Grande sehen konnte, und klopfte mit einer Hand auf den Sessel neben sich.

»Also, worum geht's?«, fragte sie, als er sich setzte.

»Franca Marinello.«

Sie schien nicht überrascht. »Jemand hat mich angerufen und mir davon erzählt«, erklärte sie sachlich; dann aber wurde ihre Stimme weicher: »Das arme Mädchen, das arme Mädchen.«

»Was hat man dir erzählt?« Er hätte zu gern gewusst, wer sie angerufen hatte, wollte aber nicht danach fragen.

»Dass sie gestern Abend im Casinò in eine gewalttätige Auseinandersetzung geraten sei und von der Polizei zur Vernehmung mitgenommen wurde.« Als von Brunetti keine Erklärung kam, fragte sie: »Du weißt davon?«

»Ja.«

»Was ist passiert?«

»Sie hat auf einen Mann geschossen.«

»Er ist tot?«

»Ja.«

Sie schloss die Augen, und Brunetti hörte sie etwas flüstern, ein Gebet vielleicht oder etwas anderes. Er glaubte das Wort »Zahnarzt« zu hören, aber das war wohl ein Irrtum. Sie schlug die Augen auf und sah ihn an. Mit wieder kraftvoller Stimme sagte sie: »Erzähl mir, was passiert ist.«

»Sie war im Casinò, mit einem Mann. Er hat sie bedroht, sie hat ihn erschossen.«

Sie überlegte. »Du warst da?«

»Ja. Aber wegen des Mannes, nicht wegen ihr.«

Wieder schwieg die Contessa lange, ehe sie fragte: »War das dieser Terrasini?«

»Ja.«

»Und du weißt genau, dass Franca ihn erschossen hat?«

»Ich habe es gesehen.«

Die Contessa schloss kopfschüttelnd die Augen.

Jemand klopfte an, und diesmal kam eine Frau ins Zimmer, schlicht und unpersönlich gekleidet, jedoch ohne weiße Schürze. Sie stellte zwei Tassen Kaffee, ein Schälchen mit Zuckerwürfeln, zwei kleine Gläser Wasser und einen Teller Gebäck auf den Tisch vor ihnen, nickte der Contessa zu und ging.

Die Contessa reichte Brunetti seinen Kaffee, wartete, während er zwei Zuckerwürfel hineintat, und nahm dann ihren, den sie ohne Zucker trank. Sie stellte die Tasse auf die Untertasse zurück und sagte: »Ich habe sie kennengelernt –

oh, vor vielen Jahren –, als sie zum Studium hier in die Stadt kam. Ruggero, ein Cousin von mir, hatte einen Sohn, und der war der beste Freund von Francas Vater. Auch mütterlicherseits gab es Verbindungen«, fing sie an, brach dann aber mit einem Seufzer ab.

»Aber dass wir verwandt sind, spielt keine Rolle, nicht wahr? Als sie zum Studieren hierherkam, rief Ruggeros Sohn mich an und bat mich, ein wenig auf sie aufzupassen.« Sie nahm eins von den *biscotti*, legte es aber gleich wieder auf den Teller zurück.

»Orazio hat gesagt, ihr seid Freunde geworden.«

»Ja, das stimmt«, bestätigte die Contessa und lächelte mühsam. »Und das sind wir immer noch.« Brunetti fragte nicht weiter nach, und sie fuhr fort: »Paola war nicht mehr da. Verheiratet. Mit dir. Schon seit Jahren, aber wie es aussieht, habe ich mich immer noch nach einer Tochter im Haus gesehnt. Gewiss, sie ist jünger als Paola, also habe ich mich wohl eher nach einer Enkelin gesehnt. Jedenfalls war sie eine junge Person.« Nach kurzer Pause fuhr sie fort: »Sie kannte praktisch keinen Menschen hier und war so furchtbar schüchtern; man musste ihr einfach helfen.« Sie sah Brunetti an. »Das ist sie immer noch, oder?«

»Schüchtern?«, fragte Brunetti.

»Ja.«

»Ich denke schon, ja«, sagte Brunetti, als habe er nicht wenige Stunden zuvor mit eigenen Augen gesehen, wie Franca Marinello einen Mann erschossen hatte. Da ihm nichts Besseres einfiel, sagte er plötzlich: »Danke, dass du mich ihr gegenübergesetzt hast. Ich habe ja sonst niemanden, mit dem ich über Bücher sprechen kann. Abgesehen von dir, meine ich.« Und um seiner Frau Gerechtigkeit widerfahren zu lassen, fügte er hinzu: »Über Bücher, die mir gefallen.«

Die Contessa strahlte auf. »Genau das hat Orazio gesagt. Deswegen habe ich dich zu ihr gesetzt.«

»Danke«, wiederholte er.

»Aber du bist wegen deiner Arbeit hier und nicht, um mit mir über Bücher zu reden, habe ich recht?«, fragte sie.

»Nein, es geht nicht um Bücher«, sagte er, obwohl das nicht ganz stimmte.

»Was willst du wissen?«, fragte sie.

»Alles, was du mir erzählen kannst«, sagte er. »Du kennst diesen Terrasini?«

»Ja. Nein. Das heißt, ich habe ihn nie gesehen, und Franca hat nie von ihm erzählt. Aber andere Leute.«

»Und die haben behauptet, die beiden seien ein Liebespaar?«, fragte Brunetti, auch wenn er fürchtete, dafür sei es noch zu früh. Aber er musste es wissen.

»Ja, das haben sie behauptet.«

»Hast du es geglaubt?«

Sie sah ihn kühl und gelassen an. »Diese Frage möchte ich nicht beantworten, Guido«, sagte sie überraschend resolut. »Sie ist meine Freundin.«

Er dachte daran, wie sie vorhin geflüstert hatte, und fragte aufrichtig verwirrt: »Hast du eben etwas von einem Zahnarzt gesagt?«

Ihre Überraschung war echt. »Sie hat keinerlei Andeutung gemacht?«

»Nein. Ich weiß überhaupt nichts von ihr. Oder von einem Zahnarzt.« Der zweite Teil stimmte.

»Der Zahnarzt, der das mit ihrem Gesicht gemacht hat«, sagte sie und verwirrte ihn damit noch mehr. Als er sie weiter fragend ansah, fuhr sie hitzig fort: »Ich könnte verstehen, wenn sie *ihn* erschossen hätte. Aber dazu kam sie gar nicht erst. Das hatte schon jemand anders getan.« Damit verstummte sie und schaute auf den Kanal hinaus.

Brunetti schob sich in seinem Sessel zurück und legte beide Hände flach auf die Armlehnen. »Ich verstehe überhaupt nichts mehr.« Da sie nicht reagierte, bat er eindringlich: »Bitte, erklär mir das.«

Unwillkürlich nahm sie die gleiche Haltung ein wie er. Sie betrachtete sein Gesicht, als versuche sie zu einem Entschluss zu kommen, was und wie viel sie ihm erzählen könne. »Kurz nach ihrer Hochzeit mit Maurizio, den ich fast mein Leben lang kenne«, fing sie an, »machten die beiden Urlaubspläne – für die Hochzeitsreise, nehme ich an. Es sollte in die Tropen gehen, wohin genau, weiß ich nicht mehr. Eine Woche vor der Abreise bekam sie plötzlich Probleme mit ihren Weisheitszähnen. Ihr Zahnarzt war in Urlaub, und eine Bekannte von der Universität empfahl ihr jemanden in Dolo. Nein, nicht in Dolo, aber irgendwo da in der Gegend. Als sie den aufsuchte, erklärte er, beide Zähne müssten gezogen werden. Er sah sich die Röntgenaufnahmen an und meinte, das gehe problemlos, das könne er in seiner Praxis machen.«

Die Contessa sah ihn an und schloss für einen Moment die Augen. »Ein paar Tage später führte er die Operation durch, gab ihr Schmerztabletten und ein Antibiotikum mit, falls es zu einer Entzündung käme, und sagte, sie könne unbesorgt in drei Tagen ihren Urlaub antreten. Am Tag danach hatte sie Schmerzen, doch als sie ihn anrief, sagte er, das sei normal, sie solle das Schmerzmittel nehmen, das er ihr gegeben habe. Da es am nächsten Tag noch nicht besser war, fuhr sie zu ihm, aber er meinte nur, es sei alles in Ordnung, und gab ihr noch mehr Tabletten. Dann reisten sie ab. Wohin auch immer, irgendeine Insel.«

Sie schwieg sehr lange, bis Brunetti schließlich fragte: »Und was dann?«

»Die Entzündung blieb. Aber Franca war jung, und sie war verliebt – die beiden waren sehr verliebt, Guido, das weiß ich –, und da sie den Urlaub nicht ruinieren wollte, nahm sie weiter Schmerztabletten, und als es davon nicht besser wurde, nahm sie noch mehr Tabletten.«

Wieder schwieg sie, und diesmal wartete Brunetti, bis sie von selbst fortfuhr. »Nach fünf Tagen auf der Insel brach sie zusammen. Es gab dort zwar einen Arzt – aber von einer richtigen medizinischen Versorgung konnte nicht die Rede sein. Er sagte, sie habe eine Entzündung in der Mundhöhle, die könne er nicht behandeln; also charterte Maurizio ein Flugzeug und brachte sie nach Australien. Zum nächstgelegenen Ort, wo sie Hilfe bekommen konnte. Sydney, glaube ich.« Und ganz in Gedanken: »Aber das spielt keine Rolle.«

Sie nahm ihr Wasser, trank es halb aus und stellte das Glas wieder hin. »Sie hatte sich schon bei der Zahnoperation infiziert, und danach hatte sich die Entzündung weiter ins Gewebe ausgebreitet, in den Unterkiefer, überallhin. Furchtbar.« Die Contessa nahm beide Hände vors Gesicht, als könnte sie es so vor ihren eigenen Worten schützen.

»Die Ärzte hatten keine Wahl. Sie konnten nur noch versuchen, zu retten, was zu retten war. Antibiotika halfen nichts, vielleicht waren die Erreger resistent, oder Franca war allergisch dagegen. Das weiß ich nicht mehr.« Die Contessa ließ die Hände sinken und sah Brunetti an. »Sie hat mir das vor Jahren einmal erzählt. Es war schrecklich, sie davon reden zu hören. Sie war so ein reizendes Mädchen. Vor dieser Sache. Aber es musste so viel getan werden, so viel zerstört werden, um sie zu retten.«

»Also das ist die Erklärung«, sagte Brunetti nachdenklich.

»Was hast *du* denn gedacht?«, fuhr ihn die Contessa an. »Dass sie so aussehen *wollte*? Um Gottes willen, glaubst du wirklich, irgendeine Frau will so etwas?«

»Ich hatte keine Ahnung«, sagte Brunetti.

»Natürlich nicht. Und auch sonst weiß niemand davon.«

»Nur du.«

Sie nickte traurig. »Ja, nur ich. Als sie zurückkamen, sah sie so aus, wie sie jetzt aussieht. Sie rief an und wollte sich mit mir treffen, und ich war außer mir vor Freude. Wir hatten uns Monate nicht gesehen, und ich wusste nur, was Maurizio mir am Telefon erzählt hatte: dass sie sehr krank gewesen sei, aber nichts Genaues. Als sie anrief, erzählte Franca mir, sie habe einen schrecklichen Unfall gehabt, ich solle nicht erschrecken, wenn ich sie sehe.« Und nach einer Pause: »Immerhin hat sie versucht, mich darauf vorzubereiten. Aber wie kann man auf so etwas vorbereitet sein?«, fragte sie. Brunetti wusste keine Antwort.

Er spürte, die Contessa durchlebte das alles jetzt noch einmal. »Und ich *war* erschrocken, und ich konnte es nicht verbergen. Ich wusste, das hätte sie niemals freiwillig mit sich machen lassen. Sie war so ein hübsches Mädchen, Guido. Du hast keine Ahnung, wie schön sie war.«

Doch, er ahnte es: Das Foto in der Zeitschrift hatte ihm eine Vorstellung vermittelt.

»Ich bin in Tränen ausgebrochen. Ich konnte nicht anders, ich musste einfach weinen. Und Franca musste mich trösten. Guido, stell dir das vor – sie kommt in diesem Zustand zurück, und dann bin ich es, die zusammenbricht.« Sie verstummte und kniff ein paarmal die Augen zu, bis sie die Tränen zurückgedrängt hatte.

»Besser konnten die Chirurgen in Australien es nicht mehr machen. Die Infektion hatte sich schon zu lange hingezogen.«

Brunetti wandte den Blick zum Fenster und betrachtete die Gebäude auf der anderen Seite des Kanals. Als er die Contessa wieder ansah, liefen ihr Tränen über die Wangen.

»Das tut mir leid, *mamma*«, sagte er, ohne sich bewusst zu sein, dass er sie zum ersten Mal so anredete.

Sie riss sich zusammen. »Mir auch, Guido, sie tut mir schrecklich leid.«

»Aber was hat sie dann getan?«

»Wie meinst du das? Was sie getan hat? Sie hat versucht, ihr Leben zu leben. Aber wie soll das gehen, wenn man so ein Gesicht hat und die Leute ständig darüber tuscheln?«

»Sie hat keinem etwas davon erzählt?«

Die Contessa schüttelte den Kopf. »Wie gesagt: Mir hat sie es erzählt, und sie hat mich gebeten, es nicht weiterzuerzählen. Und ich habe geschwiegen, bis heute. Nur Maurizio und ich wissen davon, und die Leute in Australien, die ihr das Leben gerettet haben.« Sie richtete sich seufzend auf.

»Denn auch das ist wahr, Guido: Diese Leute haben ihr das Leben gerettet.«

»Und was ist mit dem Zahnarzt?«, fragte er. »Wie ist der gestorben?«

»Es stellte sich heraus, dass er gar kein richtiger Zahnarzt war«, sagte sie, und Zorn schwang in ihrer Stimme mit. »Bloß einer von diesen Zahntechnikern, von denen man dauernd liest: Erst machen sie falsche Zähne, dann lassen sie sich als Zahnarzt nieder, bis sie erwischt werden; aber bestraft werden sie nie.« Ihre Hände verkrampften sich um die Sessellehnen.

»Man hat ihn nicht festgenommen?«

»Irgendwann schon«, sagte sie müde. »Einem zweiten Patienten ist dasselbe passiert. Der ist gestorben. Jetzt kamen Leute vom Gesundheitsamt und stellten fest, dass die ganze Praxis – die Instrumente, das Mobiliar – mit diesen gefährlichen Keimen verseucht war. Es ist ein Wunder, dass er nur einen getötet hat und dass die anderen alle überlebt haben. Er wurde zu einer Gefängnisstrafe verurteilt. Sechs Jahre. Aber der Prozess hatte sich schon zwei Jahre hingezogen – und in der Zeit war er natürlich zu Hause –, also hätte er noch vier Jahre absitzen sollen, wurde dann aber vorzeitig aus der Haft entlassen.«

»Und wie ging es weiter?«

»Anscheinend hat er wieder gearbeitet«, sagte sie mit einer Verbitterung, die er selten an ihr wahrgenommen hatte.

»Gearbeitet?«

»Als Zahntechniker, nicht als Zahnarzt.«

Er schloss die Augen vor diesem Irrsinn. In welchem anderen Land war so etwas möglich?

»Aber er hatte nicht mehr viel Gelegenheit, anderen zu schaden«, sagte sie trocken.

»Warum?«

»Jemand hat ihn umgebracht. In Montebelluna – dort hatte er seine neue Praxis eröffnet. Ein Einbrecher hat ihn getötet und seine Frau vergewaltigt.«

Brunetti erinnerte sich an den Fall. Im Sommer vor zwei Jahren, ein Einbruch, ein Mord, der nie aufgeklärt worden war.

»Er wurde erschossen?«, fragte er.

»Ja.«

»Hast du mit ihr darüber gesprochen?«

Sie sah ihn mit großen Augen an. »Wozu? Um sie zu fragen, ob sie sich jetzt besser fühlt, wo er tot ist?« Als sie sah, wie verblüfft er auf ihren Ausbruch reagierte, erklärte sie in ruhigerem Ton: »Ich habe in der Zeitung davon gelesen und seinen Namen erkannt, wollte aber nicht mit ihr darüber sprechen.«

»Hast du überhaupt jemals mit ihr über ihn gesprochen?«

»Einmal, kurz nach dem Urteilsspruch. Aber das ist viele Jahre her.«

»Was hast du damals gesagt?«

»Ich habe sie gefragt, ob sie gelesen habe, dass er verurteilt worden sei und ins Gefängnis müsse, und sie hat geantwortet, ja, das habe sie.«

»Und?«

»Und ich habe sie gefragt, was sie davon halte.« Ohne auf Brunetti zu warten, fuhr sie fort: »Sie sagte, das ändere nun auch nichts mehr. Weder für sie noch für die anderen

Leute, denen er geschadet habe. Und ganz gewiss nicht für den Mann, den er getötet habe.«

Brunetti ließ sich das durch den Kopf gehen und fragte schließlich: »Meinst du, sie wollte damit sagen, sie habe ihm verziehen?«

Sie sah ihn an, lange und nachdenklich. »Möglich, dass sie das gemeint hat«, sagte sie. Und dann kalt: »Aber ich will es nicht hoffen.«

28

Kurz darauf trat Brunetti aus dem Palazzo auf die *calle* hinaus und rief Griffoni an, die ihm mitteilte, Signora Marinello habe die Questura bereits in Begleitung ihres Anwalts verlassen. Die Akten, sagte sie, lägen unten, aber sie werde ihn gleich zurückrufen und ihm Marinellos Nummer durchgeben. Während er darauf wartete, ging er zur Anlegestelle Ca' Rezzonico, von wo aus Vaporetti in beide Richtungen fuhren.

Noch bevor er den *imbarcadero* erreicht hatte, gab Griffoni ihm die Handynummer durch. Brunetti erklärte, er wolle mit Marinello über den gestrigen Abend sprechen, und Griffoni fragte: »Warum hat sie ihn erschossen?«

»Sie waren selbst dabei«, sagte Brunetti. »Sie haben gesehen, dass er sie schlagen wollte.«

»Ja, das habe ich gesehen«, erwiderte sie. »Aber ich meinte etwas anderes: Ich dachte an den dritten Schuss. Er lag am Boden, von zwei Kugeln getroffen, Herrgott, und sie hat noch einmal auf ihn geschossen. Das verstehe ich nicht.«

Brunetti glaubte es zu verstehen, aber das sagte er nicht. »Deswegen möchte ich mit ihr reden.« Er rief sich die Szene noch einmal in Erinnerung: Griffoni hatte am Geländer gestanden, als Brunetti sie angesehen hatte, also musste sie die Leute unten auf dem Treppenabsatz aus einem anderen Winkel gesehen haben als er.

»Was genau haben Sie beobachtet?«, fragte er.

»Er hat die Pistole gezogen, dann hat er sie ihr gegeben, dann hat er ausgeholt, um sie zu schlagen.«

»Konnten Sie etwas hören?«

»Nein, ich war zu weit weg, außerdem kamen diese beiden anderen die Treppe hoch auf uns zu. Ich habe nicht bemerkt, dass er etwas gesagt hat, und sie stand von mir abgewandt. Haben Sie etwas gehört?«

Hatte er nicht. »Nein. Aber es muss einen Grund dafür geben, dass er getan hat, was er getan hat.«

»Und warum sie getan hat, was sie getan hat, würde ich sagen.«

»Ja, natürlich.« Er dankte ihr für die Telefonnummer und legte auf.

Franca Marinello nahm beim zweiten Klingeln ab und schien überrascht, Brunetti am Apparat zu haben. »Heißt das, ich muss in die Questura zurück?«, fragte sie.

»Nein, Signora, keineswegs. Aber ich würde Sie gern besuchen und mit Ihnen reden.«

»Verstehe.«

Nach einer langen Pause sagte sie ohne weitere Erklärung: »Es wäre mir lieber, wenn wir uns anderswo unterhalten könnten.«

Brunetti dachte an ihren Mann. »Wie Sie wollen.«

»Ich könnte mich in zwanzig Minuten mit Ihnen treffen«, sagte sie. »Ist Ihnen Campo Santa Margherita recht?«

»Ja, sicher«, sagte er überrascht, weil sie so eine bescheidene Gegend vorschlug. »Wo?«

»Die Gelateria gegenüber der Apotheke?«

»Causin«, sagte Brunetti.

»Zwanzig Minuten?«

»In Ordnung.«

Als er eintraf, saß sie bereits an einem Tisch im Hintergrund. Sie stand auf, um ihn zu begrüßen, und wieder erschütterte ihn das Widersprüchliche ihrer Erscheinung. Vom Hals abwärts sah sie aus wie eine Frau Mitte dreißig, leger gekleidet in enge schwarze Jeans, teure Stiefel, hellgelben Kaschmirpullover und gemusterten Seidenschal. Oberhalb des Schals jedoch war alles anders, dort saß ein Gesicht, wie es normalerweise den alternden Gattinnen amerikanischer Politiker vorbehalten ist: zu straffe Haut, zu breiter Mund, die Augen verzerrt und verzogen.

Er gab ihr die Hand, und wieder hatte sie diesen festen Griff.

Sie setzten sich, eine Kellnerin kam, und ihm fiel nichts ein, was er hätte trinken wollen.

»Ich nehme einen Kamillentee«, sagte sie, und plötzlich schien ihm das die einzig mögliche Wahl. Er nickte, und die Kellnerin ging zur Theke zurück.

Da er nicht wusste, wie er anfangen sollte, fragte er: »Kommen Sie oft hierher?«, und errötete innerlich über diese dämliche Frage.

»Im Sommer. Wir wohnen ganz in der Nähe. Ich esse gern Eis«, sagte sie. Sie sah aus dem großen Schaufenster. »Und ich mag diesen Campo. Der ist so – mir fällt das richtige Wort nicht ein – so lebendig; hier sind immer so viele Leute.« Sie sah ihn an. »Ich stelle mir vor, hier ist es noch wie früher, einfach ein Ort, wo ganz normale Leute leben.«

»Meinen Sie den Campo oder die Stadt?«, fragte Brunetti.

Nachdenklich antwortete sie: »Vermutlich meine ich beides. Maurizio erzählt oft von der Stadt, wie sie früher war, aber die habe ich nie gesehen. Ich kenne sie nur wie ein Ausländer, könnte man sagen, und noch nicht sehr lange.«

»Ja«, räumte Brunetti ein, »jedenfalls nicht sehr lange nach venezianischen Maßstäben.«

Er fand, das sei nun genug Vorgeplänkel, und sagte: »Ich habe das Buch von Ovid jetzt endlich gelesen.«

»Ach«, sagte sie. »Ich nehme an, es hätte nicht viel geändert, wenn Sie es früher gelesen hätten.«

Er fragte sich, ob sich dadurch wirklich etwas hätte ändern können, ging aber nicht darauf ein. »Möchten Sie mir mehr davon erzählen?«

Sie wurden von der Kellnerin unterbrochen, die ein großes Tablett herantrug. Während sie die Teekanne, ein kleines Glas Honig, Tassen und Untertassen auf den Tisch stellte, sagte sie: »Ich weiß, dass Sie gern Honig dazu nehmen, Signora.«

»Das ist sehr freundlich von Ihnen«, sagte Marinello mit einem Lächeln, das nur in ihrer Stimme lag. Als die Kellnerin gegangen war, nahm sie den Deckel von der Kanne, wippte mit den Teebeuteln und legte den Deckel wieder drauf. »Ich muss immer an Peter Hase denken, wenn ich das trinke«, erklärte sie Brunetti und nahm die Kanne. »Seine Mutter brachte ihm Kamillentee, wenn er krank war.« Sie schwenkte die Kanne ein paarmal herum.

Brunetti hatte das Buch seinen Kindern vorgelesen, als sie klein waren, und erinnerte sich daran, sagte aber nichts.

Sie schenkte Tee in beide Tassen, rührte einen Löffel Honig in ihren und schob ihm den Honig hin. Brunetti nahm auch etwas und versuchte sich zu erinnern, ob Mutter Hase ebenfalls Honig dazugetan hatte.

Der Tee war noch zu heiß; er ließ ihn stehen, ließ auch das Thema Ovid beiseite und fragte: »Wie haben Sie ihn kennengelernt?«

»Wen? Antonio?«

»Ja.«

Sie rührte noch einmal um und legte den Löffel auf die Untertasse. Dann sah sie Brunetti an. »Wenn ich Ihnen das erzähle, werde ich Ihnen alles erzählen müssen, sehe ich das richtig?«

»Ich bitte darum«, antwortete Brunetti.

»Also gut.« Sie fing wieder an, ihren Tee umzurühren. Sah auf, senkte den Blick, und schließlich sagte sie: »Mein Mann hat viele geschäftliche Kontakte.« Brunetti schwieg. »Manche dieser Leute sind … nun ja, das sind Leute, die … Leute, von denen ich besser nichts wissen sollte, meint er.«

Sie sah ihn an, ob er noch zuhörte, und fuhr fort: »Vor ein paar Jahren begann er mit einer Firma zusammenzuarbeiten…« Sie unterbrach sich. »Nein, das Wort ist zu bequem, denke ich; oder zu ausweichend. Er hat eine Firma angeheuert, von deren Betreibern er wusste, dass sie Kriminelle waren; aber es war nicht illegal, was er getan hat.«

Sie nippte an ihrem Tee, tat noch mehr Honig hinein und rührte um. »Später erfuhr ich«, sagte sie, und Brunetti registrierte, dass sie darüber hinwegging, wie sie erfahren hatte, was sie ihm zu erzählen gedachte, »dass es beim Essen passiert war. Er war mit den wichtigsten dieser Männer ausgegangen: Sie feierten den Vertragsabschluss oder die Abmachung oder wie sie das nannten. Da ich nicht mitgehen wollte, hatte Maurizio ihnen erzählt, ich sei krank.

Er wollte sie nicht beleidigen, und etwas Besseres fiel ihm nicht ein. Aber sie durchschauten das, und sie waren beleidigt.«

Sie sah ihn an und sagte: »Sie haben mehr Erfahrung als ich, nehme ich an, also wissen Sie, wie wichtig es solchen Leuten ist, respektiert zu werden.« Brunetti nickte. »Und da muss es angefangen haben: als Maurizio mich nicht mitgebracht hat, um mich ihnen vorzustellen.« Sie zuckte mit den Schultern. »Das spielt wohl keine Rolle, nehme ich an. Aber man möchte doch gern alles verstehen.«

Plötzlich sagte sie: »Trinken Sie Ihren Tee, Commissario. Nicht dass er kalt wird.« Also Commissario, dachte Brunetti. Er gehorchte und nahm einen Schluck: Der Geschmack versetzte ihn in seine Kindheit, wenn er mit Erkältung oder Grippe das Bett gehütet hatte.

»Als er ihnen erzählte, ich sei krank«, fuhr sie fort, »fragte ihn der Mann, der ihn eingeladen hatte, was ich denn hätte – ich war an diesem Tag mal wieder beim Zahnarzt gewesen.« Sie sah ihn fragend an, ob er die Bedeutung dieser Aussage verstand. Er nickte. »Das gehörte alles zu dieser anderen Geschichte.«

Sie nahm noch einen Schluck. »Und weil Maurizio ihre Verärgerung spürte, hat er ihnen mehr erzählt als nötig; jedenfalls genug, dass sie verstanden, was passiert war. Es muss Antonio gewesen sein, der danach gefragt hat.« Sie sah ihn an und sagte mit tödlicher Kälte: »Antonio konnte sehr charmant und mitfühlend sein.«

Brunetti sagte nichts.

»Also erzählte Maurizio ihnen wenigstens teilweise, was passiert war. Und dann sagte er etwas ...« Sie unterbrach sich und fragte ihn: »Kennen Sie das Theaterstück über Thomas Becket und Heinrich den…?«

»Zweiten«, sagte Brunetti.

»Dann erinnern Sie sich an die Stelle, wo der König seine Ritter fragt, ob niemand ihm diesen lästigen Priester vom Hals schaffen kann oder so ähnlich?«

»Ja, ich erinnere mich.« Der Historiker in ihm wollte hinzufügen, dass die Anekdote wahrscheinlich erfunden sei, aber das war wohl nicht der richtige Augenblick.

Sie starrte in ihre Tasse und verblüffte ihn mit der Bemerkung: »Die Römer waren sehr viel direkter.« Dann nahm sie, ohne weiter auf die Römer einzugehen, den Faden wieder auf: »So war es, denke ich. Maurizio hat ihnen erzählt, was passiert ist, von dem falschen Zahnarzt und was der getan hatte und dass er im Gefängnis war, und vielleicht hat er auch noch was davon gesagt, dass es in diesem Land keine Gerechtigkeit gibt.« Brunetti hatte den Eindruck, sie sage etwas auf, das sie auswendig gelernt oder – zumindest zu sich selbst – schon oft gesagt hatte. Sie sah ihn an und fügte hinzu: »So was sagen die Leute doch ständig, oder?«

Sie sah in ihre Tasse, hob sie hoch, trank aber nicht. »Ich vermute, mehr hat Antonio nicht gebraucht. Einen Grund, jemandem weh zu tun. Oder Schlimmeres.« Es klapperte leise, als sie die Tasse wieder hinstellte.

»Hat er irgendetwas zu Ihrem Mann gesagt?«

»Nein, nichts. Und ich bin mir sicher, dass Maurizio die Sache damit für erledigt hielt.«

»Er hat Ihnen nichts von diesem Gespräch erzählt?«, fragte Brunetti, und als sie ihn verwirrt ansah, erklärte er: »Ihr Mann.«

Sie sah ihn fassungslos an. »Nein, natürlich nicht. Er weiß nicht, dass ich davon weiß.« Dann, wesentlich bedachtsamer: »Das ist es ja gerade.«

»Verstehe.« Etwas anderes fiel Brunetti nicht dazu ein, auch wenn er in Wirklichkeit immer weniger verstand.

»Einige Monate später wurde der Zahnarzt getötet. Maurizio und ich waren zu der Zeit in Amerika und erfuhren erst nach unserer Rückkehr davon. Polizisten aus Dolo kamen zu uns ins Haus und stellten Fragen, aber als Maurizio ihnen sagte, dass wir in Amerika waren, ließen sie uns in Ruhe.« Brunetti dachte, sie sei fertig, aber dann sagte sie noch mit ganz anderer Stimme: »Und seine Frau.«

Sie schloss die Augen und schwieg lange. Brunetti trank seinen Tee aus und schenkte ihnen beiden nach.

»Das war natürlich Antonio«, sagte sie im Plauderton.

Natürlich, dachte Brunetti. »Hat er Ihrem Mann erzählt, was er getan hat?« Er fragte sich, ob das Ganze auf einen Fall von Erpressung hinauslief und ob sie deswegen in die Questura gekommen war und ihn hatte sprechen wollen.

»Nein. Er hat es *mir* erzählt. Er rief an und fragte, ob er mich besuchen könne – ich weiß nicht mehr, was für einen Grund er nannte. Er sagte, er sei ein Geschäftspartner meines Mannes« – das kam sehr hämisch aus ihrem Mund. »Ich sagte, ich sei zu Hause. Also kam er und hat es mir erzählt.«

»Was genau?«

»Was passiert war. Dass Maurizio, behauptete er jedenfalls – Antonio, meine ich –, deutlich gemacht habe, was er von ihm erwarte, und dass Antonio es getan habe.« Sie sah ihn an, und er hatte das Gefühl, sie habe alles gesagt, was sie zu sagen hatte, und warte nun auf einen Kommentar von ihm. »Aber das ist unmöglich«, fügte sie hinzu und versuchte möglichst überzeugend zu klingen.

Brunetti ließ etwas Zeit verstreichen, bevor er fragte: »Haben Sie ihm geglaubt?«

»Dass Antonio ihn umgebracht hatte?«

»Ja.«

Gerade als sie antworten wollte, drang vom Campo der Freudenschrei eines Kindes herein, und ihr Blick wandte sich in die Richtung. Ohne Brunetti anzusehen, sagte sie: »Das ist schon seltsam: Ich kannte Antonio bis dahin gar nicht, aber mir ist nie in den Sinn gekommen, an seinen Worten zu zweifeln.«

»Haben Sie geglaubt, dass Ihr Mann ihn dazu aufgefordert hat?«

Falls Brunetti erwartet hatte, sie würde auf seine Frage mit Empörung reagieren, wurde er enttäuscht. Eher schien sie müde. »Nein. Das kann Maurizio nicht getan haben«, sagte sie mit einer Stimme, die jeden Zweifel zu unterdrücken versuchte.

Sie drehte sich wieder zu Brunetti um. »Es könnte höchstens sein, dass er davon gesprochen hat; wie hätten sie sonst davon erfahren sollen?« Gequält fragte sie: »Woher sonst hätte Antonio den Namen des Zahnarztes wissen können?« Und nach einer Pause: »Aber niemals hätte Maurizio, auch wenn er sich das noch so sehr gewünscht hätte, ihn zu so etwas aufgefordert.«

Brunetti sagte nur: »Verstehe. Hat er bei diesem Besuch sonst noch etwas gesagt?«

»Er hat gesagt, Maurizio wolle ganz bestimmt nicht, dass ich davon wisse. Zuerst hat er es so hingestellt, als habe

Maurizio sie direkt dazu aufgefordert, doch als er sah – Antonio war nicht dumm, das sollten Sie bedenken –, dass ich das nicht glauben konnte, änderte er seine Darstellung und behauptete, es sei eher eine Anregung gewesen, auf jeden Fall aber habe Maurizio ihnen den Namen genannt. Ich weiß noch: Er fragte mich, warum denn sonst Maurizio den Namen erwähnt haben sollte.« Brunetti glaubte, sie sei fertig, aber dann sagte sie noch: »Und seine Frau.«

»Was wollte er?«

»Er wollte mich, Commissario«, antwortete sie fast schon gereizt. »Ich hatte zwei Jahre lang mit ihm zu tun, er war ein Mann mit ...« Sie suchte nach den richtigen Worten. »Mit unerfreulichen Vorlieben.« Als Brunetti nicht darauf reagierte, fügte sie hinzu: »Wie Tarquinius' Sohn, Commissario. Wie Tarquinius' Sohn.«

»Hat Terrasini gedroht, die Polizei zu informieren?«, fragte Brunetti, obwohl das unwahrscheinlich schien, da er in diesem Fall ja einen Mord gestehen musste.

»O nein, das hat er nicht. Er hat nur gesagt, mein Mann wolle bestimmt nicht, dass ich erfahre, was er getan habe. Kein Mann wolle, dass seine Frau so etwas wisse.« Sie drehte den Kopf zur Seite, und Brunetti bemerkte, wie straff die Haut an ihrem Hals sich spannte. »Er behauptete, Maurizio sei verantwortlich für das, was geschehen sei.« Sie schüttelte den Kopf. »Antonio war nicht dumm, wie gesagt.« Dann sachlich: »Er hat eine katholische Schule besucht. Jesuiten.«

»Und weiter?«, fragte Brunetti.

»Damit Maurizio nicht erfuhr, dass ich Bescheid wusste, schlug Antonio vor, er und ich sollten eine Übereinkunft treffen. Das Wort stammt von ihm: ›Übereinkunft‹.«

»Wie Tarquinius' Sohn mit Lucretia?«, fragte Brunetti.

»Genau so«, antwortete sie, und es klang sehr müde. »Wenn ich den Bedingungen dieser Übereinkunft zustimme, werde Maurizio nie erfahren, dass ich weiß, dass er diesen Leuten von dem Zahnarzt erzählt und Antonio dazu angeregt hat, zu tun – nun ja –, was er getan hat. Und dass er ihm den Namen genannt hat.« Sie legte beide Hände an die Teekanne, als sei ihr plötzlich kalt geworden.

»Und weiter?«, fragte Brunetti.

»Um die Ehre meines Mannes zu schützen…«, fing sie zögernd an, und als sie seine Reaktion sah, erklärte sie fest: »Ja, Commissario, seine Ehre, und damit er weiterhin glauben konnte, dass ich ihn achte und liebe – und das tue ich, damals wie heute und in alle Zukunft –, blieb mir nur eine Möglichkeit.« Sie nahm die Hände von der warmen Kanne und legte sie gefaltet auf den Tisch.

»Verstehe«, sagte Brunetti.

Sie nahm einen großen Schluck Tee, durstig, ohne sich mit Honig aufzuhalten. »Finden Sie das ungewöhnlich?«

»Ich bin mir nicht sicher, ob ›ungewöhnlich‹ der richtige Ausdruck ist, Signora«, sagte Brunetti ausweichend.

»Ich würde alles tun, um die Ehre meines Mannes zu schützen, Commissario, selbst wenn er diese Leute *tatsächlich* dazu aufgefordert hätte«, sagte sie so heftig, dass zwei Frauen an einem Tisch neben der Tür sich nach ihnen umdrehten.

»In Australien war Maurizio die ganze Zeit bei mir. Er war den ganzen Tag im Krankenhaus, jeden Tag, und dann in meinem Zimmer, als man ihn reingelassen hat. Er hat seine Geschäfte sich selbst überlassen und sich nur noch um mich gekümmert. Sein Sohn rief an und sagte, er müsse zurückkommen, aber er ist bei mir geblieben. Er hat meine Hand gehalten und mich gewaschen, wenn ich mich übergeben musste.« Sie sprach leise, voller Leidenschaft.

»Und als alles vorbei war, nach all diesen Operationen, hat er mich immer noch geliebt.« Ihr Blick schweifte ins Leere, zu den Antipoden. »Als ich mich das erste Mal gesehen habe... ich musste dazu ins Bad gehen, weil in meinem Krankenhauszimmer kein Spiegel war: Maurizio hatte sie alle entfernen lassen, und am Anfang, nachdem die Verbände abgenommen worden waren, fiel mir das nicht auf. Aber dann fiel es mir auf, und ich fragte, warum in meinem Zimmer keine Spiegel seien.«

Sie lachte, leise und melodisch; es klang entzückend. »Und er antwortete, das sei ihm noch gar nicht aufgefallen, vielleicht gebe es in australischen Krankenhauszimmern grundsätzlich keine Spiegel. Am Abend, nachdem er sich verabschiedet hatte, bin ich den Flur hinunter ins Bad gegangen. Und habe das hier gesehen«, sagte sie und wies mit einer Hand auf ihr Kinn.

Sie stützte einen Ellbogen auf den Tisch, presste drei Finger auf ihren Mund und starrte in jenen fernen Spiegel. »Es war entsetzlich. Dieses Gesicht zu sehen, das nicht mehr lächeln konnte, nicht mehr die Stirn runzeln konnte, gar nichts mehr konnte.« Sie nahm die Finger weg. »Und dazu kam in der ersten Zeit der Schock darüber, wie die Leute mich ansahen. Sie konnten nicht anders: Sobald sie das hier erblickten, trat dumpfes Entsetzen in ihre Mienen und gleich darauf sittliche Entrüstung, auch wenn sie sich alle Mühe gaben, das zu verbergen. ›La Superliftata‹«, sagte sie, und er vernahm den Zorn in ihrer Stimme. »Ich weiß, wie die Leute mich nennen.«

Brunetti dachte, sie sei fertig, aber er täuschte sich. »Am nächsten Tag erzählte ich Maurizio, was ich im Spiegel gesehen hatte, und er sagte, für ihn spiele das keine Rolle. Ich erinnere mich noch, wie er mit einer wegwerfenden Handbewegung ›sciocchezze‹ sagte, als sei mein Gesicht das am wenigsten Wichtige an mir.«

Sie schob die Tasse von sich fort. »Und ich glaube ihm, er hat das wirklich so gemeint und meint es immer noch so. Für ihn bin ich immer noch die junge Frau, die er geheiratet hat.«

»Und in diesen letzten zwei Jahren?«, fragte Brunetti.

»Wie meinen Sie das?«, fragte sie aufgebracht.

»Hat er nie Verdacht geschöpft?«

»Was? Dass Antonio mein – wie soll ich ihn nennen? – mein Liebhaber war?«

»Nun ja«, sagte Brunetti. »Hatte er einen Verdacht?«

»Ich hoffe nicht«, sagte sie hastig. »Aber ich weiß nicht, was er weiß oder ob er sich erlaubt, darüber nachzudenken. Er wusste, dass ich gelegentlich mit Antonio zusammen war, und ich nehme an ... er hatte Angst, Fragen zu stellen. Und hätte ich ihm das etwa beichten sollen?« Sie lehnte sich auf ihrem Stuhl zurück und verschränkte die Arme. »Das entspricht doch genau dem Klischee: der alte Mann mit der jungen Frau. Natürlich nimmt sie sich einen Liebhaber.«

»›Die schlichte Wahrheit unterdrücken wir‹«, sagte Brunetti zu seiner eigenen Überraschung.

»Was?«, fragte sie.

»Entschuldigen Sie, das sagt meine Frau immer«, antwortete Brunetti ohne weitere Erklärung; er wusste selbst nicht, wie er jetzt darauf gekommen war.

»Könnten Sie mir von gestern Abend erzählen?«, fragte er.

»Da gibt es nicht viel zu erzählen.« Ihre Stimme war plötzlich wieder sehr müde. »Er wollte sich dort mit mir treffen, und ich war gewohnt, ihm zu gehorchen. Also ging ich hin.«

»Und Ihr Mann?«

»Er hat sich genauso daran gewöhnt wie ich, nehme ich an«, sagte sie. »Ich habe gesagt, dass ich ausgehen möchte, und er hat nicht nachgefragt.«

»Aber Sie sind doch erst am Morgen nach Hause gekommen?«, fragte Brunetti.

»Ich fürchte, auch daran hat Maurizio sich längst gewöhnt«, sagte sie düster.

»Aha.« Mehr fiel Brunetti nicht dazu ein. Er fragte: »Was ist passiert?«

Sie stützte beide Ellbogen auf den Tisch und legte ihr Kinn in die gefalteten Hände. »Warum sollte ich Ihnen das erzählen, Commissario?«

»Weil Sie es früher oder später ohnehin jemandem erzählen müssen, und ich bin eine gute Wahl«, sagte er und meinte das durchaus ernst.

Ihr Blick wurde sanfter. »Ich wusste, dass jemand, der Cicero mag, ein guter Mensch sein muss.«

»Das bin ich nicht«, sagte er, und auch das meinte er ernst. »Aber ich bin neugierig, und wenn ich kann, möchte ich Ihnen helfen – soweit die Gesetze es zulassen.«

»Hat Cicero nicht sein ganzes Leben mit Lügen verbracht?«, fragte sie.

Um ein Haar hätte Brunetti beleidigt reagiert, dann aber erkannte er, dass sie das als Frage und nicht als Vergleich gemeint hatte. »Sie reden von den Prozessen?«

»Ja. Er hat Zeugenaussagen verdreht, Zeugen bestochen, wann immer das möglich war, die Wahrheit verzerrt und wahrscheinlich so ziemlich jeden billigen Trick angewendet, den Anwälte jemals angewendet haben.« Sie schien mit ihrer Aufzählung zufrieden.

»Aber nicht in seinem Privatleben«, sagte Brunetti. »Mag sein, dass er eitel und schwach war, aber am Ende war er ein aufrichtiger Mensch, denke ich. Und ein mutiger.«

Sie sah ihm ins Gesicht, während sie darüber nachdachte. »Als Erstes habe ich Antonio gesagt, dass Sie Polizist sind und ihn festnehmen wollen«, sagte sie. »Er trug immer eine Pistole bei sich. Ich kannte ihn inzwischen gut genug, um zu wissen ...« Sie verstummte und schien ihren Worten nachzuhorchen, »dass er nicht zögern würde, sie zu benutzen. Aber dann hat er Sie gesehen – vermutlich Sie beide, mit gezogenen Pistolen –, und ich habe ihm gesagt, es sei sinnlos, er solle sich lieber auf die Anwälte seiner Familie verlassen, die würden ihn schon herausholen.«

Sie presste die Lippen zusammen, und Brunetti fiel auf, wie überaus unattraktiv das aussah. »Entweder hat er mir geglaubt, oder er war so durcheinander, dass er nicht mehr weiterwusste. Jedenfalls hat er mir die Pistole gegeben, als ich ihn dazu aufforderte.«

Die Eingangstür schlug gegen die Wand, und sie beide sahen dorthin, aber es war nur eine Frau mit Kinderwagen, die hinauswollte. Eine der Frauen am Tisch neben der Tür stand auf und half ihr.

Brunetti sah sie wieder an. »Was haben Sie dann zu ihm gesagt?«, fragte er.

»Ich sagte bereits, dass ich ihn inzwischen gut genug kannte, oder?«

»Ja.«

»Also habe ich ihm gesagt, dass ich ihn für schwul halte, er führe sich im Bett wie eine Schwuchtel auf, und wahrscheinlich wolle er mich nur haben, weil ich nicht wie eine richtige Frau aussehe.«

Sie wartete auf seine Reaktion, und als keine kam, sagte sie: »Das stimmte natürlich nicht. Aber ich kannte ihn, und ich wusste, was er tun würde.« Wieder änderte sich ihre Stimme, aus der schon lange jede Emotion verschwunden war, und mit geradezu akademischer Distanziertheit sagte sie: »Antonio reagierte auf Widerspruch immer gleich: mit Gewalt. Ich wusste, was er tun würde. Und da habe ich auf ihn geschossen.« Sie schwieg, aber als Brunetti auch jetzt noch nichts sagte, sprach sie weiter: »Und als er am Boden lag und ich den Eindruck hatte, er sei noch nicht tot, schoss ich ihm ins Gesicht.« Ihr eigenes Gesicht blieb vollkommen unbewegt, als sie das sagte.

»Verstehe«, sagte Brunetti schließlich.

»Und ich würde es wieder tun, Commissario. Ich würde es wieder tun.« Er wollte schon fragen, warum, ließ es aber, da sie sich offenbar mit ihren Erklärungen im Kreis herumdrehte. »Wie gesagt: Er hatte unerfreuliche Vorlieben.«

Und das war das Letzte, was sie sagte.

29

Also ich«, sagte Paola, »würde ihr einen Orden verleihen.« Brunetti war kurz nach dem Abendessen zu Bett gegangen, er sei müde, hatte er gesagt, sonst nichts. Paola hatte sich einige Stunden später schlafen gelegt, wurde aber um drei von Brunetti geweckt, der schlaflos neben ihr lag und sich die Geschehnisse des vergangenen Tages in allen Einzelheiten ins Gedächtnis zu rufen versuchte, seine Gespräche mit der Contessa, mit Griffoni und schließlich mit Franca Marinello.

Er brauchte lange, ihr das alles zu erzählen, regelmäßig unterbrochen vom Glockenläuten aus verschiedenen Teilen der Stadt, auf das sie beide nicht achteten. Er konnte erklären, Theorien aufstellen und seine Phantasie spielen lassen, so viel er wollte, was ihn so verfolgte, war der Ausdruck, den sie verwendet hatte: »unerfreuliche Vorlieben«.

»Gott im Himmel«, sagte Paola, als er es wiederholte. »Ich weiß nicht, was sie damit meint. Und ich glaube, ich will es auch gar nicht wissen.«

»Wie kann eine Frau so etwas zwei Jahre lang mit sich machen lassen?«, fragte er und wusste im selben Augenblick, dass er den falschen Ton angeschlagen hatte.

Statt zu antworten, knipste sie ihre Nachttischlampe an und drehte sich zu ihm herum.

»Was ist?«, fragte Brunetti.

»Nichts. Ich möchte nur das Gesicht eines Menschen sehen, der es fertigbringt, eine solche Frage zu stellen.«

»Welche Frage?«, fragte Brunetti entrüstet.

»Wie eine Frau so etwas zwei Jahre lang mit sich machen lassen kann.«

»Was ist daran verkehrt?«, fragte er. »An der Frage, meine ich.«

Sie rutschte etwas tiefer und zog sich die Decke über die Schulter. »Erstens setzt diese Frage voraus, dass es so etwas wie weibliches Denken gibt, dass alle Frauen sich unter solchen Umständen gleich verhalten würden«, sagte sie. Sie stützte sich auf einen Ellbogen auf. »Stell dir ihre Angst vor, Guido. Stell dir vor, was sie zwei Jahre lang hat durchmachen müssen. Dieser Mann war ein Mörder, sie wusste, was er mit dem Zahnarzt und seiner Frau gemacht hatte.«

»Glaubst du, sie hatte das Gefühl, sich opfern zu müssen, um die Illusionen, die ihr Mann sich machte, nicht zu zerstören?«, fragte er und war recht zufrieden mit dieser tugendhaften Formulierung. Dann aber konnte er sich nicht bremsen und schob eine weitere Frage nach: »Gehört das auch zu deinem Feminismus, eine solche Tat zu verteidigen?«

Paola machte den Mund auf, um zu antworten, fand aber nicht gleich die richtigen Worte. Schließlich sagte sie: »Ausgerechnet du musst so etwas sagen.«

»Was soll das denn heißen?«

»Das *soll* überhaupt nichts heißen, Guido. Es *heißt*, dass es dir in diesem speziellen Fall nicht gestattet ist, dich als Verteidiger des Feminismus aufzuspielen. Ich gestehe dir sehr viel zu, in einem anderen Moment und unter anderen Umständen kannst du von mir aus verteidigen, was du willst, sogar den Feminismus, aber nicht jetzt, nicht in diesem Fall.«

»Ich verstehe nicht, wovon du redest«, sagte er, obwohl er fürchtete, dass er sie nur zu gut verstand.

Sie schlug die Decke zurück, richtete sich auf und sah ihn an. »Wovon ich rede? Ich rede von Vergewaltigung, Guido.« Und bevor er etwas sagen konnte: »Sieh mich bloß nicht so an, als ob ich plötzlich hysterisch geworden wäre und Angst hätte, dass jeder Mann, dem ich mal zulächle, über mich herfallen würde oder dass ich jedes Kompliment für das Vorspiel zu einer Tätlichkeit halte.«

Er drehte sich um und machte die Lampe auf seiner Seite an. Wenn das ein längeres Gespräch werden sollte – und danach sah es aus –, wollte er Paola dabei sehen.

»Wir empfinden anders, Guido, und ihr Männer wollt oder könnt das einfach nicht sehen.«

Sie holte Luft, und er nutzte die Gelegenheit und sagte: »Paola, es ist vier Uhr morgens, und ich möchte mir jetzt keine lange Rede anhören, ja?«

Er fürchtete, das werde sie erst recht in Fahrt bringen, aber sie reagierte ganz anders: Sie legte ihm eine Hand auf den Arm. »Ich weiß, ich weiß. Ich möchte doch nur, dass du das als eine Situation zu begreifen versuchst, in der eine Frau sich zum Geschlechtsverkehr mit einem Mann bereit erklärt hat, mit dem sie keinen Sex haben wollte.« Sie dachte ein wenig nach. »Ich habe nur ein paarmal mit ihr gesprochen. Meine Mutter hat sie sehr gern – fast wie eine Tochter –, und auf ihr Urteil kann ich mich verlassen.«

»Was hat deine Mutter über sie gesagt?«, fragte er.

»Dass sie nicht lügt«, sagte Paola. »Wenn sie dir also erzählt hat, sie habe das gegen ihren Willen getan – und ich denke, eine Formulierung wie ›unerfreuliche Vorlieben‹

335

macht das ausreichend klar –, dann war es Vergewaltigung. Auch wenn es sich über zwei Jahre hingezogen hat und auch wenn ihr Beweggrund dafür war, die Gefühle ihres Mannes zu schützen.« Als sie seine unverändert ratlose Miene sah, sagte sie in sehr viel freundlicherem Ton: »Du bist doch ein Diener des Gesetzes in diesem Land, Guido, und du weißt ganz genau, was passiert wäre, wenn sie zur Polizei gegangen und die Sache vor Gericht gekommen wäre. Was der alte Mann und sie dann hätten erleben müssen.«

Sie unterbrach sich und sah ihn fragend an, aber er zog es vor, weder zu antworten noch irgendwelche Einwände zu machen.

»Unsere Kultur hat sehr primitive Vorstellungen von Sex«, sagte sie.

Um die Stimmung aufzulockern, sagte Brunetti: »Ich finde, unsere Gesellschaft hat sehr primitive Vorstellungen von allen möglichen Dingen.« Kaum hatte er das ausgesprochen, merkte er, wie ernst er das meinte, und seine Laune verschlechterte sich nur noch mehr.

Das war auch der Moment, wo es Paola entfuhr: »Also ich würde ihr einen Orden verleihen.«

Brunetti hob seufzend die Schultern und löschte das Licht.

Erst jetzt bemerkte er, dass sie seinen Arm die ganze Zeit nicht losgelassen hatte. »Was wirst du tun?«, fragte sie.

»Schlafen«, sagte er.

»Und morgen früh?«, fragte sie und machte ihr Licht aus.

»Rede ich mit Patta.«

»Was wirst du ihm sagen?«

Brunetti drehte sich auf die rechte Seite, musste dazu allerdings seinen Arm ihrer Hand entziehen. Er richtete sich auf, klopfte sein Kopfkissen zurecht und schob sich an sie heran, so dass er seine linke Hand auf die Innenseite ihres Arms legen konnte. »Ich weiß es nicht.«

»Wirklich?«

»Wirklich«, sagte er, und dann schliefen sie ein.

Die Zeitungen fielen über das Ereignis her, traten es breit und schlachteten es auf jede erdenkliche Weise aus, denn hier kam alles zusammen, was das Publikum liebte: reiche Leute, bei einem offenkundigen Fehlverhalten ertappt; die jüngere Ehefrau mit dem Geliebten erwischt; Gewalt, Sex und Tod. Auf dem Weg zur Questura begleitete Brunetti das Foto der jungen Franca Marinello; und er sah noch etliche andere Fotos von ihr und fragte sich, wie es möglich war, dass die Presse so schnell so viele davon hatte auftreiben können. Hatten ihre Kommilitoninnen sie verkauft? Ihre Familie? Freunde? In seinem Büro angekommen, schlug er die Zeitungen auf und machte sich daran, jeden einzelnen dieser Artikel zu lesen.

Darin waren noch mehr Fotos von ihr, aufgenommen bei verschiedenen gesellschaftlichen Anlässen in den letzten Jahren, und überall wurde spekuliert, was eine attraktive junge Frau dazu getrieben haben könnte, »ihr natürliches Aussehen« – man enthielt sich gerade noch des Ausdrucks »dieses Geschenk Gottes« – derart zu verunstalten, wie sie es getan hatte. Es gab Interviews mit Psychologen: Einer erklärte, sie verkörpere die konsumorientierte Gesellschaft, in der die Leute nie zufrieden seien mit dem, was sie erreicht hätten, und stets nach neuen symbolischen Erfolgen suchten, die allein der Selbstbestätigung dienten; eine Psychologin im *Osservatore Romano* hielt dies für ein trauriges Beispiel, wie Frauen dazu getrieben würden, vor keinem Mittel zurückzuschrecken, um im Wettbewerb um die Anerkennung der Männer jünger oder attraktiver zu erscheinen. Manchmal, führte die Psychologin mit kaum verhohlener Schadenfreude aus, gingen diese Versuche schief, dennoch würden solche Katastrophen andere Frauen nur selten davon abhalten, weiterhin dem flüchtigen Ideal von körperlicher Schönheit hinterherzulaufen.

Ein anderer machte sich Gedanken über Franca Marinellos Beziehung zu Terrasini, dessen kriminelle Vergangenheit ausführlich geschildert wurde. Einige namentlich nicht genannte Leute behaupteten, die beiden seien ein bekanntes Paar gewesen und oft in den besten Restaurants der Stadt und im Casinò gesichtet worden.

Cataldo erschien in der Rolle des betrogenen Ehemanns. Der Unternehmer und ehemalige Stadtrat, der bei seinen Kaufmannskollegen im Veneto hohes Ansehen genieße, habe sich nach fünfunddreißig Jahren Ehe von seiner ersten Frau scheiden lassen, um Franca Marinello zu heiraten, eine Frau, die über dreißig Jahre jünger sei als er. Weder er noch Marinello hätten sich bisher zu dem Fall geäußert, und es gebe auch noch keinen Haftbefehl. Die Polizei sei immer noch mit der Vernehmung von Zeugen beschäftigt und warte auf die Ergebnisse der Autopsie.

Brunetti, einer der Zeugen des Verbrechens, war noch nicht vernommen worden, auch Griffoni und Vasco nicht, wie er durch Anrufe bei ihnen erfuhr. »Wer zum Teufel soll uns überhaupt vernehmen?«, fragte er sich laut.

Er faltete die Zeitungen zusammen und warf sie in den Papierkorb – eine ziemlich sinnlose Protestgebärde, das wusste er selbst, und doch fühlte er sich danach besser. Als Patta nach dem Mittagessen endlich in die Questura kam, ließ er Brunetti rufen.

Signorina Elettra saß an ihrem Schreibtisch und begrüßte ihn mit den Worten: »Offenbar habe ich nicht genug über sie oder Terrasini herausfinden können. Oder nicht schnell genug.«

»Sie haben die Zeitungen gelesen?«

»Nur durchgesehen. Ich finde, diesmal sind sie noch widerlicher als sonst.«

»Wie ist er aufgelegt?«, fragte Brunetti und wies auf Pattas Tür.

»Er hat soeben mit dem Questore gesprochen, ich nehme an, er will jetzt deswegen mit Ihnen reden.«

Brunetti klopfte an, ging hinein und machte sich auf eine einsilbige Begrüßung gefasst. »Ah, Brunetti«, sagte der Vice-Questore. »Treten Sie ein.«

Nun, das waren gleich mehrere Silben, die allerdings nicht sehr munter klangen; Patta war offenbar bedrückt, und das bedeutete, er hatte etwas vor, war sich aber unsicher, ob er damit durchkommen würde, und vor allem, ob er dabei auf Brunettis Hilfe zählen konnte.

»Sie haben mich gesucht, Signore?«, sagte Brunetti möglichst ehrerbietig.

»Ja, ganz recht«, sagte Patta leutselig. Er wies auf einen Stuhl und wartete, bis Brunetti Platz genommen hatte. »Ich möchte, dass Sie mir von diesem Vorfall im Casinò erzählen.«

Brunetti fühlte sich zunehmend unbehaglich, wie immer, wenn Patta besonders höflich war. »Ich war dort wegen Terrasini. Sein Name« – Brunetti hielt es für ratsam, nichts von dem Foto zu erwähnen, das Guarino ihm geschickt hatte, zumal Patta nie so neugierig sein würde, danach zu fragen – »war bei meinen Ermittlungen in der Mordsache Guarino aufgetaucht. Als dann der Sicherheitchef des Kasinos mich anrief und sagte, der Mann sei im Haus, bin ich sofort hin. Commissario Griffoni hat mich begleitet.«

Patta thronte hinter seinem Schreibtisch. Er nickte: »Ja. Fahren Sie fort.«

»Kurz nach unserem Eintreffen hatte Terrasini plötzlich eine Pechsträhne, und als es aussah, als könnte er Ärger machen, gingen der Sicherheitchef und ein Mitarbeiter dazwischen und führten ihn ins Treppenhaus.« Wieder nickte Patta, denn er hatte großes Verständnis dafür, dass man ein Ärgernis schleunigst aus dem Blickfeld der Öffentlichkeit entfernte.

»Die Frau, mit der er am Tisch gesessen hatte, folgte ihnen.« Brunetti schloss die Augen, als rekonstruiere er die Szene, und fuhr fort. »Als die Sicherheitsleute mit ihm auf dem ersten Treppenabsatz angelangt waren, hatten sie offenbar den Eindruck, Terrasini werde weiter keine Schwierigkeiten machen; jedenfalls ließen sie seine Arme los in der Hoffnung, dass er sich beruhigt habe. Dann gingen sie wieder die Treppe hinauf, zurück zu den Spielsälen.«

Er sah Patta an, der es gern hatte, wenn man beim Sprechen zu ihm aufsah. »In diesem Augenblick zog Terrasini aus Gründen, die ich nicht kenne, eine Pistole und richtete sie auf uns, vielleicht auch auf die beiden Sicherheitsleute –

das kann ich nicht sagen.« Das stimmte tatsächlich: Er hatte nicht gewusst, auf wen Terrasini gezielt hatte.

»Griffoni und ich hatten inzwischen beide die Waffe gezogen, und als er das sah, muss er es sich anders überlegt haben, denn er ließ die Pistole sinken und gab sie Signora Marinello.«

Zu Brunettis Erleichterung nahm Patta keinen Anstoß an der höflichen Formulierung. Er fuhr fort. »Dann – nur wenige Sekunden später – drehte er sich zu ihr herum und hob eine Hand, als wollte er sie schlagen. Keine Ohrfeige, Signore. Er hatte die Hand zur Faust geballt. Das habe ich gesehen.«

Patta machte ein Gesicht, als hörte er eine altbekannte Geschichte.

»Und da hat sie auf ihn geschossen. Er stürzte, und sie schoss noch einmal.« Patta fragte nicht nach, aber Brunetti sagte trotzdem: »Ich weiß nicht, warum sie das getan hat, Signore.«

»Ist das alles?«

»Alles, was ich gesehen habe, Signore.«

»Hat sie etwas gesagt?«, fragte Patta, und als Brunetti schon antworten wollte, präzisierte er: »Als Sie im Casinò mit ihr gesprochen haben? Warum sie das getan hat?«

»Nein, Signore«, antwortete Brunetti aufrichtig.

Patta lehnte sich zurück und schlug die Beine übereinander, wobei eine Socke zum Vorschein kam, die schwärzer war als die Nacht und glatter als eine Mädchenwange. »Wir müssen Vorsicht walten lassen, Brunetti, das verstehen Sie sicher.«

»Selbstverständlich, Signore.«

»Ich habe mit Griffoni gesprochen, und sie bestätigt Ihre Darstellung. Beziehungsweise: Sie bestätigen ihre. Sie hat exakt dasselbe gesagt wie Sie: dass er ihr die Waffe gegeben und dann mit der Faust ausgeholt hat, um sie zu schlagen.«

Brunetti nickte.

»Ich habe vorhin mit ihrem Mann gesprochen«, sagte Patta. Brunetti verbarg seine Überraschung hinter einem Räuspern. »Wir kennen uns seit Jahren«, erklärte Patta. »Lions Club.«

»Verstehe«, sagte Brunetti mit der Bewunderung in der Stimme, die von Nichtmitgliedern erwartet wurde. »Was hat er gesagt?«

»Dass seine Frau in Panik geraten ist, als sie sah, dass Terrasini sie schlagen wollte.« Und mit einer Vertraulichkeit, als habe Brunetti eine Ein-Tages-Mitgliedschaft im Club, setzte Patta hinzu: »Nicht auszumalen, was mit ihrem Gesicht passieren würde, wenn es von einem Faustschlag getroffen wird. Es könnte auseinanderfallen.«

Brunettis Magen krampfte sich vor Zorn zusammen, aber dann erkannte er, dass es Patta vollkommen ernst mit seiner Formulierung war. Und nach kurzem Nachdenken musste er sich eingestehen, dass Patta vermutlich recht hatte.

Patta sprach weiter: »Als er am Boden lag, sah sie, dass er mit einer Hand nach ihrem Bein greifen wollte. Ihr Mann sagt, deshalb habe sie noch einmal geschossen.« Unvermittelt fragte er Brunetti: »Haben Sie das gesehen?«

»Nein, Signore, ich habe die Frau angesehen, und mein Blickwinkel war eher ungünstig.« Das war unlogisch, aber Patta wollte ohnehin glauben, was er gehört hatte, und Brunetti sah keinen Grund, ihn daran zu hindern.

»Genau das hat Griffoni auch gesagt«, bestätigte Patta.

Ein kleines Teufelchen drängte Brunetti zu der Frage: »Was haben Sie und ihr Mann beschlossen, Signore?«

Patta vernahm die Frage, aber nicht die Botschaft, und antwortete: »Ich denke, es ist doch ziemlich klar, was geschehen ist, oder?«

»Ja, Signore. Das denke ich auch«, sagte Brunetti.

»Sie fühlte sich bedroht und hat sich auf die einzig mögliche Weise verteidigt«, erklärte Patta, und plötzlich wusste Brunetti, dass Patta dem Questore dasselbe gesagt hatte. »Und dieser Mann, Antonio Terrasini – ich habe Signorina Elettra gebeten, Informationen über ihn zu besorgen, und wieder einmal ist ihr das mit bemerkenswerter Schnelligkeit gelungen –, ist bereits wegen etlicher Gewalttaten vorbestraft.«

»Ach«, erlaubte sich Brunetti auszurufen. »Aber wird nicht womöglich doch ein Strafverfahren gegen sie eingeleitet?«

Patta schnippte das weg wie eine lästige Fliege. »Nein, das ist sicher nicht notwendig.« Er schaltete auf einen pathetischen Tonfall um: »Die beiden haben wahrlich genug gelitten.« Der Plural sollte sich wohl auf ihren Ehemann beziehen, und Brunetti konnte dieser Aussage nur zustimmen.

Er stand auf. »Freut mich, dass das geregelt ist«, sagte er.

Patta schenkte ihm sein seltenes Lächeln, und wie immer, wenn er das tat, musste Brunetti innerlich anerkennen, was für ein gutaussehender Mann sein Chef war. »Sie schreiben den Bericht, Brunetti?«

»Selbstverständlich, Signore«, sagte Brunetti, von dem

kaum je verspürten Wunsch erfüllt, seinem Vorgesetzten zu gehorchen. »Ich gehe sofort rauf und erledige das.«

»Gut«, sagte Patta und zog eine Akte zu sich heran.

Oben wurde Brunetti bewusst, dass er immer noch keinen eigenen Computer hatte, er konnte sich aber nicht dazu aufraffen, deswegen großes Bedauern zu empfinden. Er schrieb seinen Bericht, weder kurz noch lang; bei der Darstellung der Geschehnisse im Casinò beschränkte er sich auf das, was er gesehen hatte, und wies Franca Marinello die passive Rolle einer Frau zu, die hinter Terrasini die Treppe hintergegangen war und dessen Waffe in Empfang genommen hatte. Aktiv wurde sie in seinem Bericht erst, als Terrasini die Hand gegen sie erhob. Unerwähnt blieb, dass sie etwas zu Terrasini gesagt und Brunetti auf Ovid angesprochen hatte, und er schrieb auch nichts von seinem Gespräch mit ihr in der Gelateria.

Einmal klingelte sein Telefon. Er nahm ab.

»Bocchese«, meldete sich der Chef der Kriminaltechnik.

»Ja?«, sagte Brunetti und schrieb weiter.

»Man hat mir gerade den Obduktionsbericht über den Mann gemailt, der im Casinò erschossen wurde.«

»Und?«

»Er hatte eine Menge Alkohol im Blut, dazu noch etwas anderes, das sie bis jetzt nicht identifiziert haben. Möglicherweise Ecstasy oder etwas Ähnliches. Auf jeden Fall ist da was. Das wird noch genauer untersucht.«

»Und Sie?«, fragte Brunetti. »Haben Sie etwas gefunden?«

»Ich habe mir die Kugeln angesehen. Die Leute in Mestre hatten mir bereits Fotos von der Kugel geschickt, die sie aus dem Schlamm in diesem Tank in Marghera geholt hatten. Wenn die nicht alle aus derselben Waffe abgefeuert wurden, hänge ich meinen Job an den Nagel und mache einen Antiquitätenladen auf.«

»Haben Sie das vor, wenn Sie in Ruhestand gehen?«, fragte Brunetti.

»Nein, ist nicht nötig«, antwortete der Kriminaltechniker. »Ich kenne inzwischen so viele Leute in der Branche, dass ich keinen eigenen Laden brauche. Auf die Weise muss ich keine Steuern zahlen.«

»Verstehe.«

»Soll ich immer noch dieser anderen Sache nachgehen, diesem Spediteur in Tessera?«

»Ja, wenn es geht.«

»Das wird ein paar Tage dauern. Ich muss denen noch zusetzen, dass sie mir die Fotos von den Kugeln schicken.«

»Bleiben Sie dran, Bocchese. Vielleicht kommt was dabei raus.«

»Na schön, wenn Sie das sagen. Sonst noch was?«

Blieb noch der nie aufgeklärte Mord an dem Zahnarzt. Sollte sich herausstellen, dass dieselbe Pistole auch in diesem Fall die Tatwaffe gewesen war, wäre die Verbindung zwischen Terrasini und dem Zahnarzt bewiesen.

»Nein, nichts mehr«, sagte Brunetti und legte den Hörer auf.

Das Diogenes Hörbuch zum Buch

Donna Leon
Schöner Schein
Commissario Brunettis
achtzehnter Fall

Ungekürzt gelesen von JOCHEN STRIEBECK

8 CD, Spieldauer 597 Min.

Toni Sepeda
Mit Brunetti durch Venedig

Vorwort von Donna Leon
Aus dem Amerikanischen von
Christa E. Seibicke

Warum setzt sich Commissario Brunetti in *Feine Freunde* ins Torino und nicht wie sonst ins Rosa Salva? Die Autorin Toni Sepeda hat Brunettis Wege durch die Gassen von Venedig und die Romane akribisch nachverfolgt und liebevoll alles zusammengetragen, was rund um die Questura, was in San Polo, was beim Ospedale Civile etc. spielt. Ihre erprobten Touren – gespickt mit Zitaten von Donna Leon – bieten so etwas wie einen Ariadnefaden durch das Gassengewirr. *Mit Brunetti durch Venedig:* Der Leser kann, sei er daheim oder vor Ort, ungezwungen dem Commissario hinterherspazieren. Calli, Campi und Caffès: Hier ist Brunetti unterwegs. Kunstdenkmäler überlässt er den Touristen – vor allem Kirchen, die ihn nur an Beerdigungen erinnern. Flanieren und dabei die Gedanken schweifen lassen, genau wie Brunetti: Dazu lädt dieses Buch ein.

»Eine Fülle sorgfältiger Beschreibungen und diskreter Empfehlungen, wie sie kein Städteführer, kein Restaurant- oder Shopping-Guide besser und glaubwürdiger versammeln könnte.«
Fridtjof Küchemann / Brigitte Woman, Hamburg

Bei den Brunettis zu Gast

Rezepte von Roberta Pianaro
und kulinarische Geschichten von Donna Leon
Vignetten von Tatjana Hauptmann
Deutsch von Christa E. Seibicke
und Petra Kaiser

Köstliches mit und ohne Kalorien: 91 Rezepte, wie sie
Paola in den Brunetti-Romanen kocht, aufgezeichnet
von Donna Leons Freundin und Lieblingsköchin Roberta Pianaro. Als kalorienfreier Zwischengang sechs
kulinarische Geschichten von Donna Leon sowie
wunderschöne Vignetten von Tatjana Hauptmann.
Brunettis Leibgericht, Paolas Apfelkuchen, ein Rezept
von Brunettis Mutter und Donna Leons Lieblingsessen
(Kürbisrisotto) – sie alle sind in diesem Buch versammelt. *Bei den Brunettis zu Gast* ist ein literarisches
Kochbuch über die venezianische Küche, zum Schmökern – und zum Nachkochen.

»Seit vielen Jahren hat Brunetti die Nase vorn: auf den
Bestseller-Listen, im Kampf um das Verbrechen. Doch
womöglich stammt das Erfolgsrezept gar nicht von
Donna Leon – sondern von Roberta. Es ist Roberta,
bei der die eher asketische Amerikanerin die Finessen
der italienischen Küche kennengelernt hat. Es ist Roberta, die alle neuen Fälle des Heldenkommissars als
Erste liest.«
Fridtjof Küchemann / Brigitte Woman, Hamburg

»Wenn es in meinen Büchern ums Essen geht, wird
alles plötzlich langsamer, die Handlung, die Charaktere beruhigen sich. Ich glaube, dass jeder am Tisch
wieder Kind wird, man fühlt sich sicher, geborgen, redet
freier, weil man mit vertrauten Menschen zusammensitzt.«
*Donna Leon im Gespräch mit dem ›Feinschmecker‹
bei Kürbisrisotto und Vongole*

Barbara Vine
im Diogenes Verlag

Barbara Vine (i.e. Ruth Rendell) wurde 1930 in London geboren, wo sie auch heute lebt. Sie arbeitete als Reporterin und Redakteurin für verschiedene Magazine. Seit 1965 schreibt sie Romane und Stories, die verschiedentlich ausgezeichnet wurden.

»Barbara Vine alias Ruth Rendell ist in der englischsprachigen Welt längst zum Synonym für anspruchsvollste Kriminalliteratur geworden.«
Österreichischer Rundfunk, Wien

»Ihre Romane spüren den finstersten Besessenheiten, den Obsessionen, Zwängen und emotionalen Abhängigkeiten, den Selbsttäuschungen und Realitätsverlusten von Liebes- oder Hasssüchtigen nach. Barbara Vine: die beste Reiseführerin nach Tory-England und ins Innere der britischen Kollektivseele.«
Sigrid Löffler/profil, Wien

Die im Dunkeln sieht man doch

Es scheint die Sonne noch so schön

Das Haus der Stufen

Liebesbeweise

König Salomons Teppich

Schwefelhochzeit

Der schwarze Falter

Heuschrecken

Königliche Krankheit

Aus der Welt

Das Geburtstagsgeschenk

Alle Romane aus dem Englischen
von Renate Orth-Guttmann